曹禺全集

·7·

北 京 出 版 集 团
北京十月文艺出版社

主编：王风

本卷责任编委：李宪瑜

约1950年

南开学校瑞廷礼堂。
1934年曹禺在此出演新版三幕剧《新村正》

清华大学同方部。
1933年曹禺在此排演三幕剧《罪》

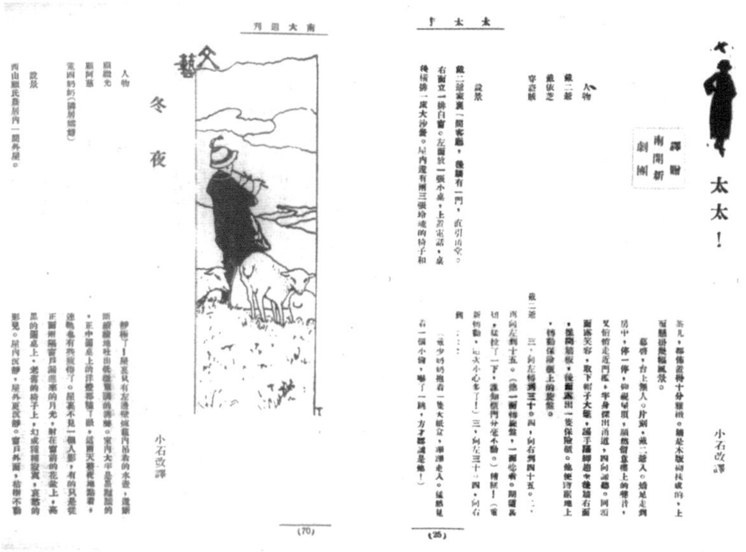

太太

太太！

南開新劇團 贈譯

小石改譯

(25)

南大週刊

冬夜

小石改譯

(70)

1929年12月曹禺改译剧本《太太！》《冬夜》
分别发表于《南开大学周刊》第74、77期

1929年10月南开新剧团演出《争强》，
曹禺饰安敦一（右一）

1935年12月南开新剧团演出《财狂》，
导演张彭春给曹禺（饰韩伯康）说戏

《财狂》剧照。此剧在瑞廷礼堂演出，
舞台布景由林徽因设计

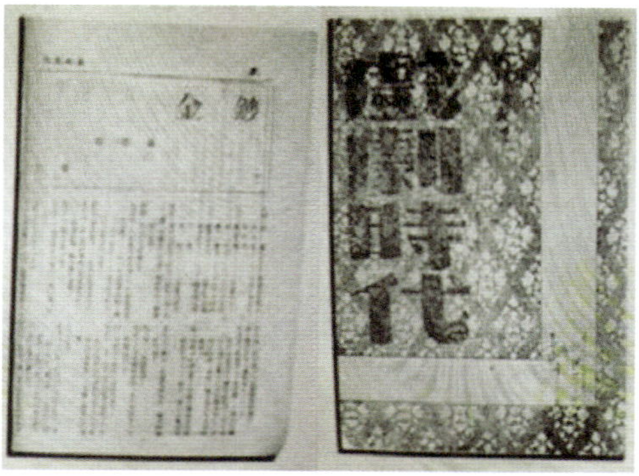

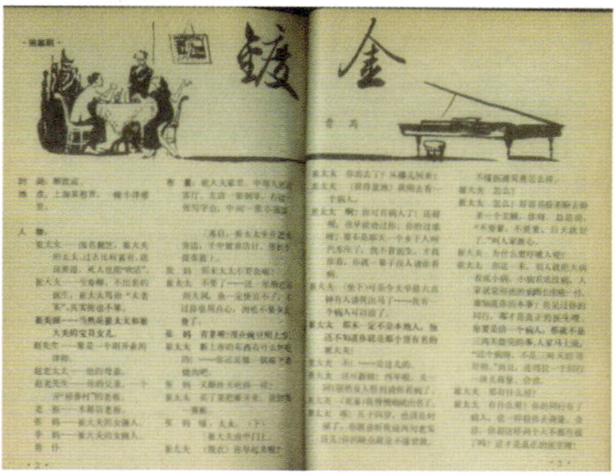

1943年曹禺改译剧《镀金》
刊载于《戏剧时代》创刊号；
1981年大幅修改的《镀金》
刊载于《小剧本》第11期

1947年中国歌舞剧艺社马来亚旅行公演，
图为《镀金》剧照

1940年7月曹禺改译剧《正在想》刊载于
《剧场艺术》第2卷第6、7期合刊

1940年10月
文化生活出版社初版
《正在想》书影

1948年文化生活出版社沪三版
《柔蜜欧与幽丽叶》曹禺所选卷首图

1981年上海戏剧学院第三届藏族表演班以藏语版《柔蜜欧与幽丽叶》作为毕业演出。1982年复旦大学出版社据演出照，编印藏文连环画

1985年上海电影制片厂《日出》剧照

曹禺与万方，摄于改编电影剧本《日出》前后

目　录

版本叙录

李宪瑜

《太太!》

1925年，曹禺加入南开新剧团、南开中学文学会，积极参与戏剧活动，并逐渐开始文学写作及翻译。1929年，曹禺先后担任《南开大学周刊》文艺组的特约撰稿员、编辑，遂在该刊发表戏剧改译作品。

独幕剧《太太!》是曹禺正式发表的第一部改译剧，刊载于1929年12月10日《南开大学周刊》第74期，剧前题“译赠南开新剧团”，署“小石改译”，剧尾注“原名Whose Money?（A farce）为Lee Dickson及Leslie M. Hickson（Hickson原刊误作Hicksou）合著。”《太太!》未标注所据原本信息。此剧随后有多个他人汉译本，题目皆直译作《谁的钱》。比对可知，改译本《太太!》主要改动在于结尾增加了一个细节，即戴二爷细听楼上发出的声音，并自语“太太!”亦即改译本题目由来。

崔国良编《曹禺早期改译剧本及创作》（辽宁大学出版社1993年）及花山文艺出版社1996年版《曹禺全集》第7卷均据初刊本收入。

《冬夜》

继《太太！》之后，改译独幕剧《冬夜》刊载于1929年12月31日《南开大学周刊》第77期，署“小石改译”，剧尾注“原名Winter's Night，著者Neith Boyce”。

《冬夜》未标注所据原本信息。此剧随后有他人中译本。比对可知，曹禺改译本在舞台布景方面略有改动。据陆善忱述《南开新剧团略史》，那个时期南开新剧团成员“改译之剧本多为独幕剧，且多为南开师生公演而改译，因求适合于南开环境（演员、舞台等情况），不得不选择其能上演者而改译之。”改译后的这些剧本，“皆为平津剧团及各学校所普遍采用”。（收入崔国良主编《南开话剧史料丛编·编演纪事卷》，南开大学出版社2009年，第51页）《太太！》《冬夜》俱属此类。

崔国良编《曹禺早期改译剧本及创作》（辽宁大学出版社1993年）及花山文艺出版社1996年版《曹禺全集》第7卷均据初刊本收入。

《争强》

1926年，张彭春由清华大学离职，返回南开中学任主任，并大力振兴南开新剧团。他对曹禺非常器重，多有指导。曹禺回忆说正是张彭春“把我的兴趣调动起来，把我的内在的潜力发挥出来，让我对戏剧产生一种由衷的喜爱，成为我的生命中的一个组成部分……”（田本相、刘一军《曹禺访谈录》，百花文艺出版社2010年，第16–17页）

1929年，南开学校建校25周年，张彭春为南开新剧团选择英国作家高尔斯华绥（JohnGalsworthy）三幕剧《争强》（Strife）作为庆祝演出剧目，并与曹禺共同改译了剧本。10月《争强》公演，曹禺饰演剧中主人公安敦一。据1929年10月26日《北洋画报》刊载之《记南开之〈争强〉》一文，“这一次算是破天荒的盛举，才有这男女合演话剧的一回事。”“万家宝饰安敦一，极像老人的声态，在全剧最为出色。”

同年12月，张彭春赴美，临行前嘱咐曹禺将《争强》演出本整理出来，以南开新剧团名义出版单行本（《争强·序》）。1930年，《争强》印行，封面题“高尔斯华绥原著 南开新剧团改译”。除正文外，还收有万家宝“序”、“南开新礼堂建筑图”3幅、首演演出人员表、演出剧照6幅、各幕舞台示意图共3幅，及南开新剧团致国内各剧社《通信》一则。

《争强》南开新剧团版未标注所据原本或译本信息。《争强》之前，高尔斯华绥原著已有郭沫若中译本《争斗》（商务印书馆1926年），《争强》对此有所参考，但也有意与郭本有所区隔。如张彭春主张将题名译作“争强”，而非“斗争”或“争斗”，就在于认为戏剧表现的是劳资冲突双方“两个人争着看谁强”，“全剧兴趣就系在这一双强悍意志的争执上”。情节方面，《争强》将剧末安敦一和罗

大为的互相注目改为握手，并将这一处作为“这篇悲剧最庄严的地方”。(《争强·序》)

崔国良编《曹禺早期改译剧本及创作》(辽宁大学出版社1993年)系据南开新剧团版收入；花山文艺出版社1996年版《曹禺全集》据南开新剧团版将剧本收入第7卷，将《争强·序》收入第5卷。

《镀金》

1936年8月，曹禺应南京国立戏剧学校校长余上沅之邀前往任教，除教授《西洋戏剧史》《剧本选读》等课之外，还担任导演带领学生排戏。由于学生缺乏舞台经验，曹禺“想找一本容易演的戏”，遂将法国19世纪喜剧家腊皮虚（Eugène Labiche，又译腊比希、拉比什）《迷眼的沙子》(La Poudre Aux Yeux)加以改译，“改编成一本适合中国风土人情的讽刺剧《镀金》”(《〈镀金〉后记》)。1936年12月和1937年4月，国立剧校均曾公开演出此剧，曹禺导演。1938年两度演出，剧名改为《烟幕弹》(《国立剧专历次演出剧目一览表》，李乃忱编著《国立剧专史料集成》，中国戏剧出版社2013年，第900、902页)。不过这一时期的《镀金》舞台本或演出本未见。

1943年9月15日，国民党中央图书杂志审查委员会编《审查通讯》第56、57期合刊中《剧本审查结果一览表（卅二年8月份）》显示，《镀金》一剧由中央青年剧社送审，并获得刊载许可。1943年11月11日，《镀金》发表于《戏剧时代》创刊号，剧尾注“本剧据法国腊皮虚著三幕剧《迷眼的沙子》改编。”其中“三幕剧”说法有误，应为“二幕剧”，且《镀金》只改译了此二幕剧的第一幕，为独幕剧。

改译本《镀金》未标注所据原本或译本信息。《镀金》之前，腊皮虚原著已有赵少侯中译本《迷眼的沙子》(上海新月书店1929年)，《镀金》初刊本从文字来看，应参考了赵译本。《镀金》之后，《迷眼的沙子》一剧其他演出本，则或有参考曹禺改译的《镀金》。

1981年5月13日，曹禺致信李致，谈及出版戏剧集事，曾说：“独幕剧集，我记得曾改编《镀金》两幕，若谋来，看看可否列入。”(李致编《曹禺致李致书信》，四川教育出版社2010年，第92页)。随后曹禺参考腊皮虚原著，对《镀金》再作修改，并应《小剧本》编者要求将修改本发表于该刊1981年第11期，附《〈镀金〉后记》一文。较之初刊本，重刊本的改动约有数百处之多，除剧中人物姓名的改换、部分台词的修改之外，多为标点符号的更动，几乎覆盖全剧，使对话语气发生了系统变化。重刊本也仅改译原著第一幕，仍为独幕剧。

“独幕剧集”并未如曹禺所设想列入“曹禺戏剧集”系列出版。《镀金》初刊本收入花山文艺出版社1996年版《曹禺全集》第3卷。重刊本迄今未收入任何作品集。

《正在想》

1939年，曹禺随国立戏剧学校迁至四川江安。1940年，国立剧校改制为国立戏剧专科学校。据江安时期国立剧专学生蔡骧回忆：“一次，曹禺为我们讲喜剧分类，讲到闹剧(Farce)，由于找不到合适的、真正可以作为闹剧看的剧本，他便说，我给你们写一个。”即《正在想》。（蔡骧《记万先生的教学》，收入李乃忱编著《国立剧专史料集成·上卷》，中国戏剧出版社2013年，第228页）。

1940年7月，《正在想》发表于《剧场艺术》第2卷第6、7期合刊，剧尾有曹禺所附注释三条：“（一）是剧是根据Niggli的The Red Velvet Goat（Velvet原刊误作Veluet）的大意重写的。（二）剧末‘舞唱’一节若无音乐与舞蹈专家来参预指点，最好删去。演到第一次幕落即可终结。（三）剧中乐谱系张定和先生作的，在此志谢。”其中所提及的张定和系当时江安国立剧专的音乐教员。

1940年10月，重庆文化生活出版社出版《正在想》单行本，为该社“文学小丛书”第二集之一种。初版本较原刊本有少量修改订正。此后文化生活社多次再版，至1950年4月印至第七版。部分版次内文偶有个别排印不同，第六版曾增补少量前本遗漏的台词。此外还有1941年“桂一版”、1942年“桂二版”和“蓉一版”，及1941年三通书局“三通小丛书”版。另有伪“康德八年”（1941年）2月之“满洲杂志社满洲映画二月号附录版”，当为盗版。

《正在想》未标注所据原本的版本信息。经查，墨西哥裔美国女剧作家约瑟芬娜·尼格里（Josefina Niggli）独幕剧《红丝绒山羊》（The Red Velvet Goat）曾于1937年7月发表于美国one act play magazine，次年收入其《墨西哥民间戏剧集》（Mexican Folk Plays）。曹禺的“重写”，所据原本当出于此。

花山文艺出版社1996年版《曹禺全集》第3卷收入，自注系据文化生活出版社初版。

《柔蜜欧与幽丽叶》

1943年，神鹰剧团（隶属航空委员会政治部）邀张骏祥导演莎士比亚名剧《罗密欧与朱丽叶》。张骏祥请曹禺重译此剧，写一个适于演出的舞台本。曹禺“一口允诺，并在一个多月的时间里就译了出来。”（张骏祥《美好的回忆》,《戏剧报》1986年第12期）。1944年1月，曹禺改译、张骏祥导演的《柔蜜欧与幽丽叶》在成都国民大戏院公演，演出时剧名作《铸情》。1944年2月,《柔蜜欧与幽丽叶》第一、二幕刊载于《文学修养》第2卷3期；6月，第三、四、五幕刊载于该刊第2卷第4期。

1944年3月,《柔蜜欧与幽丽叶》单行本由重庆文化生活出版社出版，为该社“译文丛书“一种，此即文化生活渝一版。此版对原刊本做了少量修订，1945年12月，再由上海文化生活出版社出版沪一版，后多次再版，至1953年1月出至沪六版。

1954年，曹禺将文化生活社版《柔蜜欧与幽丽叶》做了修改，增加了注解，更换了插图，交由人民文学出版社的副牌作家出版社出版，正文前有曹禺写于1954年6月1日的《译者前记》。“前记”中有“这个译本曾经于一九四三年出版过”之说法，系曹禺将1944年误记为1943年；故篇首“这个译本大约是在一九四二年译的”之说中，1942年亦当为1943年之误。此版自1954年8月至1958年4月，先后以作家出版社和人民文学出版社名义共印行四次，计27500册。1960年2月，人民文学出版社再次出版《柔蜜欧与幽丽叶》，内容及版式与1954年版相同，但将原《译者前记》改题为《译者后记》，附在正文之后。1979年1月，人民文学出版社将《柔蜜欧与幽丽叶》收入该社“文学小丛书”出版，版权页标注为“1960年2月第一版，1979年1月第一次印刷“，实际上是一个重排本。1979年版将曹禺所作注释格式由脚注改为文间注，删去1960年版《译者后记》，于正文前增加了曹禺写于1978年5月的《前言》。

据曹禺说明，改译本所据英文原本相关信息已记不清楚，“只记得译完了以后才找到一本亚登版莎士比亚，参考校对了一下。”出于实际演出考虑，曹禺将不少丑角插科打诨的笑话，都“改成我们的观众能了解的笑话了”。(1954年作家社版《译者前记》)此外，还“加了一些‘韵文’”，以便“增加一点‘诗’意。”(1979年版《前言》)

花山文艺出版社1996年版《曹禺全集》第7卷收入，自注系据1954年8月作家出版社版。

《日出》

1983年7月，上海电影制片厂邀约曹禺、万方二人将话剧《日出》改编为电影剧本。1984年5月，电影文学剧本《日出》发表于《收获》1984年第3期，署名为“曹禺 万方”，文后注明“1984.2.22二稿于沪”，并附曹禺所作《后记》一文。

1985年，电影《日出》拍摄并上映。1986年7月，中国电影出版社出版电影文学剧本《日出》单行本，内容与《收获》刊本多有不同，而与电影较为一致。据万方回忆，此单行本曹禺、万方并未经手修改。

花山文艺出版社1996年版《曹禺全集》据《收获》刊本收入第6卷,《后记》收入第5卷。

附：佚失改编、改译剧本叙录

《罪》

1933年曹禺据高尔斯华绥原著三幕剧The First and the Last改译。1933年4月25日始，清华剧社在清华同方部演出此剧数场，曹禺饰演弟弟，郑秀饰演一个女孩子。改译剧本今未见。

相关材料见《校闻·课外作业科演剧》(1933年4月29日《清华副刊》第39卷第7期)、1982年5月田本相对郑秀的访谈(《曹禺访谈录》第249页)和对孙浩然的访谈(《曹禺访谈录》第258页)。

《新村正》

《新村正》原系张彭春所著五幕剧，1919年连载于《春柳》第6、7、8期。

1934年，张彭春、曹禺将原五幕剧改编为三幕剧，在南开瑞廷礼堂演出，曹禺饰演吴仲寅(吴绅)。改编本剧本今未见。

相关材料见羊諳《〈新村正〉的今昔》一文，载1934年11月23日《南开高中学生》第2期。

《财狂》

曹禺据法国莫里哀《悭吝人》改译的三幕剧。1935年12月，南开新剧团曾演出此剧，曹禺饰演韩伯康。改译剧本今未见。

相关材料见1935年12月9日天津《大公报》、1935年12月7日天津《益世报·南开新剧团公演莫里哀〈财狂〉专号》、1935年12月15日《南开校友》第1卷第3期、1935年12月12日《北洋画报》等。

《戏》

据《国立戏剧学校一览·历届公演剧目表》，1936年10月，南京国立剧校第七届公演在南京香铺营中正堂演出独幕剧《戏》，原著英国A.A.米尔恩，改译者署万家宝。改译剧本今未见。

《国民公敌》

据南京国立剧校公演秩序单，1937年1月7–9日，国立剧校于南京“新街口世界大戏院”举行第九届公演，演出五幕剧《国民公敌》，原著挪威易卜生，译者张彭春、万家宝。翻译或改译剧本今未见。

——太太！——

【题注】改译自美国Lee Dickson及Leslie M. Hickson合著Whose Money?（A farce）。据1929年12月10日《南开大学周刊》第74期初刊本排印。原刊署"小石改译"。

人　物

戴二爷

戴依芝

穿窬贼

设　景

戴二爷家里一间客厅，后墙有一门，直引甬堂。右面立一排白窗。左面放一张小桌，上置电话，桌后横排一床大沙发。屋内还有两三张玲珑的椅子和茶几，都布置得十分雅致。墙是木板砌抹成的，上面悬挂几幅风景。

〔幕启，台上无人。片刻，戴二爷入。矫足走到房中，停一停，仰视屋顶，显然留意楼上的声音，又悄悄走近门槛，半身探出甬道，四向谛听。回头面露笑容，取下帽子大氅，蹑手蹑脚趋至后墙右面，推开墙板，后面露出一只保险柜。他便蹲踞地上，转动保险柜上的旋盘。

戴二爷 三，向左转到三十。四，向右到四十五。二，再向左到十五。（他一面转旋盘，一面念着。期望甚切，猛拉了一下，谁知柜门分毫不动。）糟糕！（重新转动，这次小心多了！）三，向左三十。四，向右到……

〔戴少奶奶抱着一只大纸盒，蹒跚走入。猛然见着一个小偷，吓了一跳，方才认识是他！

少奶奶 （悻悻貌）士敏！

戴二爷 （跳起来）依芝。

少奶奶 （凛然）你在这儿干什么？

戴二爷 呃！……嗯……练习开保险柜！

少奶奶 你别替自己找麻烦吧！上一次我在这儿抓住你，我就把开柜的号码改了！

戴二爷 哦，你居然……啊……

少奶奶 对了！我改了！一个人弄得要偷自己的保险柜……

戴二爷　这总比偷人家的保险柜强啊!(悻悻状)再说，如若我要的钱你肯给我，我也不愿意蹲在这里干这种事呵……这种行为也太不体面啦!

少奶奶　(把盒放在桌上)士敏，你想过没有?弄钱还债还有旁的法子!

戴二爷　(切心)不知道!什么法子?

少奶奶　出门做事赚去!

戴二爷　(失望，大恚)依芝，怎么你想出这种主意!

少奶奶　我以为男人们，都是愿意做事的。

戴二爷　哼，有些傻子，越做事越快活，我是非偷懒不高兴的。再说，我为什么要做事?我原来有独立的进款。至少，在我结婚前，我是有的。好，现在你拿去了。

少奶奶　我拿去，总比叫你那一群打“麻将”的朋友骗去好吧。

戴二爷　好，你对!我承认!管理财政，我是外行，所以把我所有的钱都交给你，这都对!(忿忿)可是我万想不到钱给了你，你就待我像个小孩子啊!唉!依芝，我不过要一百块钱，真的，我现在就要!

少奶奶　够了，你已经叨叨一个礼拜了!(假笑)士敏，只要你告诉我那一百块钱拿来做什么用，我立刻就给你!

戴二爷　我告诉过你!拿来还债!

少奶奶　(反脸)什么债?赌债!牌债!麻将债!

戴二爷　不是的，不是赌债!

少奶奶　你心里知道!

戴二爷　听我的，依芝。

少奶奶　别叫我“依芝”！

戴二爷　好，少奶奶……（电话铃响，戴二爷望着电话机，又惊又怕）不得了！

少奶奶　（见戴不接电话）怎么？你不去接电话？

戴二爷　（惊悸）依芝，你去接！

少奶奶　士敏，叫你接去！

戴二爷　不过，依芝，哦……

少奶奶　（凛严）叫你接电话。士敏，你不是一家之主么？

戴二爷　（痛苦）唉！依芝，别拿人开心啦！（他拿起话筒，粗声怒气地喊起来）喂……什么？要哪儿……什么？这是女权运动会？……不是！这儿？这是男犯拘留所！对了！你要错号了！……我不知道，我不知道，我不知道什么叫女权运动，我结婚三年啦，我这儿的女权真再运动不得啦！（他挂上耳机，心烦气躁。）恐怕全城就我们一家的电话号码是错的。（这时少奶奶打开纸盒拿出一串一串的珍珠宝石，灿烂炫目。戴看得眼珠都要凸出来）喂！你在天宝金店买的么？

少奶奶　别胡思乱想吧！这都是些玻璃珠子。慈善赈捐游艺会请我装香妃，这是我上装的时候戴的。

戴二爷　香妃？咳！他们把角派错了。你应当装一个母狮子才对。

少奶奶　（不理他，捧着假珠宝到保险柜旁。）城里底下人真要不得！就这种东西也要收起来，要是叫他们看见，他们必定又以为少奶奶有钱，要加工钱了。（她起手转动保险柜上的旋盘。)

戴二爷　(由依芝肩后窥着)什么?向左三十五!

少奶奶　(抬头疾见)士敏,别看!

戴二爷　好,就依你!不过我自己的柜子我才应当知道开法啊!

少奶奶　这是我们的保险柜!

戴二爷　不,这不是你的保险柜!这是我的保险柜。(依芝收藏珠石,柜内物件尽为彼觑见。)喂,你把许多现钱都放在这儿!(少奶奶砰地一声关上柜门)啊,依芝,我的一百块钱呢?你没有拿出来就关上了!

少奶奶　以后你别想要你这一百块钱!我跟你说过多少遍了,你的牌债我已经替你还够了。

戴二爷　不过这不是牌债!

少奶奶　那么是什么?

〔电话铃又响,戴二爷又突然惶遽。

戴二爷　倒霉的电话!(慌张地拿起耳机。)喂!(勉强装欢)哦,白五爷,我正等你电话呢!(神情痛苦)什么?(他听了一会,分明现出是对付一段无味的谈话。他忿忿插进一句。)喂,等一等,别着急,——那自然,我知道我答应今天下午还你,但是我现在不能到俱乐部去!不!(怯怯地看了少奶奶一眼。)我……我的太太病了!对了!还不十分重,不过你知道,我不愿意离开她,(大点头)一定,一定,你那一百块钱,现在我预备好了,就在我的口袋里。一定!老交情,你知道我的脾气,我赌债向来是还得清清楚楚的。(他瞥见依芝，才觉自己露出破绽。）什么？一定！我明天早晨在俱乐部找你。……好，我们早点。十二点怎么样？……什么？九点？也好，九点！我一定在那儿恭候。……哦，你问我那么早起得来么？我不敢说，咱们试着看。好，就这么办。……别烦，好吧？你的钱就在我口袋里。……是的，是的，再见。

〔他把耳机放下，如羊见狮子似的呆望着依芝。

少奶奶 哦，士敏，你要钱不是还牌债！（怒）你怎么敢当着面说瞎话？

戴二爷 （苦恼地）依芝，这一次让我把实情告诉你！

少奶奶 对了，等我已经发现了。哼！十个丈夫九个是这种调的。

戴二爷 我……我在前两星期输给白老五一百块钱。刚才我在电话上说的话你也听见了。无论如何现在我得弄出钱来，明天还给他。

少奶奶 （决绝）士敏，你别想从我手里要这一笔钱！

戴二爷 不过……不过依芝，我已经告诉过白老五，说钱已经预备好，就在口袋里了！如果我明天见着他，钱拿不出手，他把我看成什么人？

少奶奶 也许他会骂你一顿，说你是一张骗子嘴，没人格！这话原来也恰当的很！

戴二爷 够了！够了！依芝，别开玩笑，这不是打哈哈的事情。——唉，这真要人命！我已经敷敷衍衍推延了一个礼拜，现在白老五急得简直要吃我！

少奶奶　你的赌友不是很多么？随便找一个借点钱还给他，不就完了么？

戴二爷　（奚落自己）对，多极啦，都肯借给我一百块钱！（真心话）哼，现在谁都知道，你一个礼拜只肯给我二十五块！（恳求）唉，依芝，给我一百块钱，以后我永远不再打牌。

少奶奶　这话我听过多少遍了。

戴二爷　（犹抱一线希望）不过，依芝，这一次我赌誓，我……

少奶奶　（怒）不成！不成！不成！从我手里一个铜子你也拿不去！士敏，别再叨叨这件事。我现在不舒服，你明明知道的。

戴二爷　不舒服？

少奶奶　嗯，你的太太不是病了么？

戴二爷　依芝，别再拿人开心，好不好？（再次请求）唉，你只听着……

少奶奶　（向房门走去）不成！

戴二爷　（绝望）可是想想我这点名气？想想我的朋友要说什么？我已经跟他许得清清楚楚，这……

少奶奶　（轻蔑）哼，你的朋友？

戴二爷　（愈想愈糟）你想想白老五见面要说什么话？唉，糟糕！以后我真没有脸到俱乐部去啦！

少奶奶　（在门口）谢天谢地！那倒顶好！

〔她出去。

戴二爷　（太太走后，苦楚万分）唉，简直是地狱！（彷徨无策）无论如何我要弄出这笔钱！（目光灼灼又射在保险柜上，立刻走到柜旁，起手转柜门的旋盘。）三，向左到三十五，向右到四十；二，向左到十五……（他猛拉一下，门依然未动）倒霉！（电话铃又响。他大惊，犹疑的看了一会，怒声接电话。）喂！（又露出关心的语气。）哦，好，白五爷，是你！……什么？你现在就要那一百块钱！不过……不过我说，老五，我明天一早一定奉还！……什么？今天晚上俱乐部有大牌局，你现在就要用？可是……可是五爷，我告诉过你，我的太太病了，我一时分不开身。（声音急促。）什么？你要到这儿来取？什么时候？现在！唉，坏了！别这么办！喂，喂，（乱敲话机的耳钩）喂，总局！喂，你把线弄断了！喂，喂，（声音发颤）是进贤俱乐部么？我……我找白五爷说话。我还没说完，请你费心找找！是的！快，快！（等着不耐烦）喂！什么？（惊慌失措）什么？你……你说五爷刚出去！（字句都吞咽下去）他说……他说过到哪儿？是，我就是戴二爷！哦！他……他到我家找我！我……我知道。劳驾！劳驾！（挂上耳机）唉，要人命！（他来回乱走，乱抓自己的头发。）这怎么办？这……怎么办？（他停步凝视保险柜。神色果决。）打开这只柜子！没有旁的路！

〔慌忙跑出。他刚出去，右面的窗户轻轻开了一扇，露出半个粗恶的脸。一双贼眼在宽大的帽檐下向内四处地窥探。不一刻，一个小偷逾窗而入，衣服粗陋，身带一束百宝囊。他一眼便看见后墙的保险柜。正要向后走去，他忽然停步，向着门后窥看。立刻蹑足跑到门前，探头窥测甬堂。立刻，他忽忽跑到右边，藏在沙发的后面。

〔戴二爷手里拿着一个凿子一个锤回到屋内；他用神过专，竟未注意到窗户。他面露刚决的神气，走到保险柜旁，就用铁凿钉住柜门，用锤猛击，不料一下失手，打在手指上。凿子锤子立刻一齐落地。他闷声闷气地握着手指在地上乱跳，随着把它放在口里吸吮；这时他蓦然看见对面的窗户大开。忽然，面露惊愕，口也张开，忘记方才打伤的手指。他带着一副神秘的面容走到窗前，半身探外，八方瞭望。测望中，小偷由口袋里拖出一支铁棒，轻轻走到戴的背后。恰巧士敏回头，瞥见铁棒迎头击来，一闪躲过，和小偷纠扭起来。二人滚跌地上，恰巧士敏压住贼身，于是乘机拿起锤头，向贼首击下。未中，地板砰然作响。这时小偷挣扎脱手，即由袋内抽出手枪欲射，偏偏又为士敏捉住，于是又一阵扭打。结果，士敏由贼手把手枪夺过，意昂昂地坐在贼背上喘气。

〔刹那间，士敏忽然想出一个聪明的主意。

戴二爷 喂！笨蛋，我正要找你呢！

小　偷 （面埋在地毯里）哼？

戴二爷 （手握着枪，跳起来！）起来！（小偷慢吞吞地爬起。士敏走到门口，不安地向甬堂望望，才转向小偷）我问你，要是你不知道保险柜的开法，你能打开它么？

小　偷 （大愤）你看我是干什么的！你是有心骂我，怎么？

戴二爷　（高兴）对了，你当然在行，是不是？好极了！好极了！（举枪威吓）你愿我把你交给警察所么？

小　偷　老爷，别这么办！我家里上有一百多岁的老娘，我们也不是没有良心的。吃我们这碗饭，就不犯案也就够苦啦！

戴二爷　别怕！我还不愿意把你送到警察所糟蹋咯！我跟你找一件事情做，（指柜）你看见那个保险柜没有？

小　偷　我不瞎，怎么看不见？

戴二爷　（兴奋）好，我要你替我开开，拿出一百块钱；完了，就放你走！

小　偷　这干什么？你骗我？

戴二爷　（不耐烦）胡说！谁骗你？我这一辈子从来也没有这么正经过！

小　偷　（不明白）可是，你这打的是什么主意？

戴二爷　（怒）别管！你还是愿意替我打开保险柜，拿出一百块钱！还是愿意我打电话叫警察来抓你？

小　偷　不！不！老爷。（他拿起百宝囊）我开，我开，我不问了！

〔他走至保险柜前，放下百宝囊。士敏吓了一跳。

戴二爷　嘘！我太太要听见哪！声音别这么大。（他慌忙跑到门口，向甬道里望一望。）

小　偷　（狞笑）老爷，现在我可明白了。我懂，哈哈！我这一辈子，也娶过一回老婆。

戴二爷　（不耐烦地转向小偷）别说话，成不成，赶快干活。

小　偷　好办好办，你瞧着吧！

〔他开保险柜，士敏焦躁地守着。

戴二爷 （过了一会）怎么回事，你开得了么？

小　偷 （轻蔑）就这个破铁盒子，我拿牙签也拨得开。

戴二爷 哼！我早就知道这柜子不济事，她买的东西还有好的？（又吓住了）坏了，这是什么声音？（又跑到门口，向甬道望望，回头看小偷，才放下心）没什么！没什么！刚才像是听见太太说话似的。

小　偷 老爷，我越想越不错。哈！就是她把你治服了。

戴二爷 （怒）胡说！我的家务用不着你谈！开保险柜！

小　偷 没错！你瞧着吧！这小玩意儿，说完就完。

〔他用一件东西，重重向柜上击了一下。

戴二爷 （慌张走近）喂喂！声音小点！

〔不料他一脚踏在锤上，全身倒在茶几的角上，哗啦一声，人桌都踣。他方欲起立，忽听楼上嗡嗡作响，小偷大惊，立刻站起。

小　偷 这是什么？

戴二爷 （吓住了，谛听一时，面上忽现喜容）这是我太太！她洗澡呢！

〔小偷又回身向柜，重重击了一下。最后把柜打开。

小　偷 好家伙！（柜门开后，假珠石都显露出来。）我的活祖宗。还有贼赃。

戴二爷 哼！这都是照着香妃的首饰做的，假东西！别说啦，把我那一百块钱拿出来吧！

小　偷　香妃？那么真货在她手里！喂！你……你知道这个大姑娘住在什么地方？

戴二爷　香妃么？她早死了！

小　偷　哦——那么，她的坟地在哪块？

戴二爷　够了！把那一百块钱拿出来好不好？少多嘴！

小　偷　好！好！（他拿出一大堆钞票）老爷！这还有一大堆洋钱票呢？（拿出一束，数了一数）我的活爷爷都是一百块一张的。

戴二爷　（警告他）嗯，一点不错！可是只许拿一张！

小　偷　是，老爷！就这么办！（目光霍霍，神色狡狯；忽然他向后门凝目，低声说）那是什么？

戴二爷　（惊慌）哪儿？（他跑到门，又向甬道张望。贼自一大捆钞票抽出一张，余便抛在自己的百宝囊内，就关上柜门。戴回头怒视。）喂，你究竟是什么意思？鬼也没有一个！

小　偷　（偷[1]狞笑，向他抱歉。）我好像听见有人来似的！（把钞票献出。）老爷，这是您要的那张钞票。一百块！

戴二爷　谢谢！办得好！（把钞票放在口袋内，拍了一下，对贼的工作甚为满意。）不瞒你说，这次你到舍下光顾，敝人真是十分高兴！

小　偷　嗯？我叫你占便宜？这一辈子我也没有干过这么轻松的活。

戴二爷　对呀！老兄，如果没有你，我真不知道怎么办？来！来！来！表示我一点感激，（由茶几下摸出一小瓶白兰地。）来喝

1　底本作“戴”，当作“偷”。

一杯！

小　偷　（以手拒绝）不，咱们办公时间向不喝酒！

戴二爷　（奇怪这句文明话）真是“盗亦有道”！——高见我倒赞成，可惜我无公可办！（他举起酒瓶喝了一口，又偷偷放在茶几下。）现在都完了，我看你最好溜吧。我的太太就下楼，我想你一定不愿意见她的。

小　偷　老爷明见，我也有点怕了！（无恶意地对戴狞笑。）好，我就走吧！——我的饭碗您还不赏给我么？

戴二爷　你说你的手枪么？我看最好由我保存。

小　偷　顶好还我。私藏军火[1]，犯国法的。

戴二爷　哈！哈！这么说，你一定有护照喽？

小　偷　那还用说！我们头给我的。

戴二爷　（听得高兴）你还有护照？好，那么你就拿去吧！

〔他还递枪给贼。

小　偷　费心！（停）不对，你还忘点东西吧？

戴二爷　（惊愕）忘点东西？

小　偷　来，我刚才给你那张洋钱票。（以枪直抵戴腹。）拿过来，孩子！

戴二爷　（叱责）这对得起人么？我问你，这……这事办得漂亮么？

小　偷　少说话，我这买卖就不是漂亮买卖。你拿枪唬我这半天，这我就算对得起你。

1　“私藏军火”底本作“藏私军火”，当作“私藏军火”。

戴二爷　（指枪）你看看吧，你以为我怕这个小玩意是不是？

小　偷　刚才我进来拿着这小东西，你就怕！

戴二爷　那时候装满枪子啊！

小　偷　（将枪由戴腹取回，低头看枪）啊？

戴二爷　如果刚才你对我保险柜里的东西不那么热心，你就看见我把枪子一个一个都拨出来了！

小　偷　（收起手枪）哼，你还机灵啊?!

戴二爷　（挺起胸脯）嗯，你再想收拾我，你还得起早点！

小　偷　（狡黠状）大少爷，你一定起得早，不出十二点。哈！哈！（视腕上手表）我要找几个伙交，别叫人等着，（向窗户走去）咱们再见吧。

戴二爷　再见，没事常来！说不定我又有用你的时候。

小　偷　（跨在窗槛上）大少爷！快的很，不等你想到，我就下手啦！

〔贼不见。戴追到窗前，对贼的后影遥呼。

戴二爷　喂，大混球！听着！你再看看你的枪里头，还是上满枪子啊！（他关[1]上窗门，哑然失笑。走到房中，神色猝然改变，呆立许久，好像深思下一步的善后工作。忽然他跑出甬道，取来一条麻绳；进房便由袋内抽出一条手帕，塞入口中，再松松地用绳把自己捆在椅上。预备完毕，他起手跺蹋地板，竭力由满塞的口腔里呼喊。）依芝！依芝！

〔片刻，依芝穿一件浴衣慌忙跑来，见着士敏这样狼狈。哇

1　“关”底本作“向”，疑作“关”。

的一声扑到他的面前。

少奶奶 天哪！士敏，怎么回事？（替他解绳）

戴二爷 （假作惊惧）哦，依芝，进来一个贼！

少奶奶 一个贼！

戴二爷 对了。（做势）他拿着大枪对准了我，把我绑起来，就把保险柜抢了！

少奶奶 （忘了丈夫）哦，保险柜，天哪！（跑到保险柜前）

戴二爷 （正当少奶奶启保险柜时。）可是依芝，他……他只拿着一张钞票。你……你不知道，我一跺[1]地板，把他吓跑了！

少奶奶 （看保险柜）只拿一张？

戴二爷 （油嘴滑舌）对了，他没有工夫再拿啦！

少奶奶 （着急，视戴）他都拿去啦！

戴二爷 （跳[2]起来）什么？

少奶奶 （又在柜里搜寻一番）都拿去啦！柜里一张钞票也没有了！

戴二爷 （大惊）天哪！这贼一定还是个扒子手！（对依芝做懊恼状）依芝，我怎么没有看见他拿？真的，我简直没看见！这……这钞票一共有多少？

少奶奶 大概是一百张。

戴二爷 （恐慌）一百张？我的天，一万块钱哪！唉呀！——这真没法子！以后我只好找事吧！

---

1 “跺”底本作“跑”，疑作“跺”。

2 “跳”底本作“跑”，疑作“跳”。

〔嗒然若丧，摔在椅上。

少奶奶 （缓口气）还好，他没有把这些珠宝拿去。东西虽然假，做起来怪费事的。……（末次再看保险柜。）我的文件还都没有丢。……（她关上柜门，走到左边桌旁，把抽屉拉开，检查一下。她似乎完全放下心，关上抽屉，面对戴说）他还拿什么旁的东西[1]没有？

戴二爷 （跳起来）还拿旁的东西？这还不够么！（气咻咻然，来回急走）依芝，我的损失你好像一点不关心似的！

少奶奶 （开始笑起来）这有什么关心不关心？实在，这简直可笑……

戴二爷 （惊愕看她）可笑？

少奶奶 嗯，士敏，你看！那些钞票原来是我们慈善游艺会台上用的，都是假的！

戴二爷 什么？假的？

少奶奶 自然！你想想，你每天贼头贼脑地在柜子旁边转，我敢把真钱放在里面么？

戴二爷 依芝，那么，……柜里就没有真钱？

少奶奶 一个真铜子也没有。（见士敏神情惝恍，摇摇欲倒。）士敏，你怎么啦？你，神气像病了！

戴二爷 （倒踣椅内）哎，我病了！

少奶奶 （不耐貌）要命！就因为一个小偷绑你一会！要是他真拿点东西，你病还可说。

---

1 “什么旁的东西”底本作“什么的东西”，疑作“什么旁的东西”。

戴二爷 我说的就是这个意思啊！我……我……

少奶奶 （急欲知道）他从你身上抢了东西么？

戴二爷 从我身上？哈！哈！笑话！笑话！

少奶奶 那么他拿的东西就是那些不值钱的假钞票！（笑）我想这真跟他开玩笑。

戴二爷 对了，这简直跟这小偷开一个很大的玩笑！哈！哈！哈！

少奶奶 一会他就发现自己受骗了，你想得出他那时候的光景么？

戴二爷 我怎么想不出？！我奇怪他拿着钞票怎么办？

少奶奶 他要是聪明的，我猜他一定把钞票分着家换去。

戴二爷 （惊讶）你以为他还能够换么？

少奶奶 自然，那些钞票本来做得跟真的一样，你想……

戴二爷 （忽然站起）依芝，我想到街那头药房去一趟就回来。

少奶奶 做什么？

戴二爷 我要换一张钞票。一张……一百块钱的钞票！

少奶奶 （奇怪）咦？戴二爷，你从哪里弄来一百块钞票？

戴二爷 我……我存起来的。

少奶奶 你居然存钱。这是什么意思？

戴二爷 （灵机一动）依芝，你猜猜看！（停）

少奶奶 （惊喜现于色）士敏，是不是……

戴二爷 你猜得正对！预备你的生日用的。

少奶奶 （轻轻拉过他的手）哦，你真好！能想着我！（申斥的样子）可是士敏，你不应当把所有的积蓄都放在一张整票子上。

戴二爷 对极了！（拿出钞票）所以立刻我要到药房换去。

少奶奶　（欲阻止）可是，士敏……

戴二爷　（把钞票放在口袋内，慌忙拿起帽子。）依芝，我就回来，要是有人来找我，叫他们等一等！

少奶奶　好吧！

〔士敏走到门口，不觉迟疑起来，回头向依芝。

戴二爷　（十分关心）你猜猜，依芝，如果刚才那个小偷兑钱，叫人抓着，你想大概要监禁几个月？

少奶奶　我不知道。……也许十年二十年吧？

戴二爷　（形容沮丧，扔下帽子）十年二十年？

少奶奶　你想他该监禁几年？

戴二爷　依我看六个月倒可以试试。

少奶奶　六个月监禁？用假钞票？你真是大少爷。（见士敏踱来踱去）你不到药房去么？

戴二爷　（苦恼）不，我改主意了。

少奶奶　（看着不耐烦）好啦，我要换衣服。

〔她在左边桌旁，把抽屉打开，取出一只大钱夹。士敏诧异地看着她。

戴二爷　（张开嘴）喂！你的钱夹早就放在这儿么？当着我……我说那个小偷……

少奶奶　（向戴哂笑）这不是运气么？那小偷就没有找到这儿。

戴二爷　那……那皮夹里的钱不少吧？

少奶奶　几百块钱。

戴二爷　（惊讶）哦我……我……

〔他步来步去，频频摇头。

少奶奶 （向房门走去）你看，今天下午我出去的时候，我就想把钱藏起来。我猜你一定不会在这儿找，你这个笨东西。

戴二爷 （徘徊）唉！笨东西，笨！——对了！（依芝出去。这当儿，士敏猝然停步，目光炯炯，似乎又在捣鬼，他跑到门口追呼依芝）依芝！回来，就一分钟。

少奶奶 （回来）什么事？

戴二爷 （又把钞票取出）依芝，自从我口袋装着这一百块钱的钞票，我就放心不下，只想应该换了它。现在我不想找那药房的先生换，……他跟我是朋友！——我说我不愿意找他换这么大数目一张钞票。你想是吧？（伶俐地）所以我倒有个主意，你钱夹既然有许多现钱，为什么你不跟我换换呢？

少奶奶 我？

戴二爷 （斜视她）当然？叫我少出去一趟[1]，不好么？

少奶奶 （停一会）那……自然可以，我替你换吧！

戴二爷 （心里高兴，却又极力压抑，外面装出不动心的样子。）你愿意，那好极了。

〔依芝打开皮夹，取出一卷钞票，一张一张地数。士敏走过来，走过去，眼眸看着她现出快乐的光芒。

少奶奶 （抬头望戴）这不费事，一下就换了。把你的钞票给我。

戴二爷 （送钞票过去，傻笑）你拿去吧。

---

1 “趟”底本缺字，疑作“趟”。

少奶奶　（正要交给他一卷钞票）这大约是一百块零票子……（戴正要伸手接取，依芝却缩回手来，满面狐疑）士敏！你不会把钱交给白老五吧？

戴二爷　（加倍真诚）我不会，你放心，决不会的。

少奶奶　你答应我啦！

戴二爷　依芝！我几时跟你说过瞎话？

少奶奶　（给他钞票）好吧，你拿去吧。

戴二爷　谢谢，依芝，谢谢。（欣欣地查点钞票）唉！你不知道你对我做了多大一件好事！

少奶奶　（怜爱油然生）士敏，因为你还能记住我的生日……我想这一次，我还给你钱还给白老五。

戴二爷　（狂喜望着她）哦！依芝。真的！你真给？

少奶奶　我向来说一句算一句。（把那钞票又退给士敏）所以你还是把你的一百块钱钞票收起来。

戴二爷　（拿着钞票，不知所措）可是依芝你以为……你以为还是给我零票子好吧？（又拿钞票还给她）因为我想白老五一定也不喜欢要整票子的。

少奶奶　（又数出一卷钞票，交给士敏）也好，你拿去吧。

戴二爷　（钞票到手，乐趣横生。）谢谢，依芝，谢谢。

少奶奶　（关上皮夹）那么，士敏，你不会再到俱乐部，把钱又赌光吧？

戴二爷　不，我不。这钱来历太不易。

少奶奶　那么记住，你已经答应我，你以后永远不再打麻将！

戴二爷 （举起手来）永远不打。

少奶奶 （愉快）这才是好孩子！（微微在他脸上打了一下。）难得你这两天居然想着我的生日！

戴二爷 （摇头）也只有这两天吧！（依芝未听见，对他嫣然一笑，走出房门。她走后，戴把钱放在口袋内，兴致淋漓，行坐难安。电话又响了，戴诧异地看了一下，拿起耳机。）喂？谁？（惊愕的声调。）喂！我以为你正在路上，预备到我家里来呢？……什么？你改主意了！（怨恶貌）唉，真糟！什么？没什么！没什么！那么，你明天早晨见我好吧？……啊？要我这就去！为什么？……哦？哦！是啊！……五十块底么半！……什么？三缺一，就等我！……那么……（决断）也好，我就到！老五，你们等着，不误事，来到就摆！

〔他把耳机挂好，戴上帽子。刚走两步，就听楼上梯板大响。他"哎呀"一声立刻站住。抛下帽子，木立不动。

戴二爷 （侧耳静听，低声喃喃。）太太！（声音突止。）

〔他慢慢扬头上视，呆望着还在颤动的屋顶。

——幕落

原名Whose Money？（A farce）为Lee Dickson及Leslie M.Hickson合著。

冬夜

【题注】改译自美国Neith Boyce著Winter's Night。据1929年12月31日《南开大学周刊》第77期初刊本排印。原刊署“小石改译”。

人　物

顾继光

顾阿慈

董四奶奶（邻居孀妇）

设 景

西山顾氏农居内一间外屋。

静极了！屋里只有左边壁炉龛内吊着的水壶，还断断续续地吐出低微单调的沸声。室内大半是黑魆魆的，正中圆桌上的洋灯都瞌了眼，这两天整夜地点着，连它也有些疲倦了。屋里不见一个人影，有的只是从正面两隔窗户漏进来的月光，射在窗前的花盆上，亮黑的圆桌上，老旧的椅子上，幻成种种寂寞，哀愁的影儿。屋内沉静，屋外更沉静。窗户外面，枯树不动，远山寂寥，田野沉沉地压盖着一片积雪，明月冷清清地照在上面。雪面的白光四处反射。屋外的景物异常清朗，屋内房顶也反耀出一片亮光。这样屋内约莫看出许多模糊的轮廓，近角远隅也有一点熹微的光明。像是右边立着一只书柜，上面仿佛挂着一架静默的钟。旁边隐隐约约斜挂着的，大概是一杆猎枪，侧旁一定是一方穿衣镜，壁炉的火焰正吐着舌头在镜里晃耀着。左面壁炉前边多半睡着一张大躺椅。正面清清楚楚地排着一架缝衣机，一张沙发，一隔窗户下放着一个。月光冷静静地照着，地板上横的竖的都是沉死的黑影。

车声辚辚，由远而近，屋前马声，铃声，足步声突破长久的寂静。一个男子的声音。

〔（声音）到了！站着！站着！

〔锁钥转动声。门——在后墙正中，介于二窗间——大开，顾阿慈进，转身向外。）

顾阿慈 继光，最好你看着长工把马盖好。不到明天早晨，温度一定冷到零度以下的。

顾继光 （台外）好，好，我会管。你把门关严了吧。

〔阿慈关门，脱下厚重的皮大衣，走到圆桌旁，把灯点上。进来的女人是一位中年的太太，穿着一身灰白的衣服，头上戴着一个黑帽子。她坐在桌旁一张摇椅上，叹一口气，神色散漫，望着房内的东西。灯光下，屋内的陈设显得异常精致——木器都是白色的，窗帷，椅垫，桌布都是鲜红的颜色。地板上还铺着几张长方的小地毯，红的，绿的，横一块，竖一块都有。书柜内一行一行地排列着西洋书籍，上面放着几张照像和石刻。窗台上还有几盆冬天的花草点缀着。移时，阿慈把黑纱帽取下，看了半天，放在桌上，不觉回头望望书柜上的像架。出了一会神，她把自己的头发理了一理，手抱着手，又呆呆地坐着，空望着前面。左面足步声。继光抱着一束木柴，提着一个风雨灯进来。他穿着一件厚重的大衣，戴着皮帽。进门把灯吹灭，靠在壁角里；然后走至炉旁，放下木柴，取帽子，脱大衣。他里面穿一件灰白的长袍，套上一件黑马褂，太紧了，显得他益发消瘦。他的头发已呈灰黑色，不过面上还剃得干净整洁。他望望阿慈，知道她在出神，于是添柴引火，在炉旁烘手，一面紧紧的看着阿慈。

顾继光 阿慈，你一定饿了，弄一点东西吃，好吧？

顾阿慈 （神不守舍）我不饿，我一点不想吃。

顾继光 这乡下的路总是这么坏——这一路又远又冷，我看你喝一杯茶解解寒吧。

顾阿慈 用不着，我还好。刚才进大门的时候，你听见长工的话了么？他说隔壁董四奶奶已经找过我一趟，说今天晚上她一定要过来陪我一夜的。

顾继光 是么？

〔他由圆桌上把茶壶拿来，冲满开水，斟上一杯热茶，放在阿慈面前。阿慈正看着自己的白孝衣出神，没有瞧见他。

顾继光 喝茶吧，阿慈。你一定很冷了，今天叫你从家里一直走到教堂坟地，也亏你累的。

顾阿慈 （突然回头）我还不累。（她拿起茶杯，缓缓喝了一口。）真是怪事！我不觉得累，什么也不觉得，回家的时候连冷也不觉得。刚才风就在后边吹，可是一到家里——（她打了一个寒战。）这路真远！

顾继光　（将椅移在圆桌对面坐下）实在，今天晚上你住在外国牧师家里顶好了。下完葬之后他们请你住在他家里，我以为你就可以住下。

顾阿慈　为什么？我自小上学堂的时候，就不愿意跟那些假道德的牧师在一起。这一次要是继贤的遗嘱不主张葬在教堂坟地里面，我无论如何不愿意找他们的。

顾继光　我不过是想你回到家里一定很寂寞的。

顾阿慈　寂寞？这真叫人觉得怪，在这块地方，就看不见他了。继光，你想奇怪不奇怪？这真是怪，你跟我孤孤单单地在这儿——旁边就没有继贤了。我真不相信他没有了！

〔光忙走到右面衣架旁，把一件古铜色皮袍取下换上，由袋内取出烟斗烟袋，装好烟斗，在茶桌上找洋火。

顾阿慈　继光，死真是一件猜不透的东西。死来了，什么东西都变了。你看这些书，这些学问，他在外国研究多少年的东西；人完了，什么也都没有了！（呆视。）继贤走了，不见了！

顾继光　（哑声）嗯。

〔阿慈叹息，回首见继光，惊讶。

顾阿慈　你已经把白袍子换了。

顾继光　那件白袍子我穿得太紧。你看，那件袍子……阿慈，你不怪我吧？

顾阿慈　我说的时候，我并不是有意指摘你。不过我觉得你出去的时候，总要把那件袍子穿一下。继贤是你的亲弟弟，他过去了，名分上你总要穿的。

顾继光　（忙说）自然！自然！

顾阿慈　（坚决状）为什么丈夫死了，女人就要穿这种白惨惨的衣服？我顶恨这种颜色！（叹气）可是他死了，我一定为他穿的。在生前我对得起他，死后我还要对得起他。

顾继光　（不停地走）是的。

顾阿慈　继光，这些年你总算对他尽了做哥哥的责任。

顾继光　但望如此。

顾阿慈　（拿起黑帽，解开帽上的带子。）他一病这几年，你对他对我真是一个好哥哥。我想起来，真不知道以后没有你怎么过。（她叹气。）

〔光走到窗前瞰望，无意中碰倒一盆花，落在地上摔破。

顾阿慈　（起身）啊，怎么啦？这是我的秋海棠？（光俯身拾碎片，烟斗同时落地。）继光，怎么回事？你把自己的烟斗也摔断了！今天你怎么这么粗心？（走到他面前）怎么，你的脸白得跟雪一样，哦，我明白了，你晚饭还没有吃呢？（向右门走）

顾继光　不必叫厨子！他们都在坟地里还没有走回来呢。阿慈，其实我不饿，我一点不想吃晚饭。

顾阿慈　（坚持）哦，你一定是饿了！你不吃也要吃一点，我先跟你弄点点心吧。继光，家里死了人，活人依旧是要吃饭哪！

〔叹息，出右门。光看她出去，把两段的烟斗拾起，叹一口气，望望书柜上亡人的像片，再回首顺着阿慈走出的方向望去，低头沉思。行至屋中，阿慈走进，围白围裙，裙角系着有一副红缎结。她端一盘火腿面包，走到圆桌前。

顾阿慈 刚把围裙系好，才想起厨房今天一天没升火。还好，柜里还有一盘现成的火腿面包。你坐下，先吃一点，等下人回来再弄点热东西吃。

顾继光 （坐下）阿慈，我不想吃。

顾阿慈 你太伤心了！继贤过去，我没想到你这样难过。你平时不好说话，可是我知道你对手足的感情很厚的。你总是替继贤打算这个，打算那个；可怜，继贤有时在床上闷得难过，时常还对你说些不讲理的话，我从来没听过你抱怨过他的。唉，搬到农场养病已经有十年了，你在外面累，我在家里累，到了，他还是死了！（叹息）继光，你不吃点东西么？

顾继光 我简直不想吃，吃也咽不下。

〔他略将椅推后，仰视身旁的阿慈，不觉注意到她围裙上面的红缎结；阿慈觉察出来，把缎带抽出。

顾阿慈 哎，我没留心这上面有一条红带子。

顾继光 （伸手）阿慈，给我吧。

顾阿慈 缎带子？你要这个做什么？

顾继光 也说不出做什么，我只喜欢这个颜色。我向来是爱看红的东西。

顾阿慈 （给他）拿去吧。这类颜色我也爱。——大红的颜色，鲜亮的，就是紫色也好看，那种深紫的颜色。（叹息）现在我不应当想这种东西啦。这时想起这些事情，真是傻气！

〔她把圆桌上的火腿面包放在近炉的茶几上，把桌上收拾干净。

顾继光 这一点不傻气，像你这样爱颜色，把家里收拾得很美观，这真是你的聪明。这所老房子到你手里都变了样子了。你没到我们家里来的时候，这所房子荒凉得没有人管，你来了之后，房子的气象都改了。满处都是快乐光明，屋里也放着花，冬天都开得旺旺的。哦，我想起来了。（他走到窗前）我几乎把你的花忘记了。今天夜里一定要冻。不到明天早晨，房里一定很冷的。（他把花分移在茶桌上，圆桌上。）我真对不起你，把那盆秋海棠摔了。

顾阿慈 那要什么紧？（她走到窗前）外面看着很冷，我想董四奶奶不会来了。

顾继光 我猜她要来的。她说今天晚上不要你一个人在屋里坐着。

顾阿慈 这总是人家一番好意，不过我想还不必要她来陪我。我现在不愿意多谈些闲话，我只想一个人坐着想想自己的事情。继光，把窗帘拉拢吧。月色惨惨地，外面像是异常地冷似的。

〔光拉开窗帷，把两隔窗户遮好。阿把摇椅放在炉旁坐下。

顾阿慈 我只想我能够找点事情做，这样闲坐着，我真忍不住。对了，那儿放着张太太的衣服。——可是今天晚上，我安安静静地缝衣裳，我也太无心肝啦，继贤才抬到坟地里……

顾继光 阿慈，不是这么说法。这同你自己的感情有什么关系？你要那件衣服么？

顾阿慈 不要——也好，你把那个篮子拿过来。——自从继贤病的最重那两天起，东西大概都没有动。——可是董四奶奶来了，不要叫她看见我缝衣服；他们乡下人有许多讲究。固然他们的意见无关轻重，然而也犯不着叫他们大惊小怪的。

〔光将筐篮由缝纫机上拿过来。

顾继光 那怕什么？我愿意做什么，我就做什么。世界上尽是些聪明人，不必管他们。不过你要顾忌他们的口舌，我替你看着就得了。

〔阿不理他，由篮内拿出一身紫色的衣服。

顾阿慈 这颜色倒美，可惜这材料太贱。我向来不喜欢坏材料。

〔她起首缝纫，光在屋内徘徊。他从墙钩上把一支猎枪取下，拉一张椅子靠近阿慈，熟视枪，塞枪弹。

顾继光 今年西山又出狐狸了。我想早晚有一天夜里我要把那只狐狸捉着。今天早上我又看见它的脚印，恐怕我们养的鸡又叫它吃了几个。

顾阿慈 （心不在焉）真的么？（停）继光，我算算，我进了这个门已经有二十一年了。你想想，这不是一场梦么？

顾继光 嗯。

〔他装好枪子，把枪倚在膝旁。

顾阿慈 六月里，我嫁给继贤。等到明年六月，整整二十二年。那时他二十一，我二十。你大概比他大四岁，是吧？

顾继光 比他大五岁。

顾阿慈 你看着还比他大些。你总是这样奇怪，这样安静。继光，你真不应当不娶亲，要不然，现在你不会孤孤单单一个人了。

〔光立起，预备把枪挂在墙上。

顾继光 只要你在这儿，我一点也不孤单。

顾阿慈 我怕不能够长在这个地方啦。

〔光手里的枪落地。阿跳起，膝上的篮亦翻下。

顾阿慈 哎呀！你怎么啦？枪不是上好子弹了么？

顾继光 （哑然）嗯，上满了！

〔他把枪拾起，低首呆视。

顾阿慈 我简直以为你喝醉酒了。我从前跟你订好约，不许喝酒，你不会破约又喝了吧？

顾继光 我没喝！这十年工夫，我一滴酒也没沾过，这你知道。

顾阿慈 好啦，你把枪挂好吧。我看你最好睡觉去，看你的举动，一定是累过火了。

〔她拾起篮，又坐下。

顾继光 我不累。我不是这个意思。（挂好枪。）我是……

顾阿慈 是什么？（他背她站立，低首下视。）是什么？继光，你的怪脾气又发起来了。说真的，有时候我实在不懂你；真的，比懂城里现在这一般时髦女子还难。二十年工夫，我们不拘形迹，天天在一起……

顾继光 天天在一起，哎，天天在一起。你刚才不是说我孤单么？我的意思就指这句话。（他突然回头，走到她面前，）你说你不能长住在这儿，……

顾阿慈 我说过么？哦，是的。刚才我是这么想。

顾继光 你想什么？

顾阿慈 我想我这一生在家里也过够了。现在时代也变了，从前继贤常骂我激烈，现在新人物都说我守旧了，可是我自己原来也不打算在家里过一辈子的。（她穿针缝纫，低首说话。）继光，我早有我的野心，虽然我现在已经四十一，我自己觉得我这一生的事情像是还没有完似的。继光，你知道，这里太没有事情干，太闲在啦！假若现在我有一两个小孩子，这又当别论。但是每天只照护你们两个男人家，并且你还常在外面管农场上的事——这事情实在不够我做的，太轻松了。所以我教小孩，找许多衣服做。我找这些事并不是想弄钱，我只是喜欢忙，喜欢累，喜欢帮助人家。多少年我就有一个计划，当时我想谈出来，不但没有用，反叫继贤着急，所以就没有提。我想做买卖，开一家女子衣服店，找一个大地方——也许是天津——设立一家。我手下也有一点资本，就是不要农场我自己的那一块地，我也开办得了。现在我总算自由了。（她放下衣服，眼巴巴地望着光，光直立不动。）我从前总想活着要有生趣，有工作，有自己的事业，现在我都能做得到了。哎。继光，你不知道我这一生多么喜欢好看的颜色，好看的材料。我只想替旁人做好看的衣服。我只想把那绒啊，绸啊，鲜艳的材料，剪给人家小孩们穿。想起来我就高兴。我也说不出为什么原故——这原来也傻气。然而一看见我所喜欢的颜色，深紫啊，深红啊，有时我几乎快活得落泪，我太喜欢哪！

顾继光 我怎么办？（阿停语，抬头惊顾。）我问你，我呢？你只是打算着走，把我扔下，好像……好像……

顾阿慈 我真没想到你是这么看法？怪不得许多人都说你是一个怪人。

顾继光 你就没替我想想！（精神紧张，来往徘徊。）你只打算把我放在这儿，丢开我，自己走，你不知道我这一生都为的是你。

顾阿慈 为我？继光？

顾继光 自然，为的是你！你想想，我为什么住在这儿？难道旁的事情我不可以做么？你想我学了许多年的工业，我就没有野心么？男子汉的心胸我就没有么？你为什么想，我在你旁边过活还孤单呢？阿慈，难道你还不明白么？

顾阿慈 （立起，物落地。）继光！

顾继光 你不知道我这一生只有你在我心上么？

顾阿慈 （喘气）继光，你弟弟的尸首在坟地里面还没有冷呢！

顾继光 哦，阿慈，他不懂得你！父亲替他把你订下，他就娶了你；他只认得他的书，他不懂得你。我一见你，我就明白你。这二十二年，我的心一点没有改。难道你不觉得么？难道你不觉得么？（他逼近阿，阿退后！终于他在阿近处站立。）他没有跟你见面，我已经见着你，明白你。我这一生，这一辈子都为的是一个人！你能说你不知道么？

顾阿慈 （粗声）你疯了！

顾继光 阿慈，我疯了？也许吧！听你冷冷淡淡地说我不应该不结婚，说我这样太孤单！孤单？我从前真是孤单么？除你以外，我怎么能够再想旁的人？是的，我知道。这个时候我不应该跟你谈这些事情，可是我没有法子，我实在忍不住了！阿慈，刚才你说你要走，我听着简直想哭起来了！

顾阿慈 继光，你……你完全是疯了！你是一个老头子，我是一个老太太。这种思想简直可怕！简直可怕极了！你不要忘记你的弟弟，即便我不是刚刚把他安葬……

顾继光 阿慈，这没有关系！他总算活过了，可是我从来没有活过，你也不是活着。阿慈，我知道，你对他并没有多少感情。

顾阿慈 你怎么敢对我说这种话？我？这几年这样尽心尽意的帮助他，照护他。我不跟你说话了！

〔战慄。她取下围裙，折好，向门走去。

顾继光 阿慈，不要生气！请你明白我这点苦衷。

顾阿慈 明白？你的话我就不愿意明白。我跟你讲，你已经昏了头了！

顾继光 （挡住她的去路）阿慈，你一定得听我说。这些年我都放在心里没有讲。你自然不相信我心里早已存着你，你不知道我对你多少年的感情。这是永远不会变的。阿慈现在我依然不改；我不能够觉得我老，我更不觉得你老。年龄是管不住感情的。阿慈，我对你的情分，现在你不要轻意丢开，你不要看不起一个人的感情。假若你不愿意在这儿跟我一块住，那么你到哪里，让我也跟着你去。阿慈，带着我去！没有你我活着一点意味也没有了。

顾阿慈 继光，躲开我！

顾继光 不成。你为什么这样待我？难道我对你发生感情就错了么？就是结婚，现在法律也不能干涉我们。

顾阿慈 结婚？这简直是禽兽！

顾继光 为什么结婚不可以？法律干涉不了的。我想我们住在一块许多年，彼此相得，结婚原来是很自然的事。我知道，你所想的跟我想的不一样。可是你对我的感情一向是很好的。

顾阿慈 我对你是兄妹手足的感情，可是现在……

顾继光 现在怎么样？

顾阿慈 现在你我最好分开——越快越好。

顾继光 不成！我离不开你。多少年前，假若我走得开，我早就离开此地了。可是我办不到，我就住下。你当时也没反对我住在这儿，不但如此，我这些年下雪下雨每天出去为你做的事情你都安然受下，我对你的好意你已经承受了。即便你说你不知道，你已经承受了！阿慈，现在你欠我的，你该我一点东西。

顾阿慈[1] 继光，这农场一半归你呀。假若你还嫌少，你全拿去也可以。

〔光抓住她的臂膊。

顾继光 阿慈，你不应当对我说这种话。这太没有心肝。你应当明白得多！从前你总是和和气气地管理家事，所以我没有细处看你，明白你。原来你这种人只会尽责做事，不懂一点感情的。可是你不能够跟我说这种话。无论如何，你欠我

---

1 “顾阿慈”底本作“光”（顾继光），当作“阿”（顾阿慈）。

的情分。

顾阿慈 让我走，我真怕跟你在一起。我早就知道你心里总有点疯疯癫癫的东西。我跟你讲，再这样下去，你要入疯人院的。

顾继光 （放开她，退两步）你这是一句真话。你就能赶我进疯人院。要是你离开我……我……

顾阿慈 继光，听我说。我们这些年住在一起，我不愿临了，这样分开。过去呢，你帮过我的忙，我也帮过你的忙，我们一向是和和气气的。几年前，你喝酒喝得很凶，要不是我，你早就醉死了。我想你还记得。

顾继光 那时死了倒好。

顾阿慈 醉死了倒好？那个时候我把你救出来，从那以后，你清清白白做一个好人。也许你已经有些疯疯癫癫的思想，可是那时你明白，你放在自己心里头。现在还是请你放明白些，知道事情终久要变的。你应当想想，我不能够住在这里的。你还要办农场呢，你就办下去；不然，我们卖了它，都随你的意思。

顾继光 这么说，你要走了？

顾阿慈 我当然是要走。我在这里等于住监狱。这些年我已经住够了。

顾继光 （声音低哑）阿慈，带我去！你愿意到哪里，我都跟你去。我能够帮助你，替你做许多事情。

顾阿慈 继光，这不成！这不成！我先要回我的娘家，找着机会再做生意。

顾继光　那我在附近找一个地方住。

顾阿慈　（喊出）这不像话！你没想想你说了这些话没有一件办得到么？这样我一分钟都坐不住了。谁能够想出种荒谬的思想——你跟我结婚！

〔她狂笑。

顾继光　（惊）阿慈，不要笑！

顾阿慈　（镇定）这句话说出来不是糊涂么？可是我猜你一定是怕一个人留在这儿，才说这些话，你心里头绝不是这个意思的。好，从这时起，我们干干净净地忘丢它。

顾继光　（迟钝）我们忘丢它。……

顾阿慈　（有些惊惶）这才对。我们和和气气的分开！将来还要见面。像我们这两个老东西，我们不能再想那些事情啦。

〔她又狂笑。

顾继光　（转面抓住她的手）不要笑！

顾阿慈　哦，天哪，他疯了！救命！救命！

（她从他手里挣脱，向门冲去。）

顾继光　（蹒跚欲倒，扶着椅背喘气）阿慈，我不害你——你别怕——你……你……你——我永远不会害你的。我不再说了，我们忘了吧！——忘了……

〔跌入靠桌的椅内，头埋在手里。

〔门外足步声，长工与一女人说话。

顾阿慈　啊，可来了！这一定是董四奶奶！（开门董进，阿猛拉着董的手。）我以为你永远不来呢。

董四奶奶（把阿拉过门口，关上门）说什么我也要来的。今天晚上，我可不能叫你一个人在家里守着。头几天晚上，总得要个妇道陪着的。顾大先生呢？——唉！真可怜！他也是不好受！

顾阿慈　（忙说）我们大哥也是很难过的。董四嫂，把东西都脱下——来，过来暖和一下。今天晚上太冷了。（打了一个冷战，为董把帽子斗篷脱下，放在一旁。两个孀妇都站在壁炉旁。）唉，董四嫂，我万分谢谢你，你到这儿来陪我。

董四奶奶 唉，顾太太，我也是过来人。唉，我明白。刚一来，是不好过，孤孤单单地好像一个人就活不了似的。（光慢慢起来，不看她们，呆滞的神气，拿起枪走出房门。阿有点惊奇，看着他出去。）可是，顾太太，人活着总得吃饭不是么？以后凡事都忍着点，每天念念老爷待我的好处，修修来世就得了。唉，可怜，顾先生是真不好受。难怪，他们兄弟俩也太好了。像他这样没成家的人，本来也遭不得事。好在这些年他跟你们住在一块，也是他的运气。他脾气太怪，跟旁人都合不上来。可是这么大的农场他一个人管这个，管那个，我看这真是他的好处。你们老爷病着不能管事，你们真是得靠哥哥啦。好啦，现在你也可以憩憩，安安静静地享享福[1]啦。苦了这些年，你也应该……（外面枪声一响。她们都惊起。）这是什么？

1 “享享福”底本作“亨亨福”，当作“享享福”。

顾阿慈 这是继光，我们大哥。他出去了，你看他带着枪出去的。

董四奶奶 这半夜里拿枪干什么？

顾阿慈 这一定是那只狐狸。今天晚上他说要打那个狐狸的。近来我们的鸡已经丢了不少了。（她走至窗前，拉开窗帷。）董四嫂，我怎么看不见他。

董四奶奶 顾太太，你怎么啦？你直打战。这是怎么一回事？

顾阿慈 我出去看看。

董四奶奶 你想些什么？怎么，你抖得都站不住了。来，我看看去。

〔她拿起斗篷，阿向前捉着椅背倚住。董四嫂出。阿全身靠着椅上喘气。

〔外面大喊，愈喊愈近，董四奶奶跑进，斗篷落地。

董四奶奶（声音尖锐。）在……在马号里，他……他的头都炸碎了！顾太太！顾太太！

〔她倒在地上！抓住阿慈的膝头。阿躲开，把耳掩上。

——幕

（原名Winter's Night，著者Neith Boyce）

——争强——

【题注】改译自英国JohnGalsworthy著Strife。据1930年南开新剧团自印本排印。印本封面署“高尔斯华绥原著 南开新剧团改译”。此版系演出本，其中演出人员表、各幕舞台示意图随文照排。又，底本“王克麟”多处误为“王克林”、“陶恒利”多处误为“陶亨利”，据人物表当作“王克麟”、“陶恒利”，径改不出注。

序

客冬，导师张仲述先生因事去国，我们相约在张先生走后暂不排剧。恰巧今年南开礼堂预备拆旧重修，约在十月下旬可以完工，大家更安心等候导师归来，准备来年新生命的开始。在这冬蛰期内，我们已着手的几件工作，第一是搜集二十年来话剧运动的史料，其次是筹划下次试验的剧目，末了，印出去年公演《争强》的舞台脚本。前者需要国内剧坛前辈的指点，非一朝一夕能成，所以至今只做出一部分；后者便是现在和读者见面的《争强》。

《争强》（*Strife*）是晚近社会问题剧的名著。著者高斯华绥（John Galsworthy）的性格素来敦厚朴实，写起剧来也严明公正。在这篇剧内他用极冷静的态度来分析劳资间的冲突，不偏袒，不夸张，不染一丝个人的色彩，老老实实把双方争点叙述出来，决没有近世所谓的"宣传剧"的气味。全篇由首至尾寻不出一点摇旗呐喊，生生地把"剧"卖给"宣传政见"的地方。我们不能拿剧中某人的议论当作著者个人的见解，也不应以全剧收尾的结构——工人复工，劳资妥

【题注】据1930年南开新剧团自印本排印。

协——看为作者对这个问题的答案。因为作者写的是“戏”，他在剧内尽管对现代社会制度不满，对下层阶级表深切的同情，他在观众面前并不负解答他所提出的问题的责任的。

剧内有一对强项的人物——傲悍的董事长和顽抗的技师——全剧兴趣就系在这一双强悍意志的争执上。董事长安敦一是代表厂方的，一位真有骨气的老先生，抱定了见解，一丝一毫也不退让。对方技师罗大为是铁矿罢工的领袖，生来一张锋利的口舌，火一般的性格，也保持不妥协的精神。二人都是理智魄力胜于目前一时的情感，为了自己的理想，肯抛开一切个人的计算的。安敦一说得好：“让工人一步，工人就会要求十步。”对工人有弱怯的退让，在他看来结果只能“毁坏大家”并且“毁坏工人们自己”。他一向抱定团体内应当“有主脑，有服从”，现在在他的团体里出了罢工反抗的事情，他当然是不让步。罗大为呢，他自己受过厂方苛刻的待遇，他说他认得资本，资本是一个吃人肉喝人血的妖怪。这东西一日不铲除，一日工人便没有幸福。他对工人们喊着：“为你们子孙计，你们也要奋斗到底！”所以他当然也不让步。

然而结果，二人都过于倔强，他们的意见都没有实现；一个女人白白做牺牲，两个头脑也徒然地被人推倒。大概弱者的悲剧都归过于他太怯弱，受不住环境的磨折或内心的纠纷，强者的悲剧多半归咎在过于倔强，不能顺应境遇的变迁。两个都是一场凄惨的结果，却后者更来得庄严，更引起观众崇高的情感。所以在第三幕将终时，安敦一辞去了董事长职。罗大为看罢死妻，由家跑来，恍然明白工人们已离叛他讲和，这时造化环境的播弄真令他哭不得笑不得。这一对强项的人物对他们所遭环境的宰割也只得俯首。工人们董事们都偷偷地溜了，安老先生更觉出他所不能共存的敌人，才是精神上他所敬服的朋友。他颤颤巍巍地向罗走来，对他说："我们两个都是受伤的人！"叫着"朋友！"把手伸出。罗"面上颜色由敌忾而变成惊异，二人凝视半天"，终于互相敬服，二人握手。这段描写的确是这篇悲剧最庄严的地方。

总观全剧，章法谨严极了，全篇对话尤写得经济，一句一字不是用来叙述剧情即对性格有所描摹。试想把一件繁复的罢工经过，束在一个下午源源本本地叙出，不散，不乱，让劳资两方都能尽量发挥，同时个人的特点，如施康伯的昏，王克麟的阴，安蔼和的热，魏瑞德的自私，尤其是第二幕第二场写群众心理喜怒的难测和每一个工人的性格，刻画得又清楚，又自然，这种作品是无天才无经验的作家写不出来的。

最能看出作者的手腕的地方，自然是罗大为在大成铁矿桥前一段长话。彼时工人疯狂似地反对他，他不顾生死，对众宣讲。在他猛火一般的话里含蓄满了勇敢、酸辛和愤慨，说到后来，全场工人的精神完全如醉如痴地听从他的指挥。他转开了工人们目前所受的痛苦，说到那可虑的将来；这时他捉着工人们勇敢的心灵，叫工人为将来的子孙们计要拿出勇气死争，铲除不公平的待遇。此处他的词气动人极深，全剧节奏也达到了顶点，所以易五（他的同党）登高一呼："罗大为！"全场群众山一般地响应。恰巧在罗大为"喜极欲泣"的时候，陶美芝跑来报告他女人——罗爱莲的死，罗大为便起始由最高的山巅上坠落，直到他慌忙走后，工人们又恢复了自己的意识，把方才所崇拜的英雄偶像又咒骂得分文不值，当时就找到董事会讲和上工，罗大为便完全由幸福的极顶降在悲惨的下层。作者洞彻全剧节奏，刻准时间转移剧情的本领委实是可惊。

末了，我们应当感谢原作者的，他所创出那两个主要角色，无意中给我们许多灵感。说起来，二人自有二人的短处——譬如见解的偏颇，过分的倔强。然而他们那种刚挠不屈的魄力，肯负责，肯顾大局的骨气，的确是晚近青年们心灵贫弱的补药。在势在位，不为自己打算，抱定专一的见解，拼着位置，财产，性命，“为将来，为大局”争！争！像这种呆子，打着灯笼在今日的中国找，真是“凤毛麟角”，实在不多。结果，二人失败。那位老董事长便决不恋栈，立刻辞职，光明磊落，来去昭然，这比那群蝇营狗苟，“在其位，不谋其政”的东西们，哪一个值得我们的赞仰是不问可知的。——去年公演《争强》，我们希望我们真能够介绍一位英国的名家，不失原剧的精彩，同时更盼望看戏的同学由这两个人格感出一点“烟士披里纯”来。这次很荣幸，能将剧本付梓，献给国内剧社作为他们排剧时的挑选之一，同时也希望读者读后更切心地体会[1]出这种人格美，和他们起更深沉的共鸣。

封皮是同学王子建君画的，谢谢！

---

1 “体会”底本作“体贴”，当作“体会”。

民国十八年十月十七日南开学校二十五周年纪念日

初次公演于南中大礼堂

剧中人	演员
安敦一（大成铁矿董事长）	万家宝
安蔼和（敦一之子，大成铁矿董事）	陆善忱
魏瑞德（大成铁矿董事）	伉乃如
施康伯（大成铁矿董事）	吕仰平
王克麟（大成铁矿董事）	梁家椿
邓子齐（董事会秘书）	左与諟
吴范之（大成铁矿矿长）	胡笃志
韩安世（中央工会代表）	陆以循
罗大为（大成铁矿之工人代表）	张平群
陶恒利（大成铁矿之工人代表）	杨仲刚
鲁家治（即鲁二，大成铁矿之工人代表）	章功叙
葛　爷（大成铁矿之工人代表）	杨葆宣
白二楞子（大成铁矿之工人代表）	王正寅
鲁老大（工头）	严仁颖
刘　四（工头）	袁作震

贾　可（工头）——————————李国琛

易老五（工头）——————————张宝文

李　三（工头）——————————哈增恺

吴安绮丽（安敦一之女，吴矿长之妻）————王守媛

罗陈爱莲（罗大为之妻）————————张英元

陶美芝（陶恒利之女）————————沈希咏

尤大嫂（某工人之妻）————————张家印

傅四（安敦一之老仆）————————江　樵

仆人（吴矿长之仆）—————————董瑚陈

罢工群众（大成铁矿工人）———————诸位同学

第一幕

第一幕

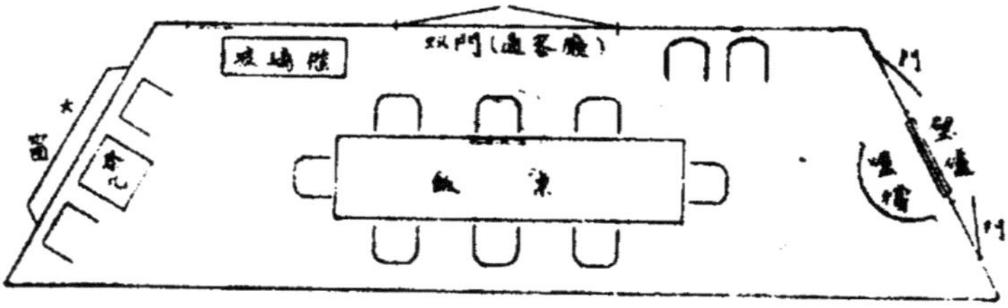

吳鑛長家裏的飯廳

注意

劇中位置左右與觀衆左右相反

吴矿长家里

一间宽畅华丽的饭厅，处处都浮泛着安暖舒适的气息。地上铺满厚软的地毯，正中是一张西式饭桌。桌的周围排列深红色的皮椅，桌端两个，尤其讲究。桌上盖一张深紫色的桌布，每座前面放着笔墨茶杯，是为董事们会议用的。台左有一壁炉，壁炉板上有一点巧小玲珑的东西，如石刻、钟表。这时炉火熊熊，室内温暖如春。靠右有一大窗，窗外见荒村雪野，一片银光，时而窗外枯枝在风里摇曳，更显出残冬萧条的景象。窗前（近台外）有一张茶几，两把椅子，茶几上有茶具烟盘等。

屋内共有三门，正中为一双门，后通客厅；左墙有二门，在壁炉两旁，皆直通甬道到外门。墙上挂着几张金边的彩画，双门右旁立一小玻璃柜，内置古玩，双门左放着两把椅子。

约莫是正午的光景，大成铁矿的董事们刚刚齐集在他们矿长的家里。昨天他们从城里来，专到罢工区内开会商议，预备直接和工人和解，停止罢工。这两天矿区情形异常紧张，三个多月工人们冻的冻，饿的饿，怨，忿，恨，怒，积累到现在，使整个矿区都失了常态。多半董事们都希望立刻和解让步，早早离开这个危险区域；所以董事会议正要开始的时候，各人面上都现出急躁忧烦的神色，又是希冀，又是恐惧。

开幕。王克麟正与邓秘书在饭桌中后低声谈话。王年约四十许，短小瘦削，身躯略弯，衣黑色西服，步伐沉重，行动极有分寸。他鼻下有一黑短小胡，时好冷笑，声音尖锐，却来得缓长。邓子齐年约三十余，身材更瘦小，衣棕色的长袍，神气畏缩；这时频频点头，对王董事谗笑。饭桌两端坐施康伯（董事）及安敦一（大成铁矿董事长）：左端坐施康伯，年将六十，穿一件玫瑰紫色的缎袍，活显出他那副胖蠢呆滞的样子。他像是一生没操过一点心的"福"老；现在靠着椅背喘气，神色落漠，不知他想些什么。右端坐安敦一，白发银须，目光如炬，一望便知是一位罕见的健叟。他穿一件古铜色的大花缎袍，外面套一件闪光的黑绒马褂。这时他昂首远望，态度沉静。其子安蔼和恰坐在他身旁，在台右向外的沙发上看报。蔼和年约三十许，由外国回来不久，也是大成铁矿的董事，他气象厚重，眉目间庄严内藏着稚气，令人觉得和蔼可亲。在右面大窗前站着的，是安敦一的女婿吴范之，任大成铁矿矿长，身躯高大，沉默寡言，看来是一位力讲实行的人物；这时他闷闷地瞭望着窗外的雪景。对面魏瑞德立壁炉前，也闷闷地候着。魏瑞德约年五十许，须发仍黧黑，声音洪亮，满面红光，说话时目光逼人，是一个饱经世故的人。

魏瑞德　（立于炉前）喂，这火太旺了！子齐，请你找块火挡来。

施康伯　（坐）啊，是得要个火挡。

邓子齐　（立与王谈）好，魏先生。（回顾吴）那，要请矿长——要请吴先生——

吴范之 （立窗前）要火挡吗？我真对不起。（微微含笑走至户口）这一冬天，我们这儿是不大听见有人嫌热的。

魏瑞德 （不高兴的语气）你说的是工人们么？

施康伯 那些活该受罪的东西！

魏瑞德 是他们自作自受。

安蔼和 （坐右沙发）照今天早晨本地新闻报的消息，说他们窘得没法啦。

魏瑞德 哼，给克麟看罢。那种过激的论调正合他的口味。他们又骂我们什么啦？那个狗编辑，真混帐。

安蔼和 （读）“大成铁矿的诸位董事，果若肯暂离他们天堂似的租界，驾临矿区，看看在罢工期中工人所过的日子！”

魏瑞德 好呀，我们现在来了。

安蔼和 （继续读下）“我们相信他们就是铁打的心肠也会感动的。”

〔蔼递报纸与王。

魏瑞德 好东西！

施康伯 （吹足气来）再不拿火挡来，我要烤熟了。

〔吴安绮丽年约三十，仪态万方。与其夫共抬炉挡，由正中双门入。

吴安绮丽 再放近一点。魏先生你看这样好么？这个炉挡是我们这里顶高的一个。

魏瑞德 多谢，多谢。

施康伯 （转过身子来呈喜悦态）啊，好极了！

吴安绮丽 爹爹，你要什么东西不要？（安仍坐，摇头）

吴范之 午饭预备得怎么样了？

吴安绮丽（立在双门的门次回顾）我们就在客厅里吃，你们不用忙。（王、魏点头致谢，绮退出）

施康伯 （突然兴奋起来）啊！在这里吃饭么？好极了！好极了？要说本地旅馆——真该死！今天早上你尝那炸桂鱼了没有？简直跟鞋底子一样的味！

魏瑞德 十二点过了！主席，咱们开会吧？（安、吴、王、魏、施、邓就座）

邓子齐 （求主席许可后，迅速念出）"董事会于一月三十一日开会于本公司。出席人——董事长安敦一主席，魏瑞德先生，施康伯先生，安蔼和先生。宣读矿长一月二十、二十三、二十五、二十八日，关于本矿罢工之报告。宣读中央工会干事韩安世先生向本公司董事要求接洽书。宣读工人代表、署名为罗大为、陶恒利、鲁家治等三人，致本董事会要求会面书。议决于二月七日开特别董事会于本矿场长之宅中，当地与工会干事及工人代表等接洽。通过议案十二件，证明书九件。"（读毕呈之于安，即坐安旁）

安敦一 （长太息一声）无异议。

〔安签字，复传交各位董事签字。

王克麟 子齐，中央工会别是玩什么手段吧？他们跟工人们不是已经分裂了么！韩安世找我们接洽，有什么事？

邓子齐 我想他希望我们让步；听说今天下午他跟工人们见面。

魏瑞德　韩安世这个人又阴又狠，我不敢信他。怕咱们到这儿来是多余。工人们究竟什么时候来呢？

吴范之　（看表）快来了。

魏瑞德　我们还没有讨论完的时候，让他们在外面等一等——凉快凉快！

施康伯　（徐徐地）哼！这个下雪的天，叫他们在外边，凉快凉快！哼，真够受！咳，也可怜咯！

吴范之　（缓慢而有含蓄地）唉，今年冬天他们没有走进过一个像我们这样暖和的屋子哦！唉！

魏瑞德　我看咱们早办早散。我还要赶六点半的车回家呢。明天我要陪我的太太到南方旅行一趟。

安敦一　（举起文件）本董事会现在讨论对于罢工的政策。（彼此沉默一会）

魏瑞德　这回要算是三方面的争持——中央工会，本厂工人，跟我们。

王克麟　我看我们不必问工会。

魏瑞德　据我的经验来看，还是照顾点好。现在工会为什么不帮工人的忙了呢？

安蔼和　这个问题我们已经谈了十几回了。

魏瑞德　可是我到现在还不明白。他们说技手跟火夫们的要求过分——他们的确是过分——可是也不能因为这个，工会就不肯去帮助工人哪。

吴范之　工会怕的是本矿工人们要求过高，假若是工会帮助他们，别处也要照样学，都来罢工！

魏瑞德 （占了上风）怕的是别处罢工——好啊，就是这么一个理由呀！为什么你不告诉我呢？

吴范之 我早告诉过你。

邓子齐 （立起向魏）那天的董事会您没有出席。（坐）

施康伯 工会不帮他们的忙，工人们一定倒霉。他们还接着干，简直是疯啦。

吴范之 这是罗大为在里面的原故。

魏瑞德 工人们找着一个罗大为做首领。领着他们拼命，也是我们的运气哦！（沉默一会）

王克麟 （望着安）主席的意见呢？

魏瑞德 （躁急地叫嚣起来）这真糟透啦！我一点也不喜欢，我打早就说过啊。年前克麟跟我到这儿来的时候，我们以为工人们不会再延长啦。范之，你不是也这么想么？

吴范之 是的。

魏瑞德 然而怪得很，居然延长到现在。把我们现在弄得一天不如一天，买主丢掉了——股票落价了。

施康伯 （摇头）糟！糟！糟！

王克麟 子齐，自从罢工已经有多少损失？

邓子齐 （翻记录本）二十万以上。

施康伯 （悲痛状）真的吗？二十多万！——

邓子齐 是的。

魏瑞德 谁也不曾想到工人们会强硬到这个样子。——那时候为什

么预先没有人告诉我们？（愤愤地望着子齐）

施康伯　（摇头）哼，好好的，要罢工玩，——争！我这个人哪，向来不喜欢跟人争。这何必呢？

安敦一　不要投降！（大家都望着他）

魏瑞德　谁要投降啦！（安望着他）我——我不过是说咱们别太过了。工人们年前派罗大为到董事会来——那是顶好的时候。那时我们应该捧着他，哄着他，然而咱们的主席，咳，我说咱们董事会简直没理他，（敌不过安的凝视）那时候我们只要稍稍哄哄他也就没事了！

安敦一　不能有始无终！

魏瑞德　你看从十月起到现在，三个多月。照我自己看来，再有三月也完不了。（走至右茶几前）那可真要糟到底了。（强笑）咳，咳，可是这点倒是安慰，我们糟，工人一定比我们更糟。

安蔼和　（向吴范之）范之，工人们现在到底怎么样？

吴范之　（无表情地）难透了！穷透了！

魏瑞德　真怪呀，没有人帮他们，他们还能坚持到现在，真怪！

吴范之　我们不要看轻工人哪！（立起至右）

魏瑞德　（向吴）现在市价怎么样？价钱一天涨一天。等到我们出货的时候，还按旧合同的价钱交货，那就赔远了。

王克麟　关于这一层，董事长的意见觉得有什么办法？

安敦一　没法办！（吴坐右沙发）

魏瑞德　这一来，一个大钱的红利也分不成的了。

施康伯　（语气沉重）一个大钱的红利也分不成么？可是我们不应当忘了股东啊！（回过头来）主席，我说我们是应该替股东的红利想想。

〔安隐讽地说了一句。

施康伯　喂，他说的是什么？

邓子齐　（立）董事长说他替你想呢！（至右窗前）

施康伯　（又回到刚才的沉闷状态）挖苦人！

魏瑞德　这不是说笑话的时候。几年没有红利分，我就干不了，董事长或者行。（走至左炉前）我们不能拿公司的买卖闹意气。

安蔼和　（有点羞惭的神气）我想我们倒应当替工人想想。

施康伯　（叹息一声）我说蔼和，这不是讲感情的事。要讲感情，咱们做买卖是不成的。

安蔼和　我们个人的感情没什么，工人们怎么受？

魏瑞德　要顾人情——别做买卖！

安蔼和　这样困苦在我们眼前，我们为什么走极端？我想，我想，这太残忍了！（由各人的自尊心所遮盖的一种东西虽然被蔼和揭穿，然而大家都没有作声。）

王克麟　（苦笑）政策不要受感情的影响啊！

安蔼和　事情闹到这个样，我真不高兴。

安敦一　起衅的不在我们。

安蔼和　我知道你老人家说的话一点也不错，不过咱们未免也太过了。

安敦一　不见得吧。（蔼起至左）

〔诸人面面相觑。

王克麟 感情倒在其次，咱们应当注意咱们的步骤。

安敦一 对工人现在让一步，将来步步得让。

王克麟 这话对，不过——（安摇头）您这是丝毫不移的主张吗？（安点头）那么您别忘了，股票已经跌到[1]了定价以下啦。

魏瑞德 是的，下次分红利的时候，股票价钱一定跌到一半以下。

施康伯 真的么，真的么！会这么糟么？

魏瑞德 （恶狠地）你等着吧！

施康伯 咳！

王克麟 （殷勤地）主席，你真要看着我们的船沉下去吗？就因为一个主张？

安敦一 船不会沉。

施康伯 （狂叫）我希望我在船上的时候，船可别沉。

安敦一 （把眼睛昃一下）康伯，别这么没骨头。

施康伯 谁没骨头呀！唉，你这个人！（施至右坐）

安敦一 我从来跟他们对敌，没有败过一次。

王克麟 在原则上咱们是一致的呀，不过咱们都不是铁作成的呀。

安敦一 那有什么，只要坚持到底。

魏瑞德 不让步，只要大家愿意一块下地狱！

安敦一 （拍桌）下地狱也不让步！

魏瑞德 （气冲冲地）您这么想，我可不这么想，我恐怕别人也不这

1 “跌到”底本作“跌倒”，当作“跌到”。

么想！

〔安紧视着魏的面孔。

安蔼和 这是事实，诸位不要忘了，这样坚持下去，我们实在让工人家里的妻儿老小受罪。

王克麟 怕又动感情了吧！

安蔼和 在你的意思以为实业家就完全不讲人道吗？

魏瑞德 我可怜工人们不亚诸位，可是他们（振作起来）要坚持，那我们也没有法子。我们目前应当替自己想，应当替股东们想。

安蔼和 （近魏愤愤地）一次两次分不成红利，不会把股东老爷们穷死。单因为这一点要去压服工人，我觉得理由还不充足。

施康伯 （老不高兴的神气）蔼和，你把红利看得太轻啦。咱们这儿是公司的董事会，不是个慈善机关。

魏瑞德 总而言之，咱们不能因为这回的罢工咱们破产。

安敦一 不要软弱！

施康伯 （呈出一种绝望的态度）吓，你看你看！他又来了！

〔安泰然的靠在椅上，诸人均注目。

魏瑞德 （回到座位来）主席既是这个意见，我不知道咱们为什么要到这儿来？

安敦一 到这儿来，跟他们说，我们不能容纳他们的条件。（冷酷地）我们不来明明白白地告诉他们，他们不信的。

魏瑞德 哼！恐怕罗大为要我们来，也是要亲自告诉我们，说他们也不让步。我最恨这种气愤不满的人。

安蔼和　（愤恨地）他的发明，我们报酬得太少了。我那时就说过的。

魏瑞德　我们给了他五百块，还嫌少吗？他要多少？

邓子齐　（立窗前）（不平地）公司靠他的脑筋赚了不下十万，只赏了他五百；他是这样说的。

魏瑞德　这东西真会激动人心，现在工会里韩安世快要来了，我们全交给他去办罢。（静）

安敦一　不，不！

〔众人又均注视安。

吴范之　罗大为怕不肯让工人听罢。

施康伯　刚愎！

魏瑞德　（一面望着安）刚愎！怕不只罗大为一个人吧？

傅　四　（由左门走进，向安）老爷，工会里来了一位韩安世求见。工人代表也来了。

〔安点头，吴走向门次。迎韩安世入。傅四退去。韩衣中山服，满面髭须，时露笑容。

吴范之　（指着子齐的座位）韩先生请坐。

〔韩安世登场时，董事魏、王就坐中桌后，蔼至右沙发坐，施在右后椅坐，吴立左后。

韩安世　（放开眼光，看了众人一眼，笑着鞠了一躬）谢谢，（就坐）诸位先生，我们今天可以了啦吧！

魏瑞德　要看你怎么说啦！韩先生你为什么不叫工人让步呢？

韩安世　（冷嘲地）工人们的道理比你们正当。问题是我们工会以后去不去再帮他们。

〔韩目中无人，只向安说话。

安敦一 要帮，你们就帮。

韩安世 咱们说个痛快话，我们没有帮助工人们，是因为他们的要求有的地方太过。（施、魏点头）今天我想叫他们把那些太过的条件撤回，只要他们肯干，我们以后就帮他们。我今晚就回去的；我在动身之前，我想弄出一些眉目来。为什么不合作呢？你们争，于你们又有什么好处呢？你们是人，工人们也是人。你们要好东西，工人们也要好东西呀——（尖刻地）譬如你们的汽车，你们的洋楼，你们的大菜，你们连这点也不知道吗？

安敦一 只要工人们肯让步，对他们是有好处的。

韩安世 （讽刺地）诸位是这个意思吗？（董事诸人都不回答）我在前以为咱们都是新时代的人，这样看来我怕是错了。

安敦一 听你的口气倒像是工人的口气。好，我们看，是我们离不了他们，还是他们离不了我们。

韩安世 诸位这样白费财力，何必呢？早晚怎样结局，你们还不知道么？

安敦一 你说怎么结局？

韩安世 双方让步，素来如此。

王克麟 韩先生你是一个聪明人。工人们跟我们的利害原来是一样的。

韩安世 既然利害相同，为什么还坚持呢？

〔大家不作声。

韩安世　（冷淡地）诸位先生，那么贵董事会的意思是全不让步的，我可以作这样解释么？

〔王与魏屈身向前像要说话的光景，却又咽下。

安敦一　（点头）嗯——不让步。

安蔼和　（突然抬起头来）工人们的困苦！我们倒是关心。

韩安世　（冷酷地）用不着！他们要的不是怜悯，要的是公平。

施康伯　（突然地）把工人们叫进来，我们还是听听他们的意见罢。

〔安点头，吴走出。

韩安世　（冷淡地）今天下午我要跟工人们会面的。诸位，请你们等我跟他们见了面后，再下最后的决定。

〔安再点一次头，举起杯来饮水。吴又走转来，后面跟着罗大为、陶恒利、鲁家治，诸人鱼贯而入。罗衣蓝色工人服，头发散乱，神色可畏。

吴范之　（指点）那儿有椅子，大为，你叫他们坐下。

罗大为　谢谢你，吴先生。在诸位董事们面前，还有我们的座么？咦，韩先生，你好哇！没想到在这儿碰见你。

韩安世　（坚决地）下午见吧，罗大为。

罗大为　好，我们还有事跟你商量呢。（韩退向左后坐）

安敦一　你们要说的是什么？

罗大为　（尖酸地）没听清楚。

邓子齐　（从主席座位后发言）董事长的意思，问你们工人要说什么话。

罗大为　我们是来听董事会说话的。请董事会先说。

安敦一 董事会没有话说。

罗大为 （把一列工人们挨次看了一遍）要是那样，我们别白费诸位董事的光阴，也别踏脏这高贵的地毯。走，我们走。

〔罗抽身一转，鲁即随后，陶尚犹豫。

王克麟 （和婉地）喂，罗大为，大冷天你叫我们走了这远的路，就听你这几句话么？

陶恒利 不是，我的意思……

罗大为 （恶狠地）陶恒利，让你说，你会跟董事们说话，你比我会说。

〔陶不作声了。众人均无言，安与罗嗔目相视。

吴范之 罗大为，假如你对诸位董事没有话说，你让鲁家治或者陶恒利代表工人们说一说罢。

鲁家治 要准我说话，诸位先生……

陶恒利 我所说的话呀，是我们大家都想说的话……

罗大为 你说你自己的话吧。

施康伯 （立起，十分不愉快的样子）你别管他们太严咯哇。你让他们也有一点精神上的自由啊。

罗大为 施先生，我们也就剩点精神咯，身体早让你们几位饿坏了！

施康伯 这是什么话！（复坐）

罗大为 （回头向工人）喂，是你们说，还是我替你们说。

鲁家治 （突然地）罗大为，你要说就说，不说就让人家说。

罗大为 哼！（向着安）诸位董事，今天不远千里特别从城里到这儿来开会，来听我们说话，这是多么大的面子！这个小地方，你们哪受得惯？

安敦一 喂，你在此地是代表工人们说话，我是代表董事会说话。说罢，你的正经话究竟是什么？

罗大为 好，我就说罢。我们工人们没有钱，不能再到城里找你们去。而且我们的情形只写在纸篇上，你们看见也未必相信的。公司的报告究竟是什么东西！（视吴与邓）董事会议究竟是什么东西？我们都晓得的。

吴范之 （低声地）哦，说话不要太刻薄。

罗大为 吴先生，这并不刻薄。从前我到城里的时候，我把详细的情形告诉过诸位。究竟怎么样？有什么结果？你们几位都不信。我可没有那么多的钱再到城里去一趟。

安敦一 你代表工人要说什么话？

罗大为 我要说的话——第一是工人们的现状。你用不着问你的矿长，你们是不能在工人身上着想的。我们大家都快饿死了。（工人发出一声惊愕的声音，罗大为环顾）可是你们用这种方法不能逼着我们投降。我们不到投降，先要死个精光！工人们今天请你们来，就是要问你们许不许我们的要求。这是我们最后的一次，我看我们的请求书就在邓先生手里。（邓不安地动了一下）是的。（罗由左至右）邓先生，我们的要求并不算大。

邓子齐 （点头）

罗大为 那里面没有一个条件可以通融。（工人们动摇起来，罗大为回首睥睨。）是不是这样？（工人们都不自主地帖服。安自邓手中取过书面来详阅。）没有一个条件！我们所要求的都是当享的权利！以前我在城内说过的，我现在再说一遍：公平的人不要求的东西，我们请求书上一点没有；是公平的人就应该答应我们！

安敦一　（抬头向罗）没有一条可以答应。

罗大为　（近安）你真这么说吗？

安敦一　（立起，点头。）是的。

〔魏在炉边做出一种极不满意的动作。

罗大为　（回头向施）哼！公司的现状比工人们的现状未必好到怎么样？你们是知道的。你们究竟能够高压到几时，你们也知道的——不过这一点我能够向你们说：假如你们以为我们工人们先让一寸，那你们是大错而特错。你们以为工会不帮助我们了，——哼，那饭桶的工会！——（韩立起视罗。）你们以为我们总有一天找一个黄道吉日，回过头来向你们叩头。你们以为我们工人们总得要顾念着妻儿老小，这一两礼拜之内我们要完全退步。

安敦一　我们怎么想，你不必费心。

罗大为　不错，就猜一阵，于我们也没有好处。我不必向下猜。可是我自己心里想的什么，我不妨告诉你们。我们的妻儿老小就饿死也不愿屈服。安先生，我劝你，你要预备着！将来你的公司不一定闹到什么样子。我们不那么糊涂，我们知道公司的现状。你们的地位，不见得像你们以为那样的地巩固哇。

安敦一 请你不必费心。我们的地位我们会筹划，你回去想想你们自己的地位罢。

罗大为 （逼近）安先生，你现在已经不是年青的人了。一向你是跟我们工人对敌，你把他们打倒过四回了。——请你记着我的话！（邓触罗大为之袖）你这回的一战要算是你的最后的一战了。（罗由右至左）

吴范之 罗大为！罗大为！

罗大为 对，我的意思是不配跟董事长说的。不过董事长的意思可以跟我们说，是不是？

魏瑞德 这是什么样子！这成何体统！（愤起至右立）

安敦一 （向魏冷笑）罗大为，不要紧！有什么话，尽管说。

罗大为 （停顿了一下）我也不想再说什么了。

〔安命其书记，请诸位董事就坐开会，于是各归议席。大家莫明其妙，均注视主席。

安敦一 （严重地）现在延会，五点钟再开。

王克麟 （低声向吴）照这个神气，什么也解决不了。

罗大为 （尖酸地）我们谢谢诸位董事。

〔罗大为向单门走去，余人随之。

罗大为 （恶毒地）诸位再见！（走出）

韩安世 （走到桌前，讥刺地）诸位所表示的合作的精神，我真是佩服。诸位先生，我们五点半见，再见再见！（微笑）

〔韩徐徐鞠躬与吴同下。场上沉默一会，董事们皆垂首不语。

魏瑞德 （抑止不住）嗯！

施康伯 （痛心）咳！

王克麟 （冷笑）哈哈！

安敦一 （强硬地）哼！

安蔼和 （同情貌）唉！

〔双门打开。

吴安绮丽（立在双门的门口）饭好了！

魏瑞德 （立起）饭可来了！唉！吃饭！（由左自双门下）

施康伯 （迟钝地立起来）好，吃饭吧！也就剩吃饭了，除了吃饭，还有什么旁的办法吗？（视安，由右自双门下）

王克麟 （走近安，低声地）安老先生，你真要坚持到底吗？

〔安点头。

王克麟 （极严重地）固执是有危险的！（冷笑下）

吴安绮丽 蔼和，我想跟父亲说话。

〔蔼会意即下。邓在桌周围走来走去，收拾零散的纸帖。

吴安绮丽 爹爹，您不吃饭吗？

〔安摇头。绮目视邓，欲其退出。

吴安绮丽 邓先生，你吃饭去吧！

邓子齐 （持着纸笔）多谢，吴太太。（一面回顾，一面徐徐走下）

吴安绮丽（在议桌后）爹爹，事情已经有办法了吧？

安敦一 没有。

吴安绮丽 范之说工人们都想和解，只有罗大为一个人不肯。

安敦一 哼!

吴安绮丽 我们在这儿很难过，亲眼看见周围人的痛苦。爹爹，那您是想象不出的。

安敦一 真的吗?

吴安绮丽 各样的困苦我们都是亲眼看见的。爹爹，您该记得以先教我们小孩子的陈爱莲女士，她不是嫁给罗大为的吗?（安点头）她真可怜，她的心脏又弱！自从罢工后，连饭都吃不好。这我实实在在知道的。

安敦一 那么，她要用什么，你就给她送去得啦。

吴安绮丽 罗大为不许她要我们的东西。

安敦一 （凝目注视前面）工人们顽固，我们不管。

吴安绮丽 他们都很苦的。爹爹，了啦吧！看在我的分上。

安敦一 （紧紧地看着她）你哪里知道。

吴安绮丽（绕至安右）爹爹，您要知道这事情，就只是您跟罗大为两个人坚持。长此以往，公司恐怕不能维持。

安敦一 我自有办法。

吴安绮丽（愤愤地）我是不能旁观的，我不能看着爱莲那样受苦！爹爹，您要知道，您不应该过于操心。医生说过，您身体不好，您是晓得的。并且您一生的成绩很多啦，现在何必争持在这一点呢，爹爹，您——您替我们想想吧！

安敦一 我是替你们想着呢。

吴安绮丽 这样您身体一定受不住。

安敦一 （徐徐地）绮丽，你不要替我担心，我是不怕什么的。

〔邓又带着文件进来；看见父女两人，踌躇一会，又鼓起勇气来。

邓子齐　吴太太，我想在吃饭以前把这些文件弄清楚。（绮只好转身向客堂走去。）

邓子齐　（授文件与笔于安，极谨慎地）请您签名？

〔安接过笔来签名。

邓子齐　（极小心地说）我的地位全是您给我的。

安敦一　唔嗯！

邓子齐　我，呃，——我是全靠着公司过活的。公司的不幸就是我自己的不幸。（安点头）我晓得，公司的财产您看着比我看着还重。

安敦一　是！公司是我创办的。

邓子齐　是的，假如这回的罢工再继续下去，那会有很重大的事情发生啊！（至双门窥视，复至议桌后）我想董事先生们正在暗地计划着呢！

安敦一　什么？

邓子齐　我晓得您向来是很有主张的。您平常总是敢作敢为；可是这一次，恐怕他们不能完全听从您。（踌躇）

安敦一　你说吧，什么事？快说？

邓子齐　（由桌后至安右）我——我，我不好说！（至台右端。）

安敦一　（强硬地）说。

邓子齐　（停一会，走近安前，决心突口说出）我觉得诸位董事先生预备要推翻你！

〔安忽起立，回顾双门。

邓子齐　对不住，我是替您想。

安敦一　（徐徐就坐）给我递点水来。（邓递水）

邓子齐　您不去吃饭吗?

〔安摇头。

邓子齐　医生说的话您该还记得罢?

〔安似说了几句话。

邓子齐　是，是。晓得，晓得。

〔邓转身向双门走出。安一人独留。突然抬头远望，重重在桌上拍了一下，他依然泰山一般地坐着。

——幕

第二幕

第二幕

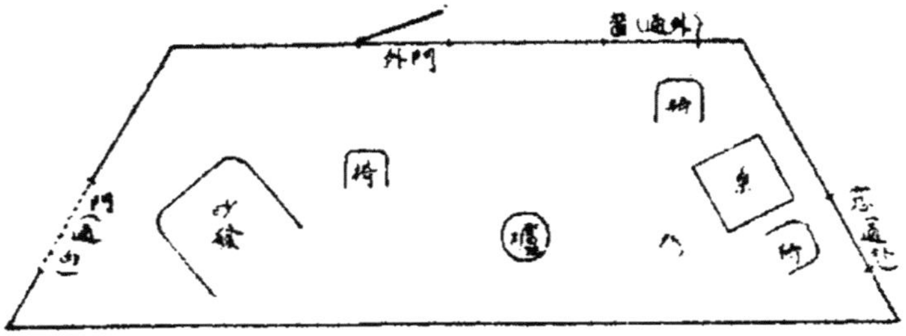

第一場

羅大爲家

第一场　罗大为家

屋后有一门一窗通外，屋左亦有一窗通外。屋右有一户通内室，前挂一旧帘。屋中立一煤炉，上置水壶，旁边有煤斗等物。炉右是一张破沙发，一张椅子；炉左有一只茶几，两张凳子。几上有粗茶壶，茶碗，饽饽，咸菜，筷子。屋壁为深灰色，墙上粉灰蚀落，已露出零零落落的砖石。屋中萧条凄寂，由左窗漏进一道微光，亦显惨白色。

开幕时，正是午后三时许。罗爱莲衣旧紫色袍，颜色枯槁，病卧右边破沙发中。她的音声细弱，听着如若一个临刑的羔羊嘶喊一样。后窗前立陶美芝，正抱肩凝望。她大约十八九岁，说话声调高亢，时常露出忿恨的口气。她穿一件蓝布夹袄，套上一件黑棉坎肩。举止豪放，说起话来，指手画脚，背后一条黑小辫也像不服气似地摆动着。尤大嫂[1]坐左边近外的凳上，年约五十许。双手全插在袖笼里，叹一口气，又息息索索地抖起来。

尤大嫂　（坐左）他给我二十铜子，这是我这半月来头一次看见的一

1 “尤大嫂”底本作“尤二嫂”，当作“尤大嫂”。

点钱。（至屋中看火炉）火快灭了！（至右）罗二婶，你的脸色白得跟雪一样。

罗　妻　（坐右）尤大嫂，我还好。（尤坐罗妻旁）

陶美芝　（立窗前，回身。）我，我整整四天没有吃饭了。（至左坐）

尤大嫂　大前天你不是找着一个洗衣裳的事吗。

陶美芝　（凄戚地）他们许的，给我洗的，可是我大前天去的时候，他们都发出去了，白跑了一趟。

尤大嫂　（凄凉的声调）唉，大人还忍得了，小孩子们真可怜啦。唉，我叫他们睡在床上，不准起来，他们不跑不跳，肚子还不会太饿呀。唉，可是他们睡在床上也要动，这真叫我没有法啦。

尤大嫂　（战巍巍的站立起来）好，我要回去了。罗二婶，好好的憩着，咱们再见。

罗　妻　等一忽儿，喝一杯茶，再走。

尤大嫂　等罗二哥回来，他要热茶喝，这一点给他留着吧！

〔尤大嫂走出，美关门，美至罗妻旁。

陶美芝　（立）罗二婶，我同鲁家治说过："你还要跟他们一块坚持罢工，你就别想跟我好。"我说："你把你自己的老母亲瘦得像鬼似的，一根柴都没有烧的。你好不知羞！你们整天不做工，只会抽烟，让我们挨饿。"他说："美芝，我可以向你赌誓，我两月没抽烟了。"我说："那吗，你为什么不上工呢？"他说："我不能够违背罗大为呀！……"（坐罗妻旁）罗二婶，就是这点奇怪啦！说来说去总是罗大为！他们要是没有罗大为，他们打早就上工了。只要他一说起话来，旁人立刻都凶了啊！罗二婶，你不愿让他丢脸的，自然啦！二婶，假如鲁家治要跟我好，他必定要舍开罗大为。假如他舍开——别人亦就完了！（立起，至左）我是反对罗大为的，大家心里都反对他。

罗　妻　你不该打倒大为。（两人沉默着相视）

陶美芝　哼，我不该？自己的母亲，自己的女儿，眼看着都要饿死！

罗　妻　美芝，唉，别这么说！

陶美芝　（望着罗妻）我不懂罗大为怎么忍心看你这个样子。（坐左外凳）韩安世今天又来了。今天他们大家总得弄一个明白。

罗　妻　（和婉地）我们大为绝对不肯丢开火夫跟技手们的。那是不对的。

陶美芝　婶儿，你别骗我。这都是他自己好强得了。

〔门口有敲门的声音，罗妻与美芝回头。绮丽走进。绮戴一顶皮帽，穿一件鼠皮外衣，进门即将房门掩上。

吴安绮丽　爱莲！

罗　妻　（逡巡地）哦，吴太太！美芝，你让吴太太坐下！（美芝突然起立，走向窗前）

吴安绮丽　谢谢你！（转至罗妻前）你好一点么？

罗　妻　唉，吴太太；多谢你挂念。（绮坐）

吴安绮丽（望着美芝的面孔，想要她出去）今天早晨给你送来的面汤，你为什么退回去了呢？

罗　妻　吴太太，多谢你，我，我吃不下。

吴安绮丽 哪里的事，一定是罗大为不要你留下。我不懂他为什么忍心看你们受苦?

陶美芝 （突然地转身。）受什么苦?

吴安绮丽（吃惊）怎么?

陶美芝 谁说我们受苦?

罗　妻 美芝!

陶美芝 （走至绮旁）我们自己的事让我们自己管，用不着你到这儿来做侦探。

吴安绮丽（对着美芝）我并没有跟你说话。

陶美芝 （声低而猛烈）你这点慈悲，请你带回去吧。你以为这样就可以骗我们。你错了！你回去吧，把这些话跟场长说好了。

吴安绮丽（立起）这儿又不是你的家。

陶美芝 不错，这儿不是我的房子。（指绮）吴太太，你小心点！别上我家去。

〔美芝走出。绮忿至左立。

罗　妻 吴太太，这是陶恒利的女儿美芝，她今天闹脾气，请您原谅她。

吴安绮丽（望着她）啊，为什么这样不通情理?

〔绮坐左前椅。

罗　妻 （微微含笑）是，吴太太。

吴安绮丽 罗大为没在家么?

罗　妻 是的。

吴安绮丽 他们总不肯讲和，我想都是因为他作怪。爱莲，你说是不是呢？

罗 妻 （两眼看着绮丽，踌躇一会。既尔和婉地说出）吴太太，他们都说呀，是您的……老太爷不肯呢。

吴安绮丽 我的父亲年纪已经老了。老年人的脾气你是晓得的。

罗 妻 是的。

吴安绮丽（更柔和地）我知道这件事，我父亲跟罗大为都有责任。

罗 妻 老年人都有老年人的脾气，可是安老先生，我向来是很佩服的。

吴安绮丽（冲动地）你还记得，他老人家，对你也很好，你该记得罢？（起立至右）要什么尽管跟我说罢。你在这儿什么也没有，怎么能养病？今天早晨我送来的东西，你又退回去，真是太无礼了！

罗 妻 （微微含笑）对不住您哪。

吴安绮丽（走回炉边，将水壶移开寻煤）喂，你连煤球都没有了吗？

罗 妻 吴太太，请您把水壶搁上罢。大为回来的时候，他要立刻喝一点热水。（停）唉，四点钟他还要跟工人们开会呢？

吴安绮丽（把水壶搁上）他又要把他们说得发疯了，你想法不让他去，好不好？（罗妻微微讪笑，沉默）他到底知道你病得多么厉害呀，唉！

罗 妻 只于我的心脏弱！

吴安绮丽（坐左）当初你在我那里教书的时候，你身体多么好啊。

罗 妻 （挺腰，不屈貌）大为待我没有什么不好。

吴安绮丽 不过你养病要的东西总该有啊，你现在什么东西都没有。

罗　妻　（勉强支持）别人都说我一点不像要死的人。（欲起立，绮赶过扶之）

吴安绮丽（安慰）你还好——我要把我的大夫送来看你，你肯不肯？

罗　妻　（有些踌躇意）不用吧，谢谢您，吴太太。（静）

吴安绮丽（同情地看着萧条的四壁，至左）陶恒利的女儿，不应当让她来的，她只能搅扰你。她以为工人们所受的苦我是一点不知道的！其实我很可怜他们，不过你知道他们做的也太过了。（坐左）

罗　妻　（不断地抚摩她的胸部）吴太太，他们说不这样没有第二种方法，可以增加工钱。

吴安绮丽（严峻地）但是，爱莲，连中央工会都不帮助他们了。范之很跟工人们表同情的，不过他说他们的工钱并不低呀。

罗　妻　不见得罢，吴太太。

吴安绮丽　啊？（视罗妻）唉！他们总不替公司设想，公司哪有那么多钱答应他们所有的要求。

罗　妻　（用力地）不过公司的红利很大呀。

吴安绮丽（受了冲撞的样子）你好像把股东们都看成有钱的人，其实他们并不是——有许多跟工人们还差不多呢。（罗妻微笑）他们不过要顾顾面子得了。

罗　妻　真的吗？

吴安绮丽（温和地）爱莲，你的话太说多了罢？（走至炉边）不过罗大为应当还有几个钱哪！那笔发明的奖金呢？

罗　妻　（辩解地）大为的钱通通用完了。他说，别人受苦的时候，他不应该存蓄一个钱，所以他把他的钱都给别人用了！

吴安绮丽 可是罗大为总应该顾到你的！这样，也太难了！水开啦。（取过水壶，冲开水进去）你不想喝点水么？

罗　妻 多谢您，吴太太，我不喝。（倾听着，好像有人的脚步声）大为回来了，他脾气暴躁得很，最好您别跟他见面吧。

吴安绮丽 哦，可是我要见他的。爱莲，不要紧，我不理会他。

罗　妻 吴太太。这是他的生死关头，不要见他吧。

〔绮立左，回头望门。罗大为走入。

罗大为 （正想叫爱莲，忽见绮，脱帽——带些俏皮的神气）我来的真不凑巧。对不起，我不知道，你跟一位太太说话呢。

吴安绮丽 罗先生，我有几句话跟你说。

罗大为 太太，你贵姓哪？

吴安绮丽 你又不是不认识我的！我姓吴。

罗大为 （故意恭而敬之地鞠了一躬）哦，原来是我们董事长的千金小姐。

吴安绮丽（认真的）我是来找你谈话的。

罗大为 （挂帽，突然改了面孔）吴太太，我没有话说。

吴安绮丽 但是我有话跟你说。

罗大为 （横暴起来）我没有工夫听！（走进右屋去）

罗　妻 啊，大为！

罗大为 （脱去外套便出来）对不住啊，矿长的夫人，董事长的小姐。

吴安绮丽（踌躇了一下又决心地）罗先生，我知道你又要去开会。（罗大为鞠躬）我盼望你快快地和解了。就是为你们想也要让一步。

罗大为 （自语，走至台中）安敦一的小姐来求我让步。

吴安绮丽 为大家，为你的太太。

罗大为 为我的太太？为大家？（回至右，立罗妻后）为董事长吧！（冷笑）

吴安绮丽 为什么你跟我的父亲那样做仇呢？他平时待你也不错呀！不过他有他的主张就是了——你也有你的主张啊！

罗大为 吓吓，我哪配有主张！

吴安绮丽 不过他年纪大了……（看见罗大为的眼睛盯着自己，把话中断了）

罗大为 （目光一闪，拍着爱莲坐椅的椅背。）我一定要打倒那专制的魔王！

吴安绮丽（进前）你简直没道理！

〔罗妻把椅子动了一下，想立起来，但又倒下去。

吴安绮丽（急忙上前扶她）啊！爱莲！

罗大为 喂，请你不要靠近我的女人！

吴安绮丽（大吃一惊，退后）我想——你是疯了。

罗大为 （绕爱莲背后，至左后）哼哼，疯人的家更用不着你来。

吴安绮丽 我是不怕你的。

罗大为 （鞠躬）对，安敦一的小姐一定是不怕的。安敦一是有胆量的，倒不像别的董事，都是滑头。

吴安绮丽 我的父亲素来是有主张的，你是知道的。

罗大为 （近绮一步）哼，我也有我的主张。

吴安绮丽 你太骄傲，不肯让步。（绮至右边罗妻侧）

罗大为 你父亲肯让步么？

吴安绮丽 总而言之，（指罗妻）你总应该可怜你的太太。

罗大为 吴太太，我们再没话可说了。（走至后窗立）

〔有人叩门。吴矿长走入。吴立在门口望着绮丽。绮转身向吴，继又狐疑。

吴范之 绮丽！

罗大为 （讥讪地）吴矿长，你用不着找你的太太。我们不是流氓。

吴范之 我知道，你的太太好一点吗？

〔罗大为不置答复，回过身去。

吴范之 我们走罢。（绮走近吴）

吴安绮丽 罗先生，我再说一句话[1]，请你替你太太想一想。

罗大为 （又故意恭而敬之地）吴太太，我也忠告你一句——请你替你丈夫，替你父亲想想吧。

〔绮想再回答，但为吴劝止，只好忍气与吴同出。罗大为见二人出去后，才走近爱莲。

罗大为 爱莲，你现在觉得怎么样？好一点么？

〔罗妻微笑。罗大为取外套来替她裹着身体。

罗大为 （看表）还有五分钟。（走至台中，突如其来地）我看见他们了，除去那个老强盗而外，都不能坚持了。

罗　妻 大为你不坐在那里吃点东西么？你今天一天，一点东西都

---

1 “一句话”底本作“一话”，当作“一句话”。

没有吃。

罗大为 （坐左桌侧，吃馒首，甫食一口便扔在地下，忿忿立起）他们一时不走，我什么东西都咽不下。（立起，前后走来走去，至左前停）工人们今天会跟我为难——太没胆量！那些懦弱的东西们都是瞎子！一点远见也没有。

罗　妻 大为，问题是女人们……

罗大为 啊，他们都这么说。他们一开口就把女人提出来了。可是平常他们喝酒赌钱的时候，他们想他们的女人没有？他们的女人管了他们没有？（至前中）现在为着神圣的公益，叫他们稍微受点困苦，他们女人们立刻拦阻他们了。（至右）他们平日不想存一点钱，弄到这个生死存亡的时候，就只知道叫苦了！弄到手，送到口——唉！那些该死的东西！他们要把我气死了！（回左端）才动手的时候，拦也拦不住，现在他们全要溜了。

罗　妻 大为，他们不是铁造成的。

罗大为 （坐左）一个男人能够做的，他们也应该能够做，难道说到现在还怕死投降么？

罗　妻 （哀痛的声音）你们要女人们死，她们可以死的。那不是做不到的事情。

罗大为 （走到妻旁，悲笑）爱莲，谁说死啦？（俯视爱莲，安慰）我们一个也不会死；我们一定胜的。（沉步走至台中，突然激昂地说）我就等的是今天，把那群老强盗打倒。刚才我看见他们脸上的颜色啦，我告诉你，他们简直一点斗志都没

有了。(走到挂钉处，取帽子)

罗　妻　(目送着他——柔和地)大为呀，你把外套穿去罢，外边一定很冷。

罗大为　(走到她身边来——眼睛总不敢正视)不不！你不要动，好生暖和一下。我去一忽儿就来。

罗　妻　(忍不住要流眼泪的光景)你顶好还是穿去罢。(罗回头视妻，忍痛走出)

〔户外有叩门声。陶恒利走入。他见屋里有火，便先走到炉旁取暖。

陶恒利　罗二嫂你可好一点么?

罗　妻　多谢，托福。

陶恒利　(不安地四望)罗大为在家吗?

罗　妻　刚出去。

陶恒利　(放了心)你知道我们这回真是倒霉啦！我来呀，想跟他说："我们讲和吧。"他又到会去了。真是不凑巧。我想，他一去，又是火上加油。

罗　妻　(抬起半身)陶大伯，无论怎样，他不让步的。

陶恒利　(忙至罗妻旁)你别动，动不得。(郑重地)你知道，现在除掉了技手们跟鲁家治，谁都不赞成他。

罗　妻　(遏抑貌)假若你们让步，大为那可受不了。

陶恒利　(复至炉旁)这也不算是丢脸的事啊！一个人做到这个地步，已经算是非凡的人物了。他还要干下去的时候，那简直是背叛人情！谁能受那么多的苦啊。

〔美芝走入，面朝外望，转头见陶恒利。

陶美芝 爹爹，快点，他们已经开会了，快点走。（美芝捉着陶的袖子）爹爹，你今天要反对罗大为才成。

陶恒利 （意态轩昂，拂袖而走）好，看我的！

〔陶走出，美至窗口遥望。

鲁家治 （在户口现出）美芝！

〔美芝不动。

鲁家治 美芝！我要开会去了。

〔美芝略转身，轻蔑地笑了一笑。

鲁家治 （近美）你到底听见没有？

陶美芝 我听见啦！（顿，走至左前）你去罢，饿死你的老母亲，真好本事！

〔鲁追近美芝面前。

鲁家治 我是要帮罗大为的，我跟他起过誓啦。你叫我说话不算话吗？

陶美芝 （微笑，离开鲁，更向左走）你要跟我好，你就得听我的话，要不，你走开。（看鲁一眼，慢慢地走到右边罗妻侧）

鲁家治 你要我昧了良心，破坏这次罢工吗？

陶美芝 （把眼睛闭着半分）哼，那在你啦。

鲁家治 （从牙缝里迸出来）你不要让我为难哪！

陶美芝 （指罗妻，突然尖声地说）为这些受苦的女人孩子们，我一定要你做！（静默）

鲁家治 （低头，回顾，复视美，忽然气凑地）好吧，我就，我就干

吧！（转身跑去。美送至门前，复回台中）

陶美芝 （胜利的）我今天可把罗大为打倒了！

罗　妻 （颤颤地站起）你把我的男人打倒了，你就那样地……（无力复倒下，美芝赶来。）

陶美芝 （蹲罗妻旁，扪其手）你手冰凉，你不喝一点水么？

罗　妻 （微微动了一下）我，我，我，安静一会就好了。

陶美芝 （立起，无聊地移开水壶，望望火）火快灭了。

罗　妻 （闪出一丝笑影，声细若无）灭，不灭，都一样！（用力站起，力向外望。）大为，大为，你怎么样受？

〔罗妻复倒下，美忙进前扶持。

陶美芝 （至左窗倾听）等哪，等哪，我实在等得不耐烦了。（至罗妻旁）等哪，等哪，——妇女们除等而外没有用处。听（指左窗）你听见他们在开会的声音没有？——（轻步行至台中）我是听得见的！

——幕

第二场　大成铁矿第二桥前

残冬傍晚，暮野苍茫。眼前横立大成铁矿矿桥，洪大高厚，俨若巨人。桥上残藤枯蔓，乱绕栏杆；桥身迎面的砖石已显残蚀，石间空隙内都堆着积雪。天气酷寒，沿绕洞边凝结一条一条的冰柱。四周冷气沉寂，听不见一点风息。由桥洞下远望，瞭见一片方楞楞的楼房静静地立在冬日残辉里，一二矗落落的高烟筒寂寂地竖立着。

（幕落前）暮日西沉，远处渐成灰茫茫的一片，工厂大楼也暗惨惨地看不清门窗。昏黑中忽露出一两点红光，那是工厂楼角守厂的电灯。渐渐，桥前枯枝、巨石、积雪也埋在昏黑里。

开幕时，阳光由桥洞后射来，照着桥前成群的工人。工人多半衣污秽的蓝色工衣，面有菜色；个个都摩掌顿足，颤颤地低声叫着冷。这时左坡立韩安世，正举手做势。开幕后，彼即将手放下，近桥洞的工人们高呼："陶恒利来了！"陶恒利与其伙友由桥洞忙进，跟桥前工人打完招呼，自己走到左边静立。工人们也渐渐安静。

韩安世　好，我心里有什么，就跟你们说什么。可是说到明天，也就是这点意思。

贾　可　（一个长脸大汉。立右外）韩爷，你知道不知道？公司有意思招新工来顶我们么？

白二楞子（一个性如烈火的工人。立中前，威胁地）让他们干一下看看。

〔群众中发出粗暴的不平声。

刘　四　（一个黄脸的瘦子。立左前）他们哪儿去招去？

易老五　（一个圆面孔，粗眉毛的工人，立右外）这样的坏蛋到处都有；哪儿都有不顾公益专顾自己的人。

韩安世　公司招新工倒是一时办不到，可是那也于你们没有好处。喂，朋友们，你们要把气放平一点。你们的要求实在是太高，我们中央工会帮不了你们的忙。要是按你们的条件，罢工的更要多了。无论是谁，只要是公正人，都可以告诉你们——你们太过分了！我不是说你们的要求是太不应该，可是你们太不量力；这明摆着是火坑，还要往下跳；回头不回头，就在你们啦，你们说罢！

刘　四　对，到底怎样办呢？

〔群众又起动摇，鲁二与其工友由桥洞后匆匆跑来，大家招呼“鲁老二来了”。鲁二招呼几声，便立在洞左，工人们逐渐安静。

韩安世　别想太过分的条件，那我们就帮你们到底。你们现在不赞成呢，那么以后我就不来白费时候。你们要知道，我不是那种信口开河的人。你们只要把主意拿定，我是要帮助你们的——就有人要鼓动你们，你们也别管他——（两眼注视在罗大为身上，罗立极右端。）你们快把讲和的主意拿定，你们所要求的条件都交给我办。你们究竟走哪一条路呢？我们是一齐携手呢？还是，你们大家一同饿死呢？

〔群众中发出一声长叹。工人们各成一堆，聚首议论。

刘　四　工会的这小子还会说几句明白话。

葛　爷　（一个三角脸，吊眼眉，穿着大棉袍的瘦工人。立极左端，说便宜话）你们早干什么去啦？两个月以前，我不早就跟你们说过了么？

〔桥洞中忽出三二顽童，模拟工人形状，互视大笑。

刘　四　（指顽童）你看那边那两个忘八蛋！

白二楞子（跑到洞前，恶毒的）忘八羔子，你们再笑，我就掐死你。

〔顽童皆跑走，白回原位，仍立中前。

贾　可　（突然地）你说火夫们的工钱不用再加了吗？

韩安世　我不是说他们的工钱不用加，我是说就这儿火夫们的工钱跟别处的钱一样。

易老五　瞎说！（嘶叫）仁记工厂是怎么样啊？

韩安世　（冷淡的）你才瞎说呢。别忘了，仁记工厂做活时候长啊！

鲁老大　（一个小脑袋的矮胖子。在洞右前）放假日子上工，加倍工钱，你赞成么？

韩安世　好，我赞成。

〔群众呼噪。

韩安世　（提起声音来）只要不是三岁小孩子，就应该晓得我们工会不是强盗，也不是骗子。我的话已经说完了。兄弟们，记着罢，你们要找我们的时候，我立刻就来帮助你们。

〔跳下高坡，群众分开一条路，韩由右下。是时工人们各成一堆，罗大为与其同党仍在右立。

易老五 （向左喊）他要破坏我们的罢工啦，这点就是他的希望。他希望你们都没良心——我就饿死，我也不改主意。

白二楞子（向易）谁没良心——说话小心点。

易老五 你没良心！

〔白闻后即至右寻易挥拳，李三——一个小眉小眼的工人——赶上劝止。

李　三 别忘了家里的妻儿老小啊。

易老五 我们能够受，她们也就能受。

李　三 你还没有成家罢？

易老五 哼，我这光棍当下去啦。（工人皆笑，白亦回至台口左中）

陶恒利 （大声地）喂！兄弟们，让我们跟公司讲和罢。

李　三 有话说，台上去。

〔群呼："陶恒利！"陶被人推上演台，勉强登上高坡。顽童又来做势嘲白，并掷石投之。

白二楞子 忘八羔子！你又来了！（追去，顽童逃。）

陶恒利 我们大家都在地狱里了，这都是老天爷叫我们这样的。

鲁老大 是公司里那些强盗们叫我们这样的。

易老五 是工会那些走狗们。

陶恒利 也不是公司，也不是工会——这都是老天爷的意思。无论什么人不能跟老天爷动气，因为老天爷是很大的东西，比我们人们都大。我比你们多吃几年饭——你们要明白，违背天意是顶不好的事情。（工人相顾而笑。）

陶恒利 （含怒意）你们别笑！我们为的是理。不过是老天爷不让我们再争了，那我们就该认命。

〔罗大为发出笑声来，工人们有表示赞成的声音。

易老五 瞎说八道，你下去吧！

陶恒利 他们工会要是骗我们，我们就干我们的。

〔群众骚然。

李　三 （在左）我们本来就没靠工会！

陶恒利 （愈见激昂起来）我从小就是单人独马干起来的。我不怕就一个钱也没有，我也安分守己，干到了现在。兄弟们，我们正正当当的干了一场，我们就打败了，也不算是我们的罪过。叫我们去跟公司的董事们讲和罢；就算我们失败，我敢说我们败了还是人，总比跟在工会的屁股后头，像一群狗一样，好一点罢。

刘　四 （不服的）谁想当狗啦？

陶恒利 跟人家屁股后面走，就是狗。

〔群众间发出笑声。

贾　可 （向刘）反正工会是靠不住的！

鲁老大 不靠工会不成。（别的工人们也叫出。）

易老五 破坏罢工的忘八蛋们！

白二楞子（指易）你骂谁？

易老五 骂你！

〔白与李三向易挥举拳头，为工人劝止。

陶恒利 （做出姿势）说什么我比你们岁数大点。

刘　四 越老，越混蛋！敢说“不要工会”！

葛　爷 （讪笑）当初要是听我的话——你们还会到这个样么？

陶恒利 （皱着眉头）我现在要说到我心里想说的话了。……

易老五 （至高坡，拉陶下）你还没说够么？老东西，下去吧！

〔陶与易争执，鲁家治起来助陶，陶才未被易殴。陶无奈下。贾向高坡走去。有许多人叫出：“不准他上去！”

贾　可 不准我上去？不是言论自由吗？（登坡）我跟你们也没有多少话说。你们先沉住了气，想一想；已经走了这么远啦，这时候你们还要改主意，我们从来没分过手啊，现在你们要甩开我们！（指右边罗与其同党）我们技手向来是帮你们的忙，这时候你们要不帮我们么？我们早知道是这样，我们以前不该跟你们合作。诸位，咱们做事可得存点良心，我也没别的话啦。

〔贾走下，有些工人高声骂出。鲁二走上前去，由其兄推上演台，态度猛烈。群众中发出反对的声音。

鲁　二 （激烈的）朋友们哪，我说不好，可是我说的话都是从心里头说出来的。我说的话是人的良心话。

葛　爷 又是一个说良心话的！（工人皆笑。）

鲁　二 （怒视）一个人谁能够坐着，看见自己的母亲饿死？谁成？

罗大为 （向鲁二）喂，鲁老二！

鲁　二 （凶猛的看着他）韩安世说得不错！我改主意了。

罗大为　啊！你也投降了！

〔群众意外大惊。有人说：“他也投降了！”

刘　四　怎么回事？他也变了！

鲁　二　（极激昂地说着）韩安世说得好：“你们跟我们携手罢，我们也跟你们携手。”我们走错路了；到底领我们走错的是谁？（指着罗大为）就是他。他说：“不要妥协，跟那些强盗们干，非掐死他们不可！”现在是谁受苦？恐怕掐死的都是咱们自己的人吧？这都是实实在在的。朋友们，我是不会说话的。……

葛　爷　不会说话，少说点好！

鲁　二　（见罗欲近己前）你们听着，他可又要上来说话啦，你们小心，别信他的呀，他的舌头上有毒火。（罗大为发笑）韩先生说得不错，没有工会我们还成什么东西？——我是不会说话的，可是我敢说：我们把这一次的罢工停止了罢！停止了罢！要是继续下去，叫女人跟孩子们饿死，我们还是赶快停止了罢。

〔赞成的声浪几乎压住反对的声浪。

易老五　你怎么会投降了？

鲁　二　（带着猛烈的面容）韩先生说的话不是胡说八道的。让我们跟公司讲和罢！我不会说，可是我请你们——赶快了啦罢。

〔他跳下坡去。群众喝彩，向前涌来，喧叫着：“我们受够了！”“交给工会吧！”“交给韩安世吧！”在这种种叫声之中，罗大为由贾保护，突围登上高坡。

李　三　滚下来，谁听你的？

鲁老大　滚下来！滚下来！

易老五　（向坡去）罗大为说，你上去说！

白二楞子（指易）顶好小心点，别找挨打！

〔罗大为面对群众，睥睨四方，群众始渐镇静。

罗大为　你们不想听我的话喽么？你们肯听鲁家治的话，肯听那老头子的话，就是不肯听我的话。工会的韩安世真会骗你们，可是你们偏要听他，或者就是董事们的话，你们也要听了吧？（工人高叫“胡说”，“放屁”，却无人敢前。）啊，你们喊，你们喊什么？你们喜欢他们的脚踹在你们头上对不对？

〔白卷起衣袖，向罗走来。

罗大为　白老二，你干什么，你要打么？你先听我说：要是打了我，你才痛快，让我说完你再打。（陶出劝白，拉白回左）我骗过你们么？嘿！假若我真是那样的人，你们倒会听我的。（骚音止息）这次罢工有谁比我得的少？有谁比我丢的多？自从这次罢工后，你们谁捐过一千五百块？来！说！陶恒利，你捐过多少？——十块？五块？一个铜子？你们要听他，他说的都是什么？他说他是有主张的，可是他的主张不过是吃饭！他还说“老天爷不让我们再争了，我们要认命！”什么是老天爷？信老天爷的人完全是闭着眼睛瞎走！比方说，你们坐船在大海里走，老天爷忽然降下大风大雨，把船吹得要翻要沉，你们还是帮着水手一齐尽力死争啊？还是袖手旁观，静听老天爷的支配呢？你们果然是听天由命，你们立刻就知道老天爷给你们的是什么赏赐。我老实跟你们说——只有跟老天爷反对的，一个人才能成为一个人。陶恒利说："你们投降了罢，到董事们那里叩头去吧！"也许他们赏给你们一点剩饭吃。

贾　可　我们死也不干！

易老五　该死的奴才们！

陶恒利　谁，谁，谁说叩头哇！

罗大为　（辛辣地）朋友，你就算没有说过，你的意思是这样的。还有那位好汉——（指着鲁二）——说我的舌头上有毒火，果然有的话，我要把那些劝人投降的话，烧得干干净净。投降是丧心病狂的事，只有男盗女娼的人能干。

鲁老大　（看着鲁二走上前去）老二，跟他干，我们爷们不受这个！

罗大为　（伸出一个指头）鲁老二，等等，现在不是个人闹意气的时候。（鲁二停步）还有一位跟你们说过话——就是那位韩先生。韩先生跟工会我们没有受过他们的恩典。

易老五　对，他们就没有帮过我们。

罗大为　韩先生是一个聪明人，可是他来得太迟了。不怕韩安世就说得天花乱坠，不怕陶恒利、鲁家治也能说得个天花乱坠，我敢对你们说，这次我们已经战胜了。

〔群众紧聚起来，热心地仰望着，还带着些轻微的嘲笑。

罗大为　你们只晓得你们的肚子难过，你们忘记了我们这回打的是什么仗。我已经告诉过你们多少回，我现在再给你们说一次。我们打的是吃我们肉，喝我们血的妖怪。这个东西靠着我们的血肉养肥了自己，一天比一天肥。这妖怪是什么？就是“资本”！这东西随意买我们的血汗，吸取我们的脑浆。我的脑筋所发明的东西，不是被他们用五百块钱买去了么？可是他们连一个指头也没动，就赚了十几万。只想向里搂，不想向外给，这个东西就是“资本”。一个人面兽心的怪物！你们已经把他拿住了；在最后的几分钟，你们就不肯叫你们贱骨头再忍受一点痛苦，坚持到底吗？今天早晨我见着公司的董事们，我把他们的心都看透了。他们里面有一个坐在那儿——就是施康伯。一团肥肉，他坐在那儿简直的好像一个老母牛，一动也不动，尽等着分红利。我看他的眼睛，我就知道他在那里害怕，替他自己跟他的红利害怕，替他的薪水害怕，替他所代表的股东们害怕。他们里面除去一个人都已经没勇气了。朋友们，我请求你们，（他停顿了一下，把手伸出，候群众的肃静）请你们把全权给我，让我去告诉他们，说：“你们回去罢，我们工人们不让步！”给我这点全权，我用性命担保：一星期之内你们所有的要求，全可以答应。

易老五　（至高坡旁）我们把全权给他，我们把全权给他！

罗大为　我们所争的不只在为目前，（骚音全息）不是为我们自己这口饭，我们为的是在我们后来的那些人们。（沉痛哀诉）哦！朋友们——你们看在你们子孙的面上，现在非要争个水落石出不可！如果我们没有这点决心，这点远见，我们永远不能翻身，（音声低微，几不可闻）永远连狗也不如。

〔全场肃静，工人一声不发，全神已为罗吸住。罗大为两眼灼灼，屹立高坡。

易老五 （突向右边工人呼）罗大为！（右边工人和之，易向左边工人呼）罗大为！（左边工人和之，易向全场工人呼）罗大为！

〔全场工人和之，声震天地。这时美忙由右荒道上走来，至高坡旁止步，望罗。群众惊怪，异常肃静。

罗大为 （喜极欲泣）那个老头子说："认命，顺从老天爷。"（工人笑）我告诉你，你们应该跟命争，意志必须胜过天然。

陶美芝 （逼近罗旁）你的女人要死了！

〔罗睨视美，如从得意的绝顶倒坠下来。

罗大为 （欲继续说下，但口不成章。）我对你们说——让他们回去，不让步！不让步！

陶恒利 （前进）你没有听见她说什么么？

罗大为 什么？

〔群众死一般地沉默。

陶恒利 你的女人呀，朋友！

〔罗踌躇下坡，由右荒道归。

陶美芝 （登坡）他就跑去也没有用处！他的女人已经死了。（乘群众沉默，激烈说出）你们这一群人真瞎了！你们还要杀死多少女人！

〔群众极现慌乱，三五成群，美急速走下。

刘　四 这句话骂得你们痛快啦吧！

白二楞子（咆哮）把舌头给她割下来！

葛　爷　唉，要早听我的话——这个女人死不了！

陶恒利　这才是老天爷的报应。你看，让他说。他的女人死了！这不是命么？

易老五　（登坡）这么样一来，我们更不能不帮他了。人家的老婆死了，你们难道忍心借着机会丢开人家吗？（下坡）

〔群众的骚音和喝彩声同时并起。

鲁　二　（走上高坡）他的老婆死了！哼！你们还不明白吗？你们自己都家去看看，看看自己的老婆怎么样？再争啊，你们家家都要死人！

刘　四　对啊，对啊。

鲁老大　（鼓掌）老二，对，说的对！

〔赞服骚音杂起。

鲁　二　瞎了眼睛的不是我们，是罗大为自己，你们到底要跟他到什么时候？

鲁老大

白二楞子　去他的吧！

李　三

〔赞成的声音四起

易老五　（猛烈地）丢脸！丢脸！不许这么欺负人！

鲁老大　把嘴给他堵上！

〔白怒指易，口呶呶作声。

鲁　二　谁欺负他哪？是他自己死心眼！他自己硬要往石头上撞，你们也一块跟着撞么？

易老五　人家老婆刚死啊！

鲁　二　那怪谁？怪他自己！我告诉你们，你们还跟着他走，他会把你们的妻儿老小都要饿死。

李　三　叫他滚蛋吧！

鲁老大　让他去他的。

刘　四　我们上够他的当了！

〔除易、贾、葛外，大家都这样地喊。

白二愣子（上坡）让我们跟公司讲和吧！交给工会吧！交给工会韩安世吧！（全体工人和之。）

易老五　昧尽天良的贱骨头！

白二愣子（指易）狗东西，你说谁？

易老五　（指白）说你！狗东西！

〔白卷袖下坡，直奔易五，二人一面骂一面打。工友上前劝架，易才被人拉走，白还讻讻作声。

陶恒利　（倚老卖老）打什么？打什么？还要脸么？

〔工人皆鸟兽散，唯留陶、刘、鲁二、白四人在场。

陶恒利　让我们见董事们去吧。

葛　爷　哼，我看早就该去末[1]！

〔陶、葛、鲁、白四人亦下。

——幕

---

1 “末”底本作“味”，当作“末”。

第三幕

第三幕

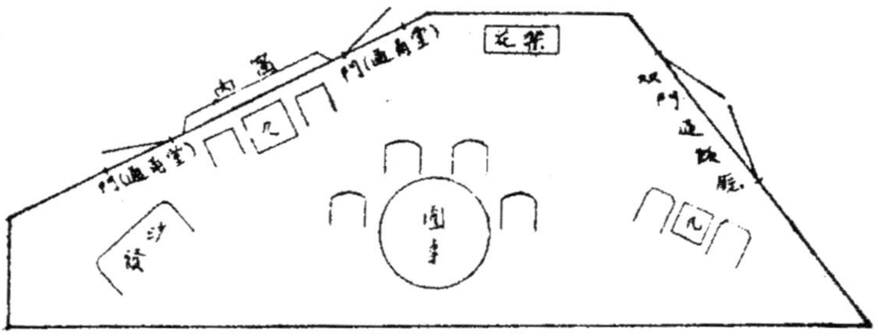

吳鑛長家裏的客廳

吴矿长家里的客厅

室内共有三门，右墙有二门，通外甬道。介此二门中，有一凹形窗（窗有幕）；窗前置一几二椅，几上有茶具烟盒等物。靠右墙近台前门旁有一长沙发。左墙开一双门，即为第一幕饭厅之双门。旁边放一几二椅；几上铺白花桌布。台中靠后墙为一古意盎然的花桌，上置梅花一盆。台正中为一圆桌，上有淡青色桌布及烟具，周围放三四皮椅。屋壁色调较前数幕暖和，室中吊灯极明亮，室内空气极为静雅安适。

开幕时，绮穿一红花黑缎袍由右壁一门（内）入，颜色焦灼。她走至圆桌后看双门，鼓起勇气像要进去的样子。但是走到门前，忽然停住；听了一听，又退到刚才进来的门口旁边，按了一下电铃，慢慢走至圆桌左方。傅四由右墙外门入，走至圆桌之右。

傅　四　小姐。

吴安绮丽　老爷到那屋去开会了吗？

傅　四　刚去。

吴安绮丽　工人们来的时候，让他们一直到这儿来；院子里很冷。

傅　四　小姐，我想让他们在门房里等一等。

吴安绮丽（想了一想）不好，我不想得罪他们；他们最怕人轻视的。

傅　四　是，小姐。（绮坐台左的茶几右椅，傅走至圆桌之左）我要报告您，老爷今天一天没有吃东西呢。

吴安绮丽　我晓得啦。

傅　四　是，小姐。（稍近绮，悄悄地）我要大胆说两句关于这回罢工的话。我想假如别的老爷们先让老爷的意思通过，然后私下再把工人所要求的暗地许给他们，那是顶好的法子。我想了好几回啦，（绮摇头）我知道老爷受不了反对，那一定叫他生气的。

吴安绮丽　你这个法子太简单啦。

傅　四　是，小姐，可是我不放心。（关心地）小姐，您是晓得的，我十五岁就伺候老爷。他到了这么大的年纪，还要受人反对，我真有点看不下。

吴安绮丽（从前台走至沙发前）傅四，你认得那个罗大为么？

傅　四　（走到圆桌后）认得他，我可并没跟他说过话，可是我一看，就知道他是什么样人。

吴安绮丽　是吗？（坐沙发）

傅　四　（走至圆桌右方）一看就知道，他不是一个温和人。他太暴躁，他心里满藏着火。这种人脾气太大。一个人只要不闹脾气，无论什么事情都好商量。闹了脾气就没法子办了！

吴安绮丽　老爷也这么说呢。

傅　四　（进一步）小姐，是的，老爷跟罗大为真是一对。

吴安绮丽（严厉地看看他）呵！

傅　四　（退一步，又想起一段话）他们两人是水火不相容的。像罗大为那样的人我实在受不了。有一种人，他永远跟人合不来的，就因为他天生的不大气。我想人要是大气，不分什么上等下等，他看来都一样。

吴安绮丽（有些不耐烦的神气）你说的话对。（想想，指双门说）你进去，问他们要点心不要？（俟傅四走近双门）就说我叫你问的。

傅　四　（回头）是，小姐。

〔他打开双门进去。立刻听见一种严肃、愤怒的语声，由内漏出。

魏瑞德　我不赞成！

王克麟　这一点我们已经辩论了十好几次啦。这还有完么？

施康伯　点心？我要的，我要的。

王克麟　讨论不终结，不许吃！

施康伯　讨论完了再吃？好，就依你。

王克麟　主席刚说什么？

〔傅走进来，随手把门关上。

吴安绮丽（正扶圆桌后右椅侧听）他们不要点心么？

傅　四　是。

〔一男仆从外门走入。

男　仆　太太，有个姓陶的姑娘要见您。

吴安绮丽（抬起头来）陶什么？陶姑娘？哦！是那工人陶恒利的女儿吗？

男　仆　是，太太。

吴安绮丽（变了颜色）哦！（坐圆桌右椅）在哪儿啦？

男　仆　在门口。

吴安绮丽　我不想——见她（踌躇）。

傅　四　那我告诉她不在家吧？

吴安绮丽（向傅）我去见她。（向男仆）不，你叫她进来！（由台前走至台左几旁。）

〔男仆与傅由外门走出。男仆引美芝由外门入后，退出。美芝立在门次。

吴安绮丽　有什么事？你……你有什么事情找我呢？

陶美芝　（至圆桌右）我带来罗大为女人的信。（说毕走至右方沙发前）

吴安绮丽（走一步至圆桌左）信？什么信？

陶美芝　她盼望你照顾她的母亲。

吴安绮丽　我不懂你这是什么意思。

陶美芝　（突口而出）她就说这一句话。

吴安绮丽（走向美）什么意思？

陶美芝　（至圆桌右，凝视绮，一步一步地逼近她）罗大为的女人已经死啦！（说毕走至圆桌左面）

〔半晌。

吴安绮丽（跌坐圆桌右椅，惊愕地）我看了她回来，还不到半点钟啊。

陶美芝　（突至圆桌左拍桌）她是冻饿死的。

吴安绮丽（立起来）哦，不对！她是心脏弱——你为什么这样看我？

我不是尽力想搭救她么？

陶美芝 （狠狠地）你听这个消息喜欢吧？

吴安绮丽 胡说，我很想帮助你们，你不懂吗？

陶美芝 （辛辣地）假慈悲！你真有一礼拜不吃饭，就知道是什么滋味了！

吴安绮丽 别胡说！

陶美芝 我亲眼看她死的，她的手冻青了。

吴安绮丽 哦！为什么她不要我帮助她呢？我对她是很好的。

陶美芝 （在圆桌前，再近绮，恶毒地）不怕你就说的天花乱坠，杀死罗大为女人的是你，是你的父亲。

吴安绮丽（含着愤怒）你胡说！（走向台左看双门，回头）我的父亲为这次罢工已经累坏啦。

陶美芝 （坐圆桌前边）那么，请你告诉他吧，说罗大为的女人死了！嘿嘿，他一喜欢，就会好的。

吴安绮丽 出去！（至台左角）

陶美芝 （逼近绮）人伤我们，我们要还手的。

〔二人相对凝视。

吴安绮丽 走罢！

陶美芝 信，我可给你了。（走至外门，回头）——哼！——（出）

〔绮由左至右，立沙发前。

〔双门开，安敦一走入，后随其子。绮赶来扶安，安坐圆桌左椅，十分兴奋，蔼立于左端。

吴安绮丽（藏着自己的悲哀——焦灼地）爹爹，怎么啦？（安摇摇头）

谁得罪您啦？（安不答。）

吴安绮丽 蔼和？怎么回事？

安蔼和 魏瑞德那东西，硬敢攻击个人！实在是侮辱！

吴安绮丽 他说什么？

安蔼和 他说，父亲太老了，老得都糊涂了！论本事，爹爹一个还抵他十个！

吴安绮丽 自然，爹爹是有本事的。（两人看安）

〔双门大开，王与施出，神情紧张。

施康伯 （至右沙发坐）这哪是开会？简直是打架！

王克麟 （至圆桌后立）安老先生请您别生气，瑞德就向您谢罪。他一时不小心，他非常懊悔，请您原谅他。

〔魏偕邓走入，魏至右立，邓立在左面。

魏瑞德 （不高兴的）安老先生，我的话说错了。请您别在意。

安敦一 小事！

吴安绮丽 王先生！你们还没有决议吗？（王摇头）

王克麟 主席，咱们都在这儿，咱们在这儿继续开会呢？还是到那屋开会呢？

施康伯 我看，咱们在这儿继续下去吧。这椅子舒服点！主席，咱们总得要有个结束才行。

〔魏坐圆桌右，王坐圆桌后，邓坐于左，手中拿着一册记事簿与自来水笔。

吴安绮丽（微语）蔼和，我告诉你一件事。（两人从双门下）

王克麟 主席，咱们故意镇静是没有用处的。假使这回罢工在股东大会之前不能解决，股东们一定要质问我们。

施康伯 （着了急）真的么？那怎么办？

安敦一 随他们！

魏瑞德 那我们一定得免职喽。

安敦一 我坚持到底，也是为我们股东啊。

王克麟 可是也有个限制呀。

安敦一 怎么，你们起首的时候比我还激烈？

施康伯 （长叹一声）谁又想到工人们会这么样拼命呢？哼，我要是工人，我早就投降了。

魏瑞德 逼着工人们饿死，于我一个实业家的名誉有关。事情闹到这个样子，我们没脸见股东。

施康伯 唉，这话一点也不错！

魏瑞德 我们已经损失二十多万，我们为面子坚持下去。再有损失，跟股东怎么说得过去？（凝视着安）安老先生，我不是存心要反对你，不过这话，将来难说。

王克麟 （婉婉地）主席！我们不能完全自由行动，我们是机器的一部分。主席，现在有很好讲和的机会，请赶快解决了吧。

安敦一 不，不。

〔大家都不快地沉默一会。

魏瑞德 这简直是死路！（起身背安立）南方我是去不成啦！

施康伯 唉呀！唉呀！我们太太还病着呢，假若我今天赶不回去，将来万一出事，可怎么办？

魏瑞德 （想将紧张的空气缓和一下）也许你们夫妇不能见面吧？

施康伯 谢谢您，借您金言！

〔蔼从双门走进，至台左，精神非常严肃，魏坐沙发。

安蔼和 （向着他父亲）爹爹，您听见没有，罗大为的女人死了！

〔各人均注目凝视。

安蔼和 绮丽今天下午看过她，看见她没有煤烧，没有东西吃，什么都没有。这件事情已经够了！

〔沉默。

施康伯 那么，你以为她死我们有责任么？

魏瑞德 （狼狈地）听说这女人本来就有病的。她现在死了，也怪不了我们。至少——于我是没关系的。

施康伯 那么于我更没有关系！

安蔼和 （激烈地）我敢说咱们得负责。

安敦一 外行话，少说点。

安蔼和 爹爹，您说我外行，就外行吧。我实在忍心不下，咱们不该把这件事情拖得这么长。

魏瑞德 我早就不高兴了。他们报上一定要把这件事情拿来作他们的宣传品。你看吧，他们一定这么干！他们一定要言过其实，说这位妇人是饿死的，冻死的，我们害她死的，这件事情我算不管了。（起至后右茶几旁坐）

安蔼和 （高声）你不能不管，咱们谁也不能不管。

安敦一 （怒视）你还没说够么？

安蔼和 （愤愤地面着他的父亲）我不能不向你老人家说明白。咱们要假装着说工人们没有受苦，那是骗人的话。我不是说咱们存心不良，不过咱们把眼睛闭着不看事实，我敢说这是罪过。要像这样坐着，看女人们冻死，饿死，我情愿不干我的董事。

王克麟　你说得未免有点过火。

施康伯　（立起）少先生，你——你这个论调，我，我——我是不敢赞同。

魏瑞德　你这话还明白？

施康伯　可我哪一句话不明白！（莫明其妙地又坐下）

安蔼和　（失掉主宰）事实是不能不顾的！你们叫女人死在你们手上——我是不干！

施康伯　（起）喂，喂，少先生！

安蔼和　（置若罔闻）——我敢说一句，这儿总还有不少快要饿死的妇女。

施康伯　（缓步至台左）喂，少先生，您别着急，我给您叩头啦。这些话不要在我们这董事会上提呀！实在——实在，实在有点不大中听。

安蔼和　我非说不可，施先生。

施康伯　那吗，我就不听。（退至台后）我就不听，我听了，太难过。（掩着两耳）

王克麟　除掉你的令尊大人而外，我们没有一个人不愿意解决的。

魏瑞德　（起立）空动感情，没有用处。（至前）我看最适当的办法还是把全部的事情交给工会代表韩安世，让他办。我看这是顶合适的。

施康伯 （严重地）对，我看也是这么好。（转向蔼和）少先生，你的态度，我是不老高兴的——呃，我也说不出怎么，呃，可是你应该取消你的话！

安蔼和 （强硬地）我一个字也不取消。

施康伯 那我还是不听！（退后，又把两耳掩蔽。）

魏瑞德 蔼和的话怎么说都在其次。康伯，现在咱们谈公事。（魏坐右沙发，施至右沙发坐，蔼坐左）——我对于主席的提议提出一种修正案：就是“此次争持以韩安世今早所提条件，立刻任其一手解决”。对于这个修正案有副议的没有？子齐，请你记录在簿上。

〔魏目示王。

王克麟 我副议。

魏瑞德 那么很好。现在我请主席提出董事会讨论。

安敦一 （长太息一次——徐徐地）有人误解我们，攻击我们。（向魏与施环顾，带着一种讥讪的蔑意）责任都由我一个人负。我今年七十三了，自从本公司成立以来，二十二年，公司的浮沉盛衰都是我首当其冲。我使用工人有三十多年的经验，我向来进退有度，他们没有一次不服过。有人说，我近来不如从前了。也许吧！（看着魏）说尽管他们说，可是遇着事时候，还有一点男子汉的勇气，不至于临阵脱逃。（视其子）我对于工人的待遇，向来很公平的，他们的工钱决不比别的工厂低。并且我们也常采纳工人的建议。有人说时代变了，假设时代有了变化，我也看不出为什么要跟他们变。（视魏）有人说现在全是地位平等，不要头脑。胡说！一家里面只能有一个头脑，一个人群里必须有领袖。（视王）有人说董事会是机器的一部分。胡说！我们就是机器的全部，我们是脑筋，我们是筋肉；我们是领导的，该做什么就做什么。我们做事不要偏，也不要怕呀。见工人怕，见股东怕，见自己的影子也怕，我情愿死，也不愿意这个样子！（中止一会，两眼与蔼对视着，又继续下去）现在的人这种半冷不热的态度，弄得什么大事也做不成。一个组织必须有主脑，必须有服从。主脑没有把握，服从的不服从，早晚组织必定失败。现在，不要紧，你们让工人一步，将来他们必定要求十步。我要是工人，我也是一样啊。可是我不是工人，我有我的责任。（视施等）你们记着，你们左让右让，早晚有一天，到了公司破产，公司倒闭的时候，就连工人们也要骂你们"懦弱无能"。人家说我专制，说我闹脾气，其实，我非常地心平气和。我想的是将来，是我们全国的将来；不承认主脑，不承认服从，全国必至于大混乱，那些想不到的危险还不知道有多少呢。我的一举一动果若养成这种危险的倾向，那我对不住全国，对不住后代。

〔安凝视着前面的空虚，众人均沉默无语。傅四从外廊走入，除安外众人均不安的回顾。

傅　四　（对着他的主人）工人来了。（安做出一种拒绝的姿势）让他们进来吗？

安敦一　等一等！

〔傅四退出，安又回头来看着他的儿子。

安敦一　现在我答复攻击我的话。一个女人死了，有人说她死在我的手上。

安蔼和　我是说“死在我们大家的手上”！

安敦一　也是一样。（他的声音愈见强烈，他的感情愈见发作起来）战衅不是我开的。有什么损失，自然不能由我负责。早知道有困难，他们就不应当开端。现在我的私人损失快到十万，然而将来我就是破产，我也不说半句怨人的话。既然是争斗，就争斗个干净，各方面负各方面的责。我们要教训他们，以后不要无故的开衅。

安蔼和　（气愤）爹爹，这争斗公平吗？看看他们，看看我们！他们只有一种武器：罢工。

安敦一　（冷酷地）你们这些没骨头的东西就会教他们用这种武器。将来毁坏大家，毁坏他们自己。袒护敌人，在现在好像是很时髦的事情啦，我是学不来的。

安蔼和　（高声）在这世界上应该还有怜悯之心哪。

安敦一　（立起指其子）你骂我不仁——你骂我横暴——你骂我……

王克麟　啊，安老先生。

〔邓扶安坐下。

安敦一　（冷酷地声调）这是我自己的儿子说的话。我不懂，没骨头！

〔众人均咄咄作声。安勉强把感情抑下。

安蔼和　（平静地）爹爹，我不是说您哪，我是说咱们大家。

〔父子两人相视有顷，安向其子挥手，一若扫去个人间的感情。

安敦一 在我把这个修正案提出董事会之前，我还要声明一句。（他挨次看了众人一眼）假如这修正案通过了，那就是承认我们的主张失败，就是我们对于自己应当尽的责任没有尽。你们算开了一次坏例，以后工人要攻击我们，我们只有让步。你们请好好思索一下。——这次错过，你们永远不能翻身！你们会像几条走狗一样，（施、魏回头不听）只是在工人皮鞭下东奔西跑。只要你们喜欢这种运命，不顾大局，不顾将来，你们就赞成这种修正案吧。

〔依次看众人一眼，最后注视其子，众人均俯视地面。安做手势，子齐呈记事簿。

安敦一 "动议者魏瑞德君，副议者王克麟君，此次争持以韩安世今早所提条件立刻任其一手解决——"（停）赞成的人请举手表决！

〔暂时无动静；安方欲发言时，魏、王慌忙举手，其次施举手，最后蔼举手，但未抬头。

安敦一 （立起）反对的？（安自己举手）

安敦一 （坐下，明晰的声调）修正案通过了。我的董事长立刻辞职。

〔安慢走至台左坐，各人皆惊惶失措，屋内死一般地沉静。老人独稳坐沉思，头渐低垂。突尔，白头抬起，目光惶惶，好像数十年的艰难辛苦又在心中鼎沸一样。

安敦一 三十年！诸位，这次你们算让我丢脸。叫工人们进来！

〔安静坐若山，凝视空远。董事们慌忙鸠首，聚成一团。

魏瑞德 （慌张地）对他们怎么说好呢？韩安世也没有来，我们见他们不见？别见了吧！

施康伯 你不见我也不见！（二人同至后）

邓子齐 请你们进来？

〔陶、葛、白、鲁二走入，在沙发前立成一排。邓立圆桌后。各人均注视安，安无动静。

王克麟 （走到圆桌近处，有几分惶恐的神气）喂，陶恒利，怎么样啦？你们开会的结果怎么样！

鲁家治 我们都交给韩安世了。

王克麟 是吗？

陶恒利 （迟钝地）是的。罗大为不来，他的老婆死了。

施康伯 太太死了，唉，真可怜！

傅　四 （从外廊入）工会韩先生。

〔傅退下。韩入，向董事诸人鞠躬，再向工人们点头，立在邓旁，客室正中处。

韩安世 诸位。

魏瑞德 我们正在等你呢，我们希望今天可以了啦！

〔邓即持所写合同，与韩商量，二人语声甚低。这时罗仓忙走入，形容憔悴，立在右方。

罗大为 安先生，对不住，我来迟了。我本当早来的，不过突然发生了一点事情。（突对工人）你们说过什么话没有？

陶恒利 没有。可是朋友，你来干什么！

〔邓将合同与董事签字。

罗大为　（向董事）诸位先生，[1]你们今天早晨告诉过我们，叫我们再去商量一下。我们已经商量好了，我代表工人们回话。（对安）你请回去吧，我们的要求一分一厘也不能让步。全部的要求一天不答应，我们一天不上工。

〔安望着他，没有说话。工人们生出动摇来，就好像惊惶失措的样子。邓将合同交与韩。

韩安世　罗大为！

罗大为　（猛烈地看着他，再回首向安）我说的清楚吧，这简单得很。你们以为我们定要让步，你们想错了。你们可以毁坏我们的身体，你们不能毁坏我们的精神，你们回去，工人们决不投降。

〔罗不安地把话头中止，向安走进一步。

安蔼和　罗大为，我们都替你很难过。

罗大为　用不着！请你父亲答话。

韩安世　（手中持着合同，从小桌后发言）罗大为。（走近罗）

罗大为　（向安，激烈的）你为什么不说话？

韩安世　罗大为。（走近罗）

罗大为　（立即回过头去）什么事？

韩安世　（严肃地）你不知道，大势已经变了！看这个！（把合同示

1　“（向董事）诸位先生”底本作“（向董事诸位先生）”，当作“（向董事）诸位先生”。

罗）“除去关于技手与火夫之条项而外，要求全体允许：放假加工，双倍工价，夜工照常。”这些条款已经答应了。工人明天上工，罢工了结。

罗大为 （读完条文，转头逼视工人们。工人们除鲁二屹立不动外，余均战慄避易，死一般地沉默）你们推翻我啦！我金钱、性命都为你们牺牲，你们居然等我妻子死了这个时候推翻我！

〔工人们回答混成一片。

鲁家治 （粗鲁地）没有的事！

陶恒利 （胆怯）朋友，我们实在受不了啦。

葛　爷 （风凉地）唉，你要早听我的话……

白二楞子（又要动手）哼，你小心点！

罗大为 （悲愤）啊，你们尽等这个时候啊！

韩安世 兄弟们，没事啦，你们去吧。（工人们徐徐地，拥挤着下场。）

魏瑞德 现在我可以走啦吧！（随着向双门走去）我要赶这趟火车试试。康伯，你也去么？

施康伯 （和王一同跟去）好，好，咱们车站见。（因为罗说起话来，又停止）

罗大为 （向安）你没有签字吧？你们的合同没有董事长签字不能成立！你是决不会签字的，（安望着他没有说话）我就盼望你不签字！

韩安世 （把董事的合同拿出来）你看董事会签了字啦。

〔罗大为呆望着合同上的签名——把合同推开，蒙起眼睛来。

施康伯 （走向蔼）当心点安老先生，他身体不好，一天没吃东西。（向邓子齐）如果有人发起妇孺赈捐，给我写一百块。克麟，咱们一同走吧？

〔走出。王随施走下，邓亦下。

罗大为 那吗，你已经辞职了！（大笑如狂）哈哈，哈哈，他们把你也推翻了！——把他们的主席也推翻了啊！——哈哈哈，（突然又绝端冷静起来）胆小没骨头的东西们，把我们两个都推翻了！

安敦一 （徐徐起立，走至台中圆桌前左方）我们两个都是受伤的人。可是做人，应当有骨头的，朋友！（向罗伸出手来，罗诧视一会，走近和他握手。）

韩安世 （自台右角走来，以手拍罗肩）罗大为，回家去吧。

罗大为 （突然想起）家？我的家？

——幕

附　录：

通　信

国内各剧社公鉴：

我们见闻很窄，对于各剧社的现状历史，都不清楚。现在我们想收集些话剧运动的材料，所以请各剧社的负责人们短短地写给我们一封信——短短地，不必多，（当然，若能详细是更好！）叙述

（1）贵社的历史及现状（例如：1.何年成立？ 2.演过的剧本，剧名及作者名？ 3.导师及其排演方法？ 4.观众的品质及他们对话剧的兴趣？ 5.经济的现状？ 6.历来组织的变更？ 7.将来的计划？ 8.其他？）。其次

（2）贵社出版的剧刊，油印的剧本，演时的像片，以及学校刊物所载的剧本，剧论，剧评等印刷品若能赐下一份，那更是我们的荣幸；不能赐下，亦望详示名目及出版地点，我们再依示搜罗。

（3）果贵社已解散，我们更盼望当时的领袖不辞劳苦，给我们一封长信，详述经过。

以后我们便日日等候我们的同行们寄来的消息，以俟赐稿汇齐，

【题注】据1930年南开新剧团自印本排印。

整理有了头绪，一定向各赐信团体做一个报告。

地址请寄天津南开学校南开新剧团。

南开新剧团谨启　四月二十六日

镀金

【题注】改译自法国Eugène Labiche著La Poudre Aux Yeux。据1943年11月《戏剧时代》创刊号初刊本排印。

人　物

张妈——马医生女用人。

马太太——马医生太太。

马医生

赵先生——美丽的爱人。

美丽——马医生女儿。

李妈——马医生女用人。

赵老太太——赵先生母亲。

赵老先生——赵先生父亲。

男仆

老板——木器店老板。

布　景

马医生家里，中等人家的客厅，左边一架钢琴，右边一张写字台，中间一张小圆桌。

张　妈　那么太太不要鱼？

马太太　（坐在圆桌旁边，手中做着活计）不要了……这一星期老是刮风，鱼一定不会便宜……不过小心仔细点，肉也不要买的太贵了。

张　妈　青菜呢？……现在豌豆刚上市。

马太太　新上市的东西有什么好吃呢？……你还是做一碗白菜夹肉吧。

张　妈　又跟上星期一样？……

马太太　买了菜把账开来！我们算一算账。

张　妈　是，太太。（下）

马医生　（由中门上，脱衣）你早起来啦！

马太太　你出去了，是从哪儿回来？

马医生　我刚去看一个病人。

马太太　你有病人！还提呢……你正正经经的医过谁呀？要不是那天一个走路的人叫汽车压了，一时找不着医生才找你去看，那就一辈子也没有人请你看病。

马医生　（坐下）可是今天早晨六点钟有人请我出马了。……我有一个病人可以治了。

马太太　那么一定不是本地人，他不知道你的吧？

马医生　不……是这儿的。

马太太　这是两年来第一次，居然有人想到请你看病了。

马医生　（欢喜）我慢慢地就出名了。

马太太　唉！五十四岁也该是时候了，你愿意听我说两句老实话么？你的缺点就是不懂世故，不懂医道究竟怎么讲。

马医生　怎么？

马太太　怎么？好容易盼来盼去盼了一个主顾，你呀，总是说："不要紧，不要紧，后天就好了。"叫人家放心。

马医生　为什么要吓唬他呢？

马太太　你这一来，别人就把大病看成小病，小病看成没病，人家仿佛觉得他的病跟冻疮一样，谁知道你的本事？我看见好几个你的同行，那才是真正的医生，他要是治一个病人，那就不是三两天就完的事，人家马上就说："这个病呀，不是三两天治得好的。"并且还拉一个同行来商量。

马医生　那有什么用？……

马太太　有什么用？等到同行有了病人也一样拉他来商量，你看这样两个人不都有钱了么，这才是真正的医生哩！

马医生　我，我决不这样办……

马太太　你呀，你太老实了，主顾一个一个都走了，末了，只剩一个……最后一个也是一个老实人……

马医生　你是说我们的邻居杜先生么？……

马太太　他把一根针吞下肚，自己也不知道是吞了针……你替他医了十五天……很好……情形很顺手……可是呀，你就糊涂到这步田地，有一天你偏偏跟他说了：“杜先生，我简直看不出你是什么病。”

马医生 可是，我，我真看不出呀！

马太太 看不出，看不出你也应该说：“这个病有点麻烦……不大十分容易治呀……”假使我是医生……

马医生 凭你这张嘴，一定是个好医生。

马太太 幸亏我们家里还有七千块钱一年的利息，我们不用靠你治病吃饭。喂！今天早晨找你看病的……是一个什么样的人？

马医生 （为难状）是……一个年青的人。

马太太 是一个上等人么？

马医生 （由抽屉中取钞票）是的，他有家眷……拿去，收起这二百块钱。

马太太 干什么？

马医生 我们客厅的家具不是换过了么？今天木器店来收账。

马太太 （接[1]过钞票）啊！不错……不错……不过我问你刚才看病的是谁？

马医生 你真好管闲事……就是跑马师的马夫……他被马踢了一脚……这……都告诉你了。

马太太 一个马夫？恭喜，恭喜……明天还有人请你去医马呢？

马医生 你尽管取笑我好了，可是我给人家看了病，心里真高兴，

---

1 “接”底本作“据”，当作“接”。

跟他谈话，我得了许多消息……

马太太 什么消息?

马医生 有人在议论我们家里的事。

马太太 议论我们?有什么可以议论的?

马医生 不是议论我们，是说那天天来和我们女儿一块儿唱歌的那个人。

马太太 是说赵先生?

马医生 他们说他是美丽的未婚夫，昨天晚上在门房里，他们大家连定婚的日子都给定下了。

马太太 哎唷，天啊!

马医生 你看，有时候给马夫看病也有好处的吧?

马太太 这怎么好呢?

马医生 这事得痛痛快快解决一下子……赵先生很和气，也有气派……

马太太 是啊!人倒是很不错的。

马医生 并且一个礼拜他到我们家里来七天。唱歌哪，弹琴哪，可是看他该开口了……也是开口的时候了。

马太太 怎么让他开口呢?

马医生 美丽在发愁，东西也不想吃。

马太太 我去请个医生来。

马医生 请医生，我不就是个医生吗?

马太太 哎唷，对，不错的……我还忘了你会看病呢!

马医生 昨天当赵先生和我们的女儿又弹又唱的时候，我偷偷的瞧见了他们两个，你看看我，我看看你，嗯，那个眼睛儿呀，有点这个……这个……那个……

马太太 我告诉你说，我早想到他了。

马医生 我也想到的，这孩子我很中意……假若他的家世是好的……

马太太 可是他不先开口怎么办呢？

马医生 你放心吧……他不会不开口的，你看他来了。

赵先生 （夹着音乐簿子由中门上，向他们行礼）马先生您好，马太太您好？

马医生 赵先生……

赵先生 您今天好？

马医生 很好。

马太太 很好，（低声向马）跟他说吧！

马医生 等我想一想……

赵先生 美丽小姐到哪里去了？是病了么？

马医生 没有病，不过……

赵先生 （打开簿子）我给她带来一个电影歌曲，题目就很有意思，“最初的感叹”。

马太太 （咳嗽）嗡哼……

马医生 （向太太）知道了。（高声）赵先生，你虽然年青，我看你倒是很老实的，我的太太要我跟你谈五分钟的话，我想你总肯的吧？

赵先生 跟我谈话？（马太太伸手让大家坐下。）

马医生 赵先生请坐。您[1]是很聪敏的人，您不会不明白，您到我们家里来得这样勤……

美　丽 （自右门上）爸爸！

马太太 （低声）不要说了……咱们女儿来了……（赵先生起立）（高声）您刚才对我们说那一个电影歌是很流行一时的。是不是？

马医生 是谁编的？

赵先生 一个美国人。

美　丽 歌名叫什么？

赵先生 “最初的感叹”。

马医生 （急忙）一个母亲的……

马太太 （急忙）为她的儿子……

美　丽 这个歌名怎么这样长？

马太太 美丽，我的棉线放在房里，去替我拿来。

美　丽 是，妈妈。（她下，赵坐下）

马医生 （向赵）我刚才说的，你来的这样勤，我们家里又只有一个年轻的女孩子，有些人看了，就有点奇怪……今天早晨就有了一个病人，一个马……

马太太 一位银行老板……

赵先生 可不是，马老先生，我在这儿一向行为好像是……

马医生 很端正……那是我知道的，不过旁人是最容易误解的……

1 “您”底本漏排，据附录本改。

美　丽　（急上）妈妈，棉线拿来了。

马医生　（急转语气）这歌的题目……就是很好的，一个母亲在女儿摇篮的旁边……她叹气……

马太太　真美……

马医生　简直美——美的很！

马太太　美丽，我的绣花针断了，去替我另找一个。

美　丽　好！妈妈。（下）

马医生　请坐。（站起）您请坐，我刚才说人是顶容易误解的，就是顶规矩……也是听人瞎解释的，我是为人父的，应该把话说明白，好叫人家少说闲话。

马太太　（低声向马）……很好。

马医生　我们所希望您的，就是一个爽快的答复。

赵先生　（站起）我应该先谢谢您，马先生，您给我一个机会，今天先提起这件事，我一向只是想提而不敢提的，现在我就想老老实实地向您两位说实话啰！我很爱美丽小姐，我希望我能够……

马太太　啊……啊……

马医生　（拉妻一齐起立）好极了，这就清楚了，现在我可以打听您一件事情吗？

赵先生　是说我的家庭，我的职业么？那很欢迎……我现在是律师……

马医生　您等一等，我现在有点诧异，你是律师……因为我们相识也有两个月了……你总是到我家里来弹钢琴……

赵先生　哦，我这个律师是一个……

马医生　不出庭的律师？

赵先生　我挂牌不久，案件很少……

马医生　那个我知道，我不怪您！

赵先生　我的地位是很自由的……我的父亲原是一位有钱的商人，现在有了钱不做事了……我是他唯一的儿子。

马太太　哦！

赵先生　我对于美丽小姐的爱情我父母也知道，我认为是不必隐瞒他们的，我希望不久我的父母就能到你们面前来求婚，好叫人家不说闲话。

马太太　（向马）看他多么能说……

马医生　（向马太太）那自然，他是一位律师……赵先生，我太太跟我都很赞成，你方才所提出的，这本来也是应该赞成的……

赵先生　啊！马先生……

马医生　不过从今天起我们请你帮个忙，暂时不要来。

赵先生　为什么？

马太太　事情还没有成，到我们这儿来，叫人说出来怪难为情的。

马医生　过些时再来堂而皇之地来……不好吗？歌本带了去。（他向钢琴上拿起簿子递给赵）

赵先生　假如你们一定要这样，（只得行礼告别）老伯，伯母（向马太太）请您转告给美丽小姐说我又来了一次。

马医生　（送他出去）是是……以后再说……不要这么大声音。

马太太　这孩子真不错。

美　丽　（由中门出）那是一点儿也不错的，是个好人！我相信嫁给他，一定是很快活的。

马太太　（愕然）什么？……你说些什么？……你怎么知道的？

美　丽　我稍微听见一点儿……你刚才不是叫我去找针吗？

马太太　（学她的话）“找针”，你到门口来找？

美　丽　嗯，你不用说我，我告诉你一个很好的消息。

马太太　一个消息？

美　丽　赵先生偷偷儿告诉我说他的母亲今天早起要到咱们这儿来。

马太太　就是今天？

美　丽　装着看四楼出租的房子，她先来看看我们的家再求婚。

马太太　幸亏客厅收拾好了。

美　丽　还有他的父亲赵老先生也要来的，来找我爸爸看病。

马太太　他有病？

美　丽　不，无非是借此认识爸爸……你不要告诉人……谁也不要告诉……这是一桩秘密。

马太太　你放心罢。

马医生　（上）这个人不错，心眼儿好，心眼儿好！

马太太　（低声向她丈夫）寿卿！

马医生　干什么？

马太太　（低声）不要告诉别人……这是一桩秘密……赵老太太今天早上要到我们家里来，说是看咱们出租的房子。

马医生　这真想不到！

马太太　还有她的男人要请你看病。

马医生　这是看看我们家里的情形来的……

马太太　他们预先知道我们是什么人然后再进行……这也很在理的。

李　妈　（由右门上）太太，有一位太太要看房子。

马太太　啊啊！来了！请……（急忙地）去等一等（向李妈）赶快把我的旗袍拿来！

李　妈　我就去。（下）

马太太　（向美丽）你把衣服换一换……天啊，你的头发怎么乱糟糟的也不好好卷卷，嗳我来替你卷卷好。

李　妈　衣服来了。

马太太　得了，得了，没有工夫了。你给我套上吧！过来，美丽，我给你弄头发，寿卿，你给我看看李妈给我穿的衣服怎么样。

马医生　好！

美　丽　爸爸，拿个别针来，快点！

马太太　叫你快点儿啊！

马医生　（拿别针来）我就这样算了！

马太太　好了，请吧！（忽然发现扣子扣错了）寿卿，你看你这笨货，叫你看，叫你看，你看连扣子都扣错了，你也不知道。（他忙动手）得了得了，我来我来，（稍息）寿卿，赵太太来了，你说话要当心，别像从前那样粗里粗气。

马医生　为什么呀？

马太太　因为太……太下……下等人说的话了，（忽然想起）对那……那……那你应该称我太太，我称你先生，这是外国规矩……（向女）哎，美丽，你快……你……去……去快到钢琴边边坐下，头向后仰着！

美　丽　（坐到钢琴边）干什么？

马太太　弹琴呀！我真不明白，你这些日子天天按钢琴，怎么连这么点儿都不懂，弹呀！快往下按。（美丽快按钢琴）

马太太　（递一本书给马）寿卿，这本书拿去看，站在那儿，赶快翻。（看见赵太太进，急忙）够了够了，美丽小姐，你看，有客来了。（她站起）

赵太太　真对不起，我来的不是时候……这是马大夫？

马医生　不错，赵太太。

赵太太　我来看看四层楼出租的房子。

马太太　请坐。

赵太太　（坐下，马太太也坐下）您太客气了，马太太……我来的不是时候，不凑巧，打断了这位小姐的钢琴。

美　丽　您说的哪儿的话！

赵太太　（向马太太）这位是令嫒？

马太太　是的，赵太太。

赵太太　小姐弹的真不错。

马太太　是吗，我们请一位刚从巴黎来的教师教她弹的。

马医生　（惊讶）啊！

赵太太　啧啧！（向美丽）从巴黎来的外国先生！

马太太　先生一会儿就来哩。

马医生　（向他的妻子）你这儿弄些什么？

马太太　（急忙）《巴黎的春天》。（向赵太太）我们马先生问我们小姐弹些什么……她弹的是《巴黎的春天》。

赵太太 您的家真好。

马太太 我有这么一个原则，就是请先生一定要请外国人，美丽学画的时候……

马医生 ……（看美丽并转向妻）你看你弄些什么？

赵太太 （向马先生）你们小姐也会画画？

马医生 （为难地）嗳……这个……您问我太太吧。

马太太 （指壁上一张油画）您看这张风景画怎么样？

赵太太 （站起）是一幅油画呢？

马太太 她闹着玩儿画的。

马医生 哦，是可太厉害了，懿芝，懿芝。

美　丽 妈您，您看您……

赵太太 （细看画）真像（又看）好看……简直是画家画的，好,（向马太太）好家教……这房子还闲着么？

马太太 这房子还闲着……我们先生预备叫人糊哩,（向她丈夫）你不是打算这样么？

马医生 你还不知道……（忽然改了口气）你不知道我今天约好了工匠了。

马太太 马先生，我说您应该看看那小客厅，现在很不像样子。

马医生 是该糊什么纸，太太您自己选就是了。

赵太太 租价是多少？

马医生 二百五十元。

李　妈 （上，惊讶地）先生先生，有人来，是一位看病的。

马太太 什么，有人来，谁？

李 妈 是一位看病的。（众人一齐站起）

马医生 啊，看病的。

马太太 一个看病的有什么稀奇……寿卿（看赵太太）[1]

李 妈 可是还是头一次，……

马太太 （急忙）啊啊，他是第一次走来看病，好了，给他这个牌子，有多少人等着哩，他不能先看。（在写字台上写了一张纸）给他这个号头……十六号。（李妈下）

马医生 你看我太太真有两下子。

赵太太 你这儿来看病的真不少呀！

马太太 我们先生一分钟的工夫都没有……早半天在官医院，中午回来吃饭，几乎坐下来吃饭的工夫都没有，门诊就起头了，从这时候一直要到下午三点钟……

马医生 不过……

马太太 我常跟马先生说，这简直是不要命了，门诊完了又要出诊，东西南北哪儿都去，一直到晚上才回来，累的什么似的，……你以为他该休息了吧？不不，他还要编他的书。预备在大学里讲的，许多外国有名的人都在盼望这部书呢！

马医生 （不认的样子）不过，懿芝……

马太太 （急忙）随他们盼望好了，先别管他，我们马先生又不是受他们支使的。（向赵太太仿佛报告一种秘密似的）我们马先

---

1 “寿卿（看赵太太）”底本作“（寿卿看赵太太）”，当作“寿卿（看赵太太）”。

生编的是医学上最伟大的书！

马医生 她实在不应该嫁给一个江湖郎中做老婆，不过……赵太太……

赵太太 这真是太累了。

马医生 我的太太说的太过火了。

马太太 （打断他的话头）马先生玩的时候倒有，不过一星期只有两次，常开茶话会请朋友们……

马医生 开茶话会……

马太太 可不是吗？星期一星期六，来的都是最有名的艺术家，我们先生也给他们看病，不要钱，完全交情。

赵太太 怎么，白看？

马太太 唉！对艺术家有什么法子，不过也好，多来些人谈谈也不错，他们还说假使不到我们家里来开茶会那简直[1]就跟白活了一样，因为几十个有名的艺术家都到咱们家里来。

马医生 （背供）邪了……邪了……越说越邪了。

赵太太 （惊讶）啊！

马太太 赵太太我很希望假使你真搬了过来，赏光加入我们的会。

马医生 可是，赵太太？

赵太太 是呀，马太太，赏光不敢当，您客气了，说实话，您这儿来的都是上等人，早晚我们要领教的。

马太太 怎么，你要走了吗？赵太太。

---

1 “简直”底本作“简实”，当作“简直”。

赵太太 是的，要走了，我希望不久能再来看您，我们以后常见面，能够和这样一家的人，永久的来往，我真高兴极了。

马太太 （行礼）以后请你常常来赏光。（呼人）刘福，刘福，陈贵，陈贵……王生，王生……（回身向马先生）马先生，你呀，听差的都出去了吗？

马医生 （惊异状）听差的……没有我没有……

马太太 这些听差的只要用着他们总是不在的！（叫人）李妈，李妈，（向赵太太）真对不起，赵太太……（李妈上）送这位太太出去……

赵太太 您的用人真不少。

马太太 也不过只有七个人。（李妈送赵下）

马太太 她可走了。（略向台中走几步）

美　丽 妈妈，这是怎么一回事？

马太太 你不用管，你还是去厨房叫李妈教你做外国点心吧。

美　丽 是，妈。（一面走一面回头）不过我并没有画过油画。

马太太 去，你先走，学过画没有是你，说你学过的是我。去，去！

马医生 我希望你能明白地讲给我听，我实在不懂。

马太太 不懂什么？

马医生 女儿的教师连我认也认不得那个人，刚才那一套一套的胡吹是什么意思？为什么告诉赵太太，说我们请了巴黎的先生教美丽呢？

马太太 也许当时应该照实说她是格毛鲁的学生的……这有名的格毛鲁。

马医生 你又来了，你看你硬说这张画儿是美丽画的。

马太太 说说又怎么样呢？

马医生 可这是一张名画家的画儿呀！

马太太 那怕什么，又没有落款。

马医生 唉！就算是一种理由……可是等到结过婚两个月，怕她叫你女儿拿起画笔画画，她连个颜色都不认识，那时候还是我去呢？还是你去呢？

马太太 你这个笨人，再没有像你这样笨的了，结了婚还谈什么美术啦，音乐啦，只要美丽结了婚，说看见颜色就头痛不就完了吗？

马医生 “不就完了”！可是那部书呢？许多外国人等着要看的那部书呢？

马太太 那有什么，就说现在正在印刷中……忽然那家印刷所失了火不就完了吗？

马医生 还有你硬派到我身上的那些医病的人呢？

马太太 好，好，好，我不对，我都不对，等那位太太再来看我们的时候，我把实在的情形告诉她就是了……“赵太太，我替你介绍，这是马大夫，医科大学的饭桶……他老是替马夫白看病……这位是马小姐，她能读能唱能写，我就是马太太，自己缝衣服补袜子下厨房，一辈子卖给他了。”

马医生 用不着说的这样详细，也用不着扯那些谎……你愿意我告诉你么？这是骄傲，这是喜欢出风头，你想掷把沙子迷旁人的眼。

马太太 是的，我承认，啊，然而我不过学旁人的样而已……人人都抓了一把又一把的沙子，向旁人的眼里扔上过度一生……人为什么要装饰，就是为迷旁人的眼。

马医生 哪儿的事？

马太太 就是你自己也一样，你也想迷人的眼，不过你弄不出来就是了。

马医生 我？

马太太 你记得你系表的那条金链子吗？

马医生 记得的怎么样？

马太太 从前那链子多么细，多么短，你简直[1]不好意思戴，把它藏在背心里面。

马医生 怕丢了啊！

马太太 你才不是怕丢，你是怕人看见，后来你换了一条又粗又长的，唠，就是这一条，你看你现在还摸着它，你把它挂在外边，你得意极了，见着人就摆出来。

马医生 这简直是胡说！

马太太 可是你呀，决不肯跟人家说出来它是假的，不是真的。

马医生 得了，得了，不要说了，不要说了！

马太太 你说我拿沙子迷人的眼，哼，你自己一样有一把沙子，要说咱们女儿，她就像你从前的那条金表链子，虽然不长又细，可是真货色真金子，但是她人好又老实，所以没有一

---

1 “简直”底本作“简实”，当作“简直”。

个人注意她……世界上识货的人究竟太少啦，你看现在让我给她镀上层光彩，立刻就有人来求了追了，就仿佛这根镀金的链子一样。

马医生 这话也许有点道理。

李　妈 先生！

马医生 什么事？

李　妈 那位十六号先生等得不耐烦了。

马太太 （急忙）不，不成，（对李妈）他是十六号，你对他说先生正在看十四号呢。

马医生 什么？我正在看第十四号？（向李妈）你，就说我正在看第十四号吧。（李下）

马太太 把你的钱包拿出来。

马医生 要我的钱包干什么？（给她）

马太太 （将袋中之钞票分放各处）这个盘里二十张钞票……桌上十五张，钢琴上十张。

马医生 （惊疑）你干什么呢？

马太太 名医家里病人多，都是这样。

马医生 对了，这是他们迷人眼的沙子。

马太太 好了，你去坐在你的写字台上……要记得神气要像那么一回事，不要笑，少说话，要知道你是很忙的……我走了……叫第十六号……（又回来）唉，不要忘了，他是没有病的人……不要弄错了。

马医生 （坐在写字台上）你放心吧。（马太太下）（自语）我太太真有两下子，（大声）请十六号进来！

李　妈　（开左门呼叫）十六号！

赵先生　（呵欠）（走两步停一步又走两步停一下）

马医生　（看都不看，一面写字）坐下！

赵先生　是，先生。（坐下）

马医生　（仍不看，写）坐下！

赵先生　谢谢，我已经坐下了，先生！

马医生　（搁笔向赵）让我看看你是什么病？

赵先生　我的病……（想）先生，差不多有八天了。（有人敲门）

马医生　（高呼）谁？（里面有人答应"我"。）

马医生　（惊奇，立起又坐下）就好了，等一下！（内高声："第十七号等得不耐烦了！"）

马医生　你说吧。

赵先生　差不多有八天了，说是说八天，实在有九天了，……我坐飞机到重庆，回来的时候也是坐飞机，到了家里我的太太对我说："你的脸色怎么这样红，你不是病了？"我说："我不能算是正式有病……但觉得不舒服不爽快。"……就洗了个澡……就这么病了！

马医生　（立起来对赵看）您觉得什么地方不舒服？

赵先生　（为难状）不舒服，到处都不舒服，一会儿在这边，一会儿在那边。

马医生　头不痛？

赵先生　不痛。

马医生 胃口？

赵先生 很好。

马医生 小肚子？

赵先生 也很好。

马医生 让我看了脉。（先用左手后用右手。用左手将表在赵面前摆，赵渐注意表链。）

赵先生 您的表链掉出来了。

马医生 （故意的把表链放入袋内）是的，是的。请你脱脱衣服（以耳贴赵的背）呼吸用力，用大劲。（赵大声咳嗽）

赵先生 我的病不轻吧？

马医生 嗯，我看的很清楚，你是怎么一回事。

赵先生 您看出来了？

马医生 嗯，看出来了，你绝对什么病也没有。

赵先生 没有病？

马医生 （坐下）绝对没有病！

男　仆 （穿华丽的制服上）先生！

马医生 （惊讶）啊，什么事？

男　仆 （用[1]银盘托着一封信）这是一封孟主席太太的信。

马医生 孟主席太太的信？我不认识她呀！（取信。男仆下）"高声读此信"。啊，对不起，我先看一封信。

赵先生 您请便，您请便。

---

1 "用"底本作"有"，疑作"用"。

马医生　（读）“马大夫，是您治好了我的病。我真不知道应该怎样报答您，这儿送上五千元的支票，请您收下吧。您难道不愿做医科大学的校长吗？只要您开一声口，我一定替您想法子的。”

赵先生　那么，您就开一声口吧，开一声口吧。

马医生　唉，我是不愿管这些闲事的。

老　板　（在外）第十七号等得不耐烦了。

马医生　就好了。

赵先生　你家的病人，可真不少呀！

马医生　这是你的方子。（递与）

赵先生　（接过来读）“红葡萄酒，五香鸭，烧牛肉”，这简直是一张饭馆子的菜单儿。

马医生　（坐下看书）

赵先生　（先给马十块钱，马不看一眼，于是到处看钱，最后抽出一百块钱给他）这是一百块钱，请收下。

马医生　（收下）再见。

赵先生　再见。（不想走，想说话，又不敢说。）（有人敲门）

马医生　进来。

老　板　（进来）马大夫，该轮到我了吧？我呀，我是十七号。

马医生　好，马上就给你看。

赵先生　这个！这个——

马医生　啊……

赵先生　再见，再见。（下）

马医生　现在就剩下我们两个了，你刚才说你病了好久……

老　板　现在好一点了。（递一张发票给马）这是我送来客厅家具的发票……

马医生　什么客厅家具？

老　板　我是木器店里收账的。

马医生　这是怎么一回事儿？

老　板　这是您太太叫我当十七号，您这法子可真巧呀！您做的事……

马医生　这事是她瞒着我做的。

老　板　不要紧的，哪一行没有鬼弊，就是我……

马医生　别说了，别说了。

老　板　您看这是我的账单，共计二百块钱。

马医生　（接过账单）你待我来看，我一张靠背椅二十元……

老　板　这很公道了。

马医生　一张椅子二十块钱，这就太贵了！

老　板　怎么？您是还要还价么？我帮您这一下忙？

马医生　帮什么忙？

老　板　咦，您那十七号呀！

马医生　（不耐烦）好了好了，你给我一个收条吧。（拿笔给他）（老板在圆桌上签字）（马将钱还给他）钱拿去。

老　板　谢谢，（数钱）有一句话对你说，马大夫下次您要是用人，我可以介绍我的兄弟给你，他是个好吃懒做的人，每天到这儿来装病是再合适没有了。

马医生　干什么？

老　板　他自备西服全套，穿起来一定不会给您丢人，工钱我包您公道。

马医生　够了，不要说废话了！钱给你了，你去吧！

老　板　（自语）马大夫，马大夫。（下）

马医生　（自语）糟了，糟透了，这简直是闹了一个大笑话。

马太太　（上）你把钱给了那个收账的了？

马医生　给了，可就是那个十七号？

马太太　你看那个主意好不好？……

马医生　好，好。

马太太　我一猜呀，你就赞成我那主意好。

马医生　可是那穿号衣的仆人是谁？

马太太　怎么，你就不认得他了？

马医生　（想）不认得，不认得。

马太太　就是那个每天送牛奶的呀！

马医生　好，你简直把我弄成个大笑话了。他一定要出去乱说的，你看这，这，这怎么办？

马太太　不过主席太太那封信总该要一个人送呀，难道我又错了吗？

马医生　你没有错，没有错，对了，主席太太那封信写的真好，尤其是末了那两句。

马太太　（得意）不错吧！

马医生　那信上说"你难道不愿意做"——

马太太　"医科大学的校长么"？赵先生听了作什么神气？

马医生 他听了只是发愣！你还不知道他一个劲儿只看我的表链呢！（取出表链）

马太太 我敢说那个老家伙都看的眼花了！

马医生 哼！

马太太 说不定明天，嗯，一定，决不过明天，我们要听到他们的消息。

马医生 （看见他女儿来了）嘶！……美丽来了。

美　丽 妈妈，没有白糖了。

马太太 拿五毛钱叫李妈买去。

马医生 （见女预备出去，忙叫）美丽，美丽，你过来，你过来，我要……（看太太）你不同我见面？

美　丽 怎么回事？

马医生 我有话跟你说。

马太太 啊……没有事，没有事，没有事，你去吧！

美　丽 爸爸，今天您怎么啦？胡蹦乱跳的，（忽然）您别动，您衣服上有一颗纽扣儿快要掉下来了。

马医生 （不动，但扣子被美丽抓掉）好你给我缝上罢！

美　丽 脱下来罢！（马脱衣给美丽）

马医生 美丽，你小心点，我这一块是补的别弄破了。

张　妈 （挟一筐上）太太！

马太太 买菜怎么买了这么半天？

张　妈 太太算算账吧？

马太太 为什么不算，把你的账给我！

张　妈　您看吧！太太（拿账单给太太，菜筐放在地上，一枝白菜外露）

马太太　（坐在桌上算账）"酱油一元（看瓶子）肉半斤十五元"好贵呀！

张　妈　太太！这还没敢买好的，这还是死猪肉呢。

马医生　死猪，死猪，一定有病，怎么吃得？

张　妈　不是就贵呀！

马医生　那！那……

马太太　那，那你就将就点儿吧！（继续算账）"白菜三斤，十块钱零八毛"，谁叫你买那么多白菜？

张　妈　您不说多买白菜少吃肉么？

马医生　对，对，卫生，卫生。

马太太　（继续）"菠菜韭菜萝卜，小白菜，醋，（惊异）共用五块大洋"？

张　妈　太太您看（取菜筐）我一样一样地拿出来给您算，菠菜一块，韭菜五毛，萝卜一块五，小白菜四毛，醋……

李　妈　（放大声）来客了！太太，来客了！

马太太　（小声）客?!

马医生　（小声）客?!（同立起）

李　妈　赵先生跟赵太太。

马医生　赵先生跟赵太太。

马太太　怎么，这么早就来了。

马医生　请，请，请！

马太太 （向张妈）可是你……你这笨人，你看菜，菜……（将菜递与张妈）去！（张妈由右下）

马医生 还有我的洋服！（忙穿上）

马太太 （向美丽）美丽，琴，琴，琴。快去按我真不知道学了这么久的琴……头向后仰着，快快按。哎唷！李妈，你快收拾这儿……啊，还有一个醋瓶子！（又急急去桌上取书给马看，按马坐下，自己预备针线做活。李妈拿菜筐无处放，最后放在桌下以桌毯掩之，美丽按琴，赵太太穿新衣服，赵先生穿礼服，白领带白手套上）

赵太太 马太太（马太太起）马先生……（马先生起）

马太太 真想不到您怎么这么快就回来了。您决定租这所房子了？

赵先生 不，我们不是完全为了这个事来的……（对妻）你说吧，我的心直跳说不出来。

马医生 您那点儿小病又变重了？

赵先生 谢谢，没有变重。

赵太太 我们是为的另一件事来的……

马医生 （故作惊讶状）为另一件事？

赵先生 （感动状）我有一件事想跟你们两位谈话，一件……（向妻）你说吧，你……

赵太太 一件跟我们两家都有关系的事。

美　丽 妈妈，教我图画的先生坐在那儿等我呢？

马太太 你去吧！孩子！

马医生 （低声向妻）看我们的孩子真聪敏！

美　丽　（行礼告退）您二位在这儿多坐会，我不陪了。

赵先生
赵太太　（一齐）小姐。（美丽下）

马医生　好了，请你们谈吧。

赵太太　（向她丈夫）说呀，怕什么？

赵先生　（低声）说也没有用。他们不会答应的。

马太太　请您说吧！

赵先生　（神气不安）马先生马太太……我有一个儿子……叫赵文明……

马医生　我们认识的。

马太太　很漂亮很好的，常到我们家来玩儿。

赵太太　他跟令嫒很相投，所以，所以……（向夫）还是你说吧，我有点儿发抖，说不出来。

赵先生　我太太的意思是说我们想高攀，跟您结为亲家，不知道两位的意思怎么样？（向妻）可说完了。

马先生
马太太　（相视一笑，同时）啊，这件事我们可是真没想到呀！

赵先生　你看，你看。

赵太太　你看，你看。

马太太　你看我镀的金怎么样有用了吧。

马医生　你看我也会镀。（很正经地）我说太太请你告诉老妈子，叫老妈子告诉听差的，叫听差的告诉汽车夫，叫汽车夫把我的汽车给我开出来，今天孟主席太太请我吃饭。

赵先生
　　主席太太！
赵太太

马医生　嗯——

——幕

注：本剧据法国腊皮虚著三幕剧《迷眼的沙子》改编。

镀金

1981重刊本

【题注】据1981年《小剧本》第11期重刊本排印。

时　间

解放前。

地　点

上海某租界，一幢小洋楼里。

人　物

崔太太——闺名懿芝，崔大夫的太太。过去比较富有，能说善道，死人也能“吹活”。

崔大夫——号寿卿。不出名的医生，崔太太骂他“太老实”，其实他也不笨。

崔美丽——当然是崔太太和崔大夫的宝贝女儿。

赵先生——像是一个刚开业的律师。

赵老太太——他的母亲。

赵老先生——他的父亲，一个开“稻香村”的老板。

老板——木器店老板。

张妈——崔大夫的女用人

李妈——崔大夫的女用人

男仆

布　景

崔大夫家里。中等人家的客厅。左边一架钢琴，右边一张写字台，中间一张小圆桌。

〔幕启：崔太太坐在圆桌旁边，手中做着活计。张妈手提菜篮上。

张　妈　那末太太不要鱼啦？

崔太太　不要了……这一星期老是刮大风，鱼一定便宜不了，不过你也用点心，肉也不要买太贵了。

张　妈　青菜呢？现在豌豆刚上市。

崔太太　新上市的东西有什么好吃的！……你还是做一锅霉干菜烧肉吧。

张　妈　又跟昨天吃得一样？

崔太太　买了菜把账开来，我们算一算账。

张　妈　嗳，太太。（下）

〔崔大夫由中门上。

崔大夫　（脱衣）你早起来啦？

崔太太　你出去了？从哪儿回来？

崔大夫　（很得意地）我刚去看一个病人。

崔太太　啊？你可有病人了！还提呢，我早就劝过你。你治过谁呀？要不是那天一个乡下人叫汽车压了，找不着医生，才找你看，你就一辈子没人请你看病。

崔大夫　（坐下）可是今天早晨六点钟有人请我出马了……我有一个

病人可以治了。

崔太太 那末一定不是本地人，他还不知道你就是那个顶有名的崔大夫！

崔大夫 不！……是这儿的。

崔太太 这可新鲜！两年啦，头一回！居然有人想到请你看病了。

崔大夫 （欢喜）我慢慢地就出名了。

崔太太 唉！五十四岁，也该是时候了。你愿意听我说两句老实话儿？你的缺点就是不懂世故，不懂医道究竟怎么讲。

崔大夫 怎么？

崔太太 怎么？好容易盼来盼去盼来一个主顾，你呀，总是说："不要紧，不要紧，后天就好了。"叫人家放心。

崔大夫 为什么要吓唬人呢？

崔太太 你这一来，别人就把大病看成小病，小病看成没病，人家就觉得他的病跟长冻疮一样，谁知道你的本事？我见过你的同行，那才是真正的医生哩。他要是治一个病人，那就不是三两天能完的事，人家马上说："这个病呀，不是三两天治得好的。"而且，还得拉一个同行一块儿商量、会诊。

崔大夫 那有什么用？

崔太太 有什么用？你的同行有了病人，也一样拉你去商量、会诊，你看这样两个人不都有钱了吗？这才是真正的医生哩！

崔大夫 我不干！

崔太太 你呀，你太老实了，主顾一个一个都走了，末了剩下一个，这个也是个木头脑袋。

崔大夫 你说我们的邻居杜先生么?

崔太太 他把他老婆的针吞下去了，自己还不知道……你替他治了十五天……很好……情形很顺手……可是呀，你呀，就这么傻，你说:“杜先生，我简直看不出你是什么病!”

崔大夫 可是，我，我真看不出呀!

崔太太 看不出，看不出你也应该说:“这个病有点麻烦……可难治呀……”要我是个医生……

崔大夫 凭你这张嘴，一定是个好医生。

崔太太 幸亏我爹留下几座房产，靠房租过日子，不靠你治病吃饭。喂，今天早晨找你看病的……是一个什么样的人?

崔大夫 (为难地)是……一个年轻人。

崔太太 是个上等人么?

崔大夫 (由抽屉中取钞票)是的。他有家眷。拿去，收起来。三块!(又摸出)还有两毛五。

崔太太 干什么?

崔大夫 我们客厅的家具不是换了几件么?今天木器店来收账。

崔太太 (接过钞票)三块两毛五，这够什么?……可我问你，刚才看病的是谁?

崔大夫 你真好管闲事……就是赛马场的马夫，他被马踢了一脚……这……都告诉你了。

崔太太 马夫?恭喜，恭喜……明天该有人请你去医马了!

崔大夫 你尽管取笑我好了。可是我给人家看了病，心里真高兴。跟他谈话，我听了好多消息。

崔太太 什么消息？

崔大夫 有人在议论我们家里的事。

崔太太 议论我们？有什么可以议论的？

崔大夫 不是议论我们，是说整天来跟我们女儿一块儿唱歌的那个人。

崔太太 你是说赵先生？

崔大夫 他们说他是美丽的未婚夫，昨天晚上在门房里，他们大家连定婚的日子都给定下了。

崔太太 哎唷，天哪！

崔大夫 你看，有时候给马夫看病也有好处吧？

崔太太 （想着那消息）这怎么办呢？

崔大夫 这事得痛痛快快解决一下。赵先生很和气，也有气派……

崔太太 是啊，人倒是很不错的！

崔大夫 并且一个礼拜他到我们家里来七天。唱歌啊，弹琴哪！可是看他该开口了……也是开口的时候了。

崔太太 怎么让他开口呢？

崔大夫 美丽在发愁，东西也不想吃。

崔太太 我去请个医生来。

崔大夫 请医生，我不就是个医生吗？

崔太太 哎唷，对！不错的……我还忘了你会看病呢！

崔大夫 昨天赵先生跟我们的女儿又弹又唱的时候，我偷偷地瞧了瞧他们两个；你看看我，我看看你。嗯，那个眼神儿呀，有点这个……这个……那个……

崔太太　我早想到他了。

崔大夫　我也想到的，这孩子我很中意。假若他的家庭好……

崔太太　可是他不先开口怎么办呢？

崔大夫　你放心吧，他不会不开口的，你看，他来了。

〔年轻的赵先生挟着音乐簿子由中门上，向他们行礼。

赵先生　崔先生您好，崔太太您好！

崔太太　赵先生……

赵先生　您今天好？

崔大夫　很好。

崔太太　很好。（低声向崔大夫）跟他说吧。

崔大夫　等我想一想……

赵先生　美丽小姐到哪里去了？是病了么？

崔大夫　没有病，不过……

赵先生　（打开簿子）我给她带来一个电影歌曲，题目就很有意思："唉！我先对你叹了一口气！"。

崔太太　（咳嗽）嗡哼……

崔大夫　（向崔太太）知道了。（高声）赵先生，你虽然年轻，我看你倒是很老实的。我的太太要我跟你谈五分钟的话，我想你总肯的吧？

赵先生　跟我谈话？

〔崔太太让大家坐下。

崔大夫　赵先生请坐。您是很聪明的人，您不会不明白，您到我们家里来得这样勤……

〔崔美丽自右门上。

美　丽　爸爸！

崔太太　（低声）不要说了……咱们女儿来了……（见赵先生起立，高声）您刚才对我们说那一个电影，那个电影流行歌曲，不是么？

崔大夫　是谁编的啊？

赵先生　一个美国人。

美　丽　歌名叫什么？

赵先生　“唉！我先对你叹了一口气！”。

崔大夫　（急忙）啊？我对你叹气？

崔太太　（急忙）不，崔大夫，“唉，我先对你叹了一口气！”。

美　丽　这个歌名怎么这样长？

崔太太　美丽，我的丝线放在房里，去替我拿来。

美　丽　是。（下）

〔赵先生坐下。

崔大夫　（问赵先生）我刚才说的，你来的这样勤，我们家里又只有一个年轻的女孩子，有些人看了，就有点奇怪……今天早晨就有了一个病人，一个马……

崔太太　一位银行老板……

赵先生　可不是，崔老先生。我在这儿一向行为好像是……

崔大夫　很端正……那是我知道的，不过旁人是最容易误解的……

〔崔美丽上。

美　丽　妈妈，丝线拿来了。

崔大夫　（急转语言）这个歌的题目……就是很好的，“唉！我对你叹气！”。

崔太太　不，“我对你先叹一口气！”。唉，有感情。

崔大夫　简直……简直有感情得很！

崔太太　美丽，我的绣花针断了，去替我另找一个。

美　丽　好的，妈妈。

〔崔美丽下。

崔大夫　请坐！（站起）您请坐！我刚才说人家顶容易误解的……就是顶规矩……人家也是胡说八道。我是做父亲的，应该把话说明白，叫人家少说闲话。

崔太太　（对崔大夫，低声）很好。

崔大夫　我们老夫妻希望的，就是一个爽快的答复。

赵先生　（站起）我应该先谢谢您，谢谢您老人家。崔大夫，您给我个好机会，今天先提起这件事。我一向想提又不敢提，现在就老老实实地向您两位说实话吧！我很爱美丽小姐，我希望我能够……

崔太太　啊……啊……

崔大夫　（拉崔太太一齐起立）好极了，这就清楚了。现在我可以打听您一件事情吗？

赵先生　是问我的家庭，还是我的职业？那很欢迎……我现在是律师……

崔大夫　您等一等，我现在有点诧异，你是律师……因为我们相识也有两个月了……你总是到我家来弹钢琴……

赵先生　啊……我这个律师是一个……

崔大夫　不出庭的律师？

赵先生　我挂牌不久，案件很少……

崔大夫　那个我知道，这没什么。

赵先生　我的地位是很自由的……我的父亲是怡和轮船公司董事长。

崔大夫　（大吃一惊）怡和轮船公司的董事长？

赵先生　（得意地）是的。

崔太太　（喜欢得闭不上嘴）啊呀，那是外国属一属二的大买卖呀！

赵先生　我是他唯一的儿子。

崔太太　哦！那就是独生子了！

赵先生　我对于美丽小姐的爱情，我父母也知道。我认为是不必隐瞒他们的。我希望不久我的父母就能到你们面前来求婚。

崔太太　（由不得多嘴，向崔大夫）就是提亲啊！

赵先生　人家就不说闲话了。

崔太太　（向崔大夫）看他多么能说……

崔大夫　（向崔太太）那自然，他是一位律师。赵先生，我太太跟我都很赞成，你方才提出的，这本来也是应该赞成的……

赵先生　啊！崔大夫……

崔大夫　不过从今天起，我们请你帮个忙，暂时不要来。

赵先生　为什么？

崔太太　事情还没有成，到我们这儿来，（却扭捏起来）叫人说，怪不好的。

崔大夫　过些时候再来，堂而皇之地来……不好吗？歌本请带去。

（拿起歌谱递给赵先生）

赵先生 您二位如果一定要这样？（只得行礼告辞）老伯，伯母，（向崔太太）请您转告给美丽小姐，（大声）我非常爱她，崇拜她，我活着就是为……

崔大夫 （送他出去）是是……以后再说……声音小点，别叫她听见！

〔崔大夫与小赵先生下。

崔太太 这孩子真不错。

〔崔美丽自右门上。

美　丽 那是一点儿也不错的，是个好人！我相信跟他在一块儿，一定是很快活的。

崔太太 （愕然）什么？你说些什么……你怎么知道的？

美　丽 我稍微听见一点儿……你刚才不是叫我找针吗？

崔太太 （学她的话）“找针”？你到门口来偷听！

美　丽 嗯，你不用说我，我告诉你一个秘密！

崔太太 秘密？

美　丽 赵先生偷偷儿告诉我，他的母亲今天早起要到咱们这儿来。

崔太太 就今天？

美　丽 装着看三楼出租的房子，她先看看我们的家再求婚。

崔太太 幸亏客厅收拾好了。

美　丽 还有他的父亲赵老先生也要来的，来找我爸爸看病。

崔太太 他有病？

美　丽 不，就是借此来认识爸爸……你不要告诉人……谁也不要告诉……这是秘密。

崔太太　你放心吧！

〔崔大夫上。

崔大夫　这个人不错，心眼儿好，心眼儿好！

崔太太　（低声问她丈夫）寿卿！

崔大夫　干什么？

崔太太　（低声）不要告诉别人……这是秘密……赵老太太今天早上要到我们家里来，说是看咱们出租的房子。

崔大夫　这真想不到！

崔太太　还有她的男人要请你看病。

崔大夫　这是看看我们家里的情形来的……

崔太太　他们想先知道我们是什么人家，然后再进行，这也很在理的。

李　妈　（从中门上）太太，有一位太太要看房子。

崔大夫

崔太太　（同时）就是她！

美　丽

崔太太　啊！来了！请……（急忙地）等等！（对李妈）赶快把我的旗袍拿来。

李　妈　我就去。（下）

崔太太　（向美丽）你把衣服换一换！……天啊，你的头发怎么乱糟糟的，也不好好卷卷！嗳，我来替你卷卷好。

李　妈　（取衣服上）衣服来了！

崔太太　得了，得了，没有工夫了。你给我套上吧！过来，美丽，我给你弄头发！寿卿，你给我看看李妈给我穿的衣服怎么样？

崔大夫 好！

美　丽 爸爸，拿个别针来，快点！

崔太太 叫你快点儿啊！

崔大夫 （递别针）闹哄哄干什么！我这样就算了。

崔太太 好了，请吧！（忽然发现扣子扣错了）寿卿，你看你这笨货，叫你看，你看连扣子都扣错了，也不知道！（不等崔大夫动手）得了得了，我来我来！（稍息）寿卿，赵老太太来了，你说话要当心，别像平常那样粗声粗气的！

崔大夫 为什么呢？

崔太太 因为那……是下……下等人说的话。（忽然想起）对了！……你应该称呼我太太，我称呼你先生，就是外国规矩。（向美丽）哎，美丽，你快去……快到那钢琴边坐下，头向后仰着！

美　丽 （坐到钢琴边）干什么？

崔太太 摁琴呀！我真不明白，你这些日子天天摁钢琴，怎么连这么点儿都不懂！摁呀！快快连着往下摁！

〔美丽快摁钢琴。

崔太太 （递一本书给崔大夫）寿卿，这本书拿去看，站在那儿，赶快翻。（看见赵老太太进，急忙）够了够了，美丽小姐，你看，有客来了。

〔美丽站起。赵老太太上。

赵老太太 真对不起，我来的不是时候……这是崔大夫?

崔太太 不错，赵太太!

赵老太太 我来看看三层楼出租的房子。

崔太太 请坐。(坐下)

赵老太太(也坐下)太客气了，崔太太!我来的不是时候，不凑巧，打断了这位小姐弹琴。

美　丽 您说的哪儿的话!

赵老太太(向崔太太)这位是您的小姐吧?

崔太太 是的，赵太太。

赵老太太 小姐弹得真不错。

崔太太 是吗，我们请一位刚从巴黎来的教师教她弹的。

崔大夫 (惊讶)啊!

赵老太太 啧啧!(向美丽)从巴黎来的外国先生!

崔太太 外国老师一会儿就来。

崔大夫 (低声向他的妻子)你这是闹的些什么呀!

崔太太 (急忙)“巴黎的春天!”(向赵老太太)我们先生问我小姐弹些什么……她弹的是“巴黎的春天”。

赵老太太 您的家教真好。

崔太太 我有这么一个原则，就是请先生一定要请外国人，美丽学画的时候……

崔大夫 (看出女儿难为情，低声忙向崔太太)你看你，说的些什么!

赵老太太(向崔大夫)你们小姐也会画画?

崔大夫　（为难地）嗳……这个……您问我太太吧！

崔太太　（指壁上一张油画）您看这张风景画怎么样？

赵老太太（站起）是一幅油画呢！

崔太太　她闹着玩儿画的。

崔大夫　哦，这可太厉害了！我的太太！太太！

美　丽　妈，您，您看您……

赵老太太（细看画）真像，（又看）好看……简直是画家画的。好，（向崔太太）好家教……这房子还闲着吗？

崔太太　这房子还闲着……我们先生预备叫人糊哩。（向她丈夫）你不是打算这样吗？

崔大夫　你还不知道……（忽然改了口气）你不知道我今天约好了工匠了？

崔太太　崔先生，我说您应该看看那小客厅，现在很不像样子。

崔大夫　是该糊什么纸，太太？您自己选就是了。

赵老太太 租价是多少？

崔大夫　（胸中无数）那……那您看着办吧。

李　妈　（慌张地上）先生！先生！有人来，是一位看病的。

崔太太　什么？有人来，谁？

李　妈　是一位看病的。

〔众人一齐站起。

崔大夫

崔太太　（同时）赵家的爹来了！

美　丽

崔大夫 啊，看病的？

崔太太 一个看病的有什么稀奇……寿卿……（看赵老太太）

李　妈 这可是头一次啊……

崔太太 哦，哦，（急忙）他是第一次来看病，好了，给他这个牌子，有多少人等着呢，他不能先看。（在写字台上写了一张条子）给他这个号头……十六号。

〔李妈持纸条下。

崔大夫 （自语）你看，我的太太真有两下子。

赵老太太 到您这儿来看病的真不少呀！

崔太太 我们先生一分钟的闲工夫都没有……早半天在官医院，中午回来吃饭，就站着吃，连坐下来的工夫都没有，门诊就起头了。从这时候一直要到下午五点钟……

崔大夫 不过……

崔太太 我常跟我们先生说，这简直是不要命了，门诊完了，又要出诊，东西南北哪儿都去，一直到晚上才回来，累得什么似的……你以为他该休息了吧？不，不，他还要编他的书。预备在大学里讲的，许多外国有名的人都在盼望这部书呢。

崔大夫 （否认地）不过，太太……

崔太太 （急忙）随他们盼望好了，先别管他，我们崔先生又不是受他们支使的。（向赵老太太仿佛报告一桩秘密似的）我们崔先生编的是医学上最伟大的书！

崔大夫 （自语）真会吹！怪不得嫁给我呢！崔大夫，"吹"大夫！吹！

赵老太太 崔大夫！这真是太累了！

崔大夫 我的太太吹的,（忽然明白）说的太过火了！

崔太太 （插话打岔）崔先生玩的时候倒有，不过一星期只有两次，常开茶话会请请朋友们……

赵老太太 开茶话会……

崔太太 可不是吗？星期二、星期六，英国规矩，来的都是最有名的艺术家，我们先生也给他们看病，不要钱，全凭交情。

赵老太太 怎么？白看？

崔太太 唉，对艺术家有什么法子，不过也好，多来些人谈谈也不错。他们还说假使不到我们家里来开茶话会，那简直就跟白活着一样，因为几十个有名的艺术家都到咱们家里来。

崔大夫 （自语）邪了……邪了……越说越邪了！

赵老太太（惊讶）啊！

崔太太 赵太太，我很希望假使您真的搬了过来，赏光加入我们的茶话会。

崔大夫 可是，赵太太？

赵老太太 是呀，崔太太，赏光不敢当，您客气了，说实话，这儿来的都是上等人，早晚我们要来领教的。

崔太太 怎么？你要走了吗，赵太太？

赵老太太 是的，要走了。我希望不久能再来看您，我们以后常见面，能够和这样一家人永久地来往，我真荣幸极了。

崔太太 （行礼）以后请您常常来赏光。（呼人）刘福，刘福！陈贵，陈贵！王生，王生！……（回身向崔大夫）崔先生，你呀，听差都出去了吗？

崔大夫 （惊异）听差的……没有，我没有……

崔太太 这些听差的只要用着他们，总是不在的！（叫人）李妈，李妈！（向赵老太太）真对不起，赵太太……（李妈上）送这位太太出去……

赵老太太 您的用人真不少。

崔太太 也不过只有七个人。

〔李妈送赵老太太下。

崔太太 她可走了。（挪步台中）

美　丽 妈妈，这是怎么一回事？

崔太太 你不用管，你还是到厨房叫李妈教你做美国点心吧。

美　丽 是，妈。（边走边回头）不过我并没有画过油画。

崔太太 去，你先走。没有学过画的，是你；说你学过画的，是我。去，去！

〔美丽下。

崔大夫 我希望你给我讲明白，刚才……

崔太太 讲什么呀？

崔大夫 女儿的教师连我认都认不得哪个人。刚才那一套一套的胡吹是什么意思？为什么告诉赵老太太，说我们请了巴黎的先生教美丽呢？

崔太太[1] 哼，也许当时应该说她是巴黎大画家拿破仑的学生……那

1 “崔太太”底本作“赵太太”，当作“崔太太”。

位有名的拿破仑！

崔大夫 你又来了，你看你硬说这张画儿是美丽画的。

崔太太 说说又怎么样呢？

崔大夫 可这是一张著名画家的名画呀！

崔太太 那怕什么，又没有落款！

崔大夫 唉，就算这是一种理由吧……可是等到结过婚两个月，怕他叫你女儿拿起画笔画画，她连个颜色都不认识，那时候还是我去呢，还是你去呢？

崔太太 你这个笨人，再没有像你这样笨的了，结了婚还谈什么艺术啦、音乐啦，只要美丽结了婚，就说她一看颜色就头痛，不就完了吗？

崔大夫 “不就完了”！可是那部书呢？许多外国人等着要看的那部书呢？

崔太太 那有什么，就说现在正在印……忽然那家印刷所失了火，不就完了吗？

崔大夫 还有你硬派到我身上的那些医病的人呢？

崔太太 好，好，好！我不对！我都不对！等那位太太再来看我们的时候，我把实在情形都告诉她就是了：“赵太太，我替你介绍，这是崔大夫，医科大学的饭桶……他老是替马夫白看病……这位是崔小姐，她不读书，不看报，就会傻叫；我就是崔太太，自个儿缝衣服，补袜子，下厨房，一辈子卖给他了！”

崔大夫 用不着说的这样详细，也用不着扯那些谎……你愿意我告诉你么？这是骄傲，这是喜欢出风头，明明是破铜烂铁，偏偏你要镀上一层金！

崔太太 我反对，我不是破铜烂铁。现在“镀金”？谁都要镀！你镀，我镀，他镀。镀上金，就是好看！丑的看不见，坏的露不出来。你也是一样。

崔大夫 我？想镀金？

崔太太 老爷，您也一样！不过，你笨，就是了！

崔大夫 我？

崔太太 你记得你挂表的那条金链子吗？

崔大夫 记得的，怎么样？

崔太太 从前那链子多么细，多么短，你简直不好意思戴，把它藏在背心里面。

崔大夫 怕丢了啊！

崔太太 你，不是怕丢。你是怕丢人。后来你换了一条又粗又长的，喏，就是这一条，你看你现在还摸着它。你把它挂在外边，你得意极了，见着人就摆出来。

崔大夫 这简直是侮蔑！

崔太太 可是你呀，决不肯跟人家说出来，它是假的，是铜表链！不是金表链！

崔大夫 得了，得了！不要说了，不要说了！

崔太太 你说我喜欢吹，喜欢镀金？哼，你自己也是个镀金表链！崔，崔，没有我给你张罗，你这行当早就“吹”了！要说咱们女儿，她就像你从前的那条金表链子，虽然不长又细，可是真货色、真金子，但是她人好，又老实，所以没有一个人注意……世界上识货的人究竟太少了。你看现在让我给镀上一层黄澄澄的黄金，立刻就有人来求了，追了，就跟你这根镀金的链子一样。

崔大夫　（点头）这话也许有点道理。

李　妈　（上）先生。

崔大妈　什么事？

李　妈　那位十六号先生等得不耐烦了。

崔太太　（急忙）不，不成！（对李妈）他是十六号，你对他说先生正在看十四号哩！

崔大夫　什么？我正在看十四号？（向李妈）你，你就说我正在看第十四号吧！

〔李妈下。

崔太太　把你的钱包拿出来。

崔大夫　要我的钱包干什么？（给她）

崔太太　（将钱包里的钞票分放各处）这个盘里二十张钞票……桌上十五张，钢琴上十张……

崔大夫　（惊异）你干什么呢？

崔太太　名医家里病人多，都是这样。

崔大夫　对了，这是他们的镀金表链。

崔太太　好了，你去坐在你的写字台上……要记住！神气要像那么一回事，不要笑，少说话，要知道你是很忙的。……我走了。……叫第十六号。……（又回来）唉，不要忘了，他是没有病的人，不要弄错了。

崔大夫 （坐在写字台上）你放心吧。

〔崔太太下。

崔大夫 （自语）我太太真有两下子。（大声）请十六号进来！

李　妈 （开左门呼喊）十六号！

〔赵老先生穿着袍子马褂，由中门上。

赵老先生（呵欠。走两步停一下，又走两步停一下）……

崔大夫 （看都不看，一面写字）坐下。

赵老先生 是，先生。（坐下）

崔大夫 （仍不看，写着）坐下！

赵老先生 谢谢，我已经坐下了，先生！

崔大夫 （搁笔向赵老先生）请我看看你是什么病？

赵老先生 我的病……（想）先生，差不多八天了。

〔有人敲门。

崔大夫 （高声）谁？

〔里面有人答应：“我！”

崔大夫 （惊奇，立起又坐下）就好了，等一下。

〔内高声：“第十七号等得不耐烦了！”

崔大夫 （对赵老先生）你说吧。

赵老先生 差不多八天了，说是说八天，实在有九天了……我坐飞机到重庆，回来的时候也是坐飞机，到了家里我的太太说：“你的脸色怎么这样红，你不是病了？”我说：“不能说是病，可总觉得不舒服，不爽快。”就洗了个澡……就这么病了！

崔大夫　（立起来端详赵老先生）你觉得什么地方不舒服？

赵老先生（为难状）不舒服，到处都不舒服，一会儿在这边，一会儿在那边。

崔大夫　头不痛？

赵老先生 不痛。

崔大夫　胃口？

赵老先生 很好。

崔大夫　小肚子？

赵老先生 也很好。

崔大夫　让我看看脉。（先用左手后用右手，用左手将表在赵老先生面前摆动）

〔赵老先生渐渐注意表链。

赵老先生（旁白）好粗的表链！还是金的呢！

崔大夫　（旁白，得意）他盯上我的表链了！

赵老先生 您的表链掉出来了。

崔大夫　（故意把表链放入袋内）是的，是的。请您脱下衣服。（以耳贴赵老先生背）呼吸！用力！用大劲！

赵老先生（大声咳嗽）我的病不轻吧？

崔大夫　嗯，我看得很清楚，你是怎么一回事。

赵老先生 您看出来了？

崔大夫　嗯，看出来了，你绝对什么病也没有。

赵老先生 没有病？

崔大夫　（坐下）绝对没有病。

〔一个男仆上。

男　仆　（穿华丽衣服）先生！

崔大夫　（惊讶）啊，什么事？

男　仆　（用银盘托着一封信）这是一封孟主席太太的信。

崔大夫　孟主席太太的信？我不认识她呀！（取信）

〔男仆下。

崔大夫　（高声读此信）啊，对不起，我先看一封信。

赵老先生　您请便，您请便！

崔大夫　（读）“崔大夫，是您治好了我的病！我真不知道怎样才能报答您，这儿送上五千元的支票，请您收下吧……”

赵老先生（吃惊，旁白）一下子，五千块！

崔大夫　（继续读信）“您难道不愿意做医科大学的校长吗？只要您开一声口，我一定替您想法子的……”

赵老先生（崇拜之极）那么，您就开一声口吧，开一声口吧！

崔大夫　唉，我是不愿管这些闲事的。

〔老板在外声：“第十七号等得不耐烦了！”

崔大夫　就好了！

赵老先生　你家的病人真不少呀！

崔大夫　这是你的方子。（递与）

赵老先生（接过一看）“红葡萄酒、五香鸭、烧牛肉……”这简直是一张饭馆子的菜单儿。

〔崔大夫坐下看书。

赵老先生（先拿出十块钱，向崔大夫犹豫地）初诊，十块钱？

崔大夫 （一眼都不看）……

赵老先生（见到处都放着钱，最后数出一百块钱放在桌上）这是一百块钱，请收下。

崔大夫 再见！（望着赵老先生将钱放在桌上）

赵老先生 再见。（不走，想说话，又不敢说）

〔有人敲门。

崔大夫 进来。

〔木器店老板上。

老　板 崔大夫，该轮到我了吧？我呀，我是十七号。

崔大夫 好，马上就给你看。

赵老先生 这个……这个……

崔大夫 啊？

赵老先生 再见，再见！（下）

崔大夫 （对老板）现在就剩下我们两个了，你刚才说你病了好久……

老　板 （狡黠地笑）现在好一点了。（递过一张发票）这是我送来客厅家具的发票.....

崔大夫 什么客厅家具？

老　板 我是木器店里收账的。

崔大夫 这是怎么一回事儿？

老　板 这是您太太叫我当十七号，您这法子可真妙呀，做的事......

崔大夫 这事是她瞒着我做的。

老　板 不要紧的，哪一行不闹点鬼？就是我……

崔大夫 别说了，别说了！

老　板　看，这是我的账单，共计二百块钱。

崔大夫　（接过账单）你待我来看，一张靠背椅二十元……

老　板　这很公道了。

崔大夫　一把椅子二十块钱，这就太贵了！

老　板　怎么？您还想要还价？我刚才帮您这一下忙……

崔大夫　帮什么忙？

老　板　咦，您那十七号啊！

崔大夫　（不耐烦）好了好了，你给我一个收条吧。（递笔）

〔老板在收条上签字。

崔大夫　（付钱）钱拿去。

老　板　谢谢。（数钱）有一句话对您说，崔大夫，下次您要是还用人，我可以介绍我的兄弟给你，他是个好吃懒做的人，每天到这儿来装病，是再合适没有了。

崔大夫　干什么？

老　板　他自备西服全套，穿起来一定不会给你丢人，工钱我包您公道。

崔大夫　够了，不要说废话了。钱给你了，你去吧。

老　板　（自语）崔大夫，你真行，真行！

〔木器店老板下。

崔大夫　（自语）糟了，糟透了！这简直是闹了个大笑话！

〔崔太太上。

崔太太　你把钱给了那个收账的了？

崔大夫　给了。就是那个十七号？

崔太太 你看那个主意好不好？

崔大夫 好，好！

崔太太 我一猜呀，你准赞成我那主意好。

崔大夫 可是，那穿白大褂的是谁？

崔太太 怎么？你就不认得他啦？

崔大夫 （想）不认得，不认得！

崔太太 那就是每天送牛奶的！

崔大夫 好！你简直把我弄成个大笑话了。他一定要出去乱说的。你看这，这，这怎么办?!

崔太太 不过主席太太那封信总得要一个人送呀，难道我又错了？

崔大夫 你没有错，没有错！对了，主席太太那封信写得真好，尤其是末了那两句。

崔太太 （得意地）不错吧！

崔大夫 （逐渐高兴起来）那信上说"你难道不愿意做……"

崔太太 "……医科大学的校长吗？"赵老先生听了作什么神气？

崔大夫 （心花怒放）他听了直发愣！你不知道他还一个劲儿直看我的表链呢！（取出表链）

崔太太 我敢说那个老家伙都看得眼花了。

崔大夫 （忘其所以，飘飘然）哼！

崔太太 说不定明天，嗯，一定，决过不了明天，我们就能听到他们的消息。

崔大夫 （一边听，一边得意地踱着碎步，忽然看见他的女儿来了）嘘！美丽来了。

〔崔美丽上。

美　丽　妈妈，没有白糖了！

崔太太　拿五毛钱叫李妈去买。

崔大夫　（心里美得发痒，见美丽要出去，忙叫）美丽，美丽，你过来，你过来，我要看看你！（抓着女儿的手，望住她）……美丽啊，美丽！你今天可真美丽。

美　丽　爹，你怎么啦？

崔大夫　（压不下去的得意）我有话跟你说，美丽，爹为你可做了好事了！

崔太太　美丽，不理他！没有事，没有事，你去吧！

美　丽　爸爸，今天您怎么啦？胡蹦乱跳的。（忽然）您别动，您衣服上有一颗纽扣快要掉下来了。

崔大夫　（不动，但扣子被美丽抓掉）好，你给我缝上吧！

美　丽　脱下来吧，爸。

〔崔大夫脱下衣服给美丽。

崔大夫　美丽，你小心点！我这一块是补的，别扯破了。

〔张妈上。

张　妈　（提一筐菜）太太！

崔太太　买菜怎么买了这么半天？

张　妈　太太算算账吧。

崔太太　好，把账给我。

张　妈　看吧，太太！（交账单给太太，菜筐放在地上，筐外露出一棵白菜）

崔太太　（坐到桌旁算账）酱油两毛……（看瓶子）肉半斤，八毛五，好贵呀！（看肉）

张　妈　太太，这还没敢买好的，这还是死猪肉呢！

崔大夫　死猪？死猪一定有病，怎么吃得？

张　妈　不吃，就得多花钱。

崔大夫　那……那……

崔太太　那，那你就将就点儿吧！（继续算账）白菜三斤，一块零八分。谁叫你买那么多白菜？

张　妈　您不常说多买菜少吃肉吗？

崔大夫　对，对！卫生，卫生！

崔太太　（继续）菠菜、韭菜、萝卜、小白菜……醋，（惊异）共用五块大洋？

张　妈　太太您看。（取菜筐）我一样一样地拿出来给您算，菠菜一块，韭菜五毛，萝卜一块三，小白菜四毛，醋……

〔李妈在外大声地："来客了！来客了！"

崔太太
崔大夫　（同时立起，小声）客？！

〔李妈上。

李　妈　赵老先生，赵老太太。

崔大夫　赵老先生和赵老太太！

崔太太　怎么，这么早就来了？

崔大夫　请，请！

崔太太　（向张妈）可是你……你这笨人，你看菜，菜……（忙忙乱乱地同张妈检菜）去！

〔张妈从右门下。

崔大夫 还有我的洋服！（忙穿上）

崔太太 （向美丽）美丽，琴，琴，琴！快去摁。我真不知道你学了这么久的琴，还不懂摁琴的架势……头得向后仰着！快快嗯！哎唷，李妈！你快收拾这儿……啊，还有一个醋瓶子！（又急去桌上取书塞给崔大夫，按他坐下，自己预备针线做活）

〔李妈拿着菜筐无处放，最后放到桌下，用桌毯盖着。

〔美丽弹琴。

〔赵老太太穿新衣服，赵老先生穿一套更新的袍子马褂上。

赵老先生 崔太太！（崔太太起）崔大夫！（崔大夫起）

崔太太 真想不到您这么快就回来了。您决定租这层楼？

赵老先生 不，我们不是完全为了这个事来的……（自语，十分紧张）天哪，我的心直跳，直跳！（对赵老太太）你说吧！

崔大夫 您那点儿小病又变重了？

赵老先生 谢谢，没有变重。

赵老太太 我们是为的另一件事来的……

崔大夫 （故作惊讶状）为另一件事？

赵老先生（异常激动）我们有一件事想跟您二位谈，一件……（向妻）还是你说吧……你……

赵老太太 一件跟我们两家都有关系的事。

美　丽 （出人意外地聪明起来）妈妈，教我图画的先生坐在那儿等我呐！

崔太太 你去吧，孩子。

崔大夫 （向妻低声）看我们的孩子多聪明！

美　丽 （行礼告退）您二位在这儿多坐一会儿，我不陪了。

赵老先生
赵老太太 （齐声）小姐！

〔美丽下。

崔大夫 好了，请你们二位谈吧。

赵老太太（向她丈夫）说呀，怕什么?!

赵老先生（低声）说也没有用，他们能答应么?

崔太太 请您说吧。

赵老先生（神色不安）崔大夫，崔太太……有一个儿子……叫赵文明……

崔大夫 我们认识的。

崔太太 很漂亮，很好的，常到我们家来玩儿。

赵老太太 他跟您的小姐很相投，所以，所以……（向夫）还是你说吧！

赵老先生 我太太的意思是说，我们……我们门当户对，想跟您结成亲家，不知道您二位意思以为、以为如何?（向妻）可说完了！

崔大夫
崔太太 （相视一笑，同时）啊，这件事我们可是真没想到呀！

赵老先生（十分尴尬地）你看，拒绝了！走吧！

赵老太太（怀着希望）我看，不一定。

崔太太　（转向崔大夫，低声）你，看我镀的金怎么样，有用了吧？

崔大夫　你看我也会镀金。（很正经地）我说太太，请你告诉老妈子，叫老妈子告诉听差的，叫听差的告诉汽车夫，叫汽车夫把我的汽车给我开出来，今天孟主席夫人请我吃饭。

赵老先生
赵老太太　（同声）主席夫人？

崔大夫　嗯，是的。

赵老先生
赵老太太[1]　可那亲事？

崔大夫　（很神气，一字一字地）我们准备考虑。

崔太太　我们再考虑一下，董事长先生。

赵老先生（吃了一惊）董事长？！

崔太太　（媚笑）你们少爷早跟我们讲了，您现任怡和轮船公司的董事长。怡和轮船公司可是赚大钱的啊！

赵老太太（不知如何回答）那……那是的。

赵老先生（对其妻，低声）哎呀，我们这位少爷，真能吹啊！

赵老太太（也低声）怎么办？我们是开“稻香村”的。

〔崔太太见赵氏夫妇在背后嘀嘀咕咕，又怕中途有变。

崔太太　（情不自禁地）那门亲事，我看就定了吧，赵太太？……

赵老太太（慢慢转过身，慢慢地吐出一个个字）我们当然准备……

---

1 “赵老太太”底本作“赵老夫人”，当作“赵老太太”。

准备……

赵老先生（一不做二不休）别准备了，我们就定了！

〔正巧，赵文明跟崔美丽都偷听到，就出来了。皆大欢喜。

——幕落·剧终

《镀金》后记

一九三六年，我在南京国立剧校教课，除了《西洋戏剧史》《剧本选读》等课之外，还担任导演。当时的学生都没有多少舞台经验。第二班的大半数没有上过舞台。我想找一本容易演的戏。挑来挑去，想到法国十九世纪的喜剧家腊比希（Eugène Labiche）的《迷眼的沙子》（*La Poudre Aux Yeux*），法语是蒙混骗人的意思。为了这班刚进剧校的学生，我把这本戏改编成一本适合中国风土人情的讽刺剧《镀金》。

这个戏写于一八六一年的法国。一八五一年，路易·拿破仑发动军事政变，重建法兰西第二帝国，一时商业大繁荣，对外又发动侵略战争，获得胜利。但是法国的知识分子和青年并不拥护这个帝国政府，有些爱国人士被放逐到国外。罗马帝国曾经用“粮食和娱乐”的政策来笼络罗马市民，法国的统治阶级就使用豪华与奢侈来蒙蔽、迷惑失去自由的人们。浪费与挥霍成了衡量社会地位、获得人们尊重的天平。中产阶级紧追这种社会风气，仿效富人，吹牛装阔，盗取虚名。那时，法国的批判现实主义的文学早已出现，巴尔扎克、福楼拜

【题注】据1981年《小剧本》第11期重刊本排印。

等曾以小说抨击丑恶的资产阶级与贵族生活。戏剧也追随这些大作家，揭露了在表面繁荣的社会下，掩盖着自私、鄙俗、狭隘、空虚和残酷的剥削。剧作家欧吉埃（Emile Augier）、小仲马（Dumas fils）等都是这样的批判现实主义者，也是以写社会问题称名于当时的剧作家。《迷眼的沙子》，如果能把它当作讽刺喜剧看，这也是当时社会风尚的反映。

腊比希一生写了一百五十个喜剧，有些戏获得极大的成功。当时，有人认为他可与莫里哀媲美，这当然是过头的话，不过这也反映当时巴黎上层社会十分轻浮、不爱看小仲马等的严肃的社会问题剧，就抬高腊比希的地位，发泄他们的对立情绪。其实，腊比希的幽默有些粗俗，他逗笑的语言和安排也有些陈旧。

腊比希，如萨都（Victorien Sardou）一样，都多少承袭“佳构剧”（Well-made Play）的传统。佳构剧的鼻祖斯克利布（Eugène Scribe）的剧本早已被人忘记了。但我们不能忘记他的影响。连伟大的易卜生在早期也演出不少“佳构剧”，学习舞台和写剧的技巧。易卜生中年的社会问题剧，在技巧上也有“佳构剧”的影响。但他是伟大的思想家、戏剧大师，他早扬弃了“佳构剧”的糟粕，写出惊心动魄却又令人经久思考的剧本。

腊比希恐怕也已经被人忘记多年了。这就是一个小剧作家同一个伟大的思想家、戏剧大师的区别。

然而，我还是认为有必要认识一下这个腊比希。我才动心把他这个剧本改编成为《镀金》。原剧是两幕，现在是独幕了。我尽量使《镀金》成为当时（即一九三六年）如小仲马说的“有用的剧本”。因为我认为《镀金》容易有舞台效果，可以使初学表演的人尝尝初次面对观众是什么滋味。在这个戏演出时，舞台效果很好，证明了这个戏可以训练学生有舞台感，但应注意学生片面追求舞台效果。其次，我认为这个戏的演出风格的高低，会因演员的修养水平的高低而大不一样。一个成熟的好演员，可以把它演成有风度、有幽默、有趣味的好戏，决不会轻薄鄙俗。但遇到格调低的演员，完全可能把这个戏降低为“文明戏”。这个独幕剧很能考验演员与导演的修养水平。

我认为悲剧是比较好演的。当然，悲剧、喜剧，要演好，都不容易。我想说的是，把一个喜剧演成一出高尚、含蓄、有内容、使人可以会心微笑的戏，是非常难的。因为，叫人笑是一种极坏的诱惑，它有时叫演员以为在舞台上做个鬼脸，也算是喜剧表演。

这次，《小剧本》编者提出要重新发表这个剧本，我从北京图书馆借出法文本，核对了一下，又作了一些修改。改编之后，我又一次想到，在资产阶级社会里，弄虚作假，把“破铜烂铁”镀上一层金，蒙混人，迷惑人，真是生活中一件十分可笑的事情。

1981.9.20

正在想

【题注】改译自美国Josefina Niggli著The Red Velvet Goat。据1948年6月文化生活出版社第六版“文学小丛书”本排印。通校1940年7月《剧场艺术》第2卷第6、7期（合刊）初刊本（校注称“原刊”）、1940年10月文化生活出版社第一版“文学小丛书”本（校注称“初版”）。

人　物

老窝瓜——马家班的班主，五十左右，一个变滑稽戏法的老前辈。

小甜瓜——“窝瓜”的老婆，三十五左右，聪明伶俐，面面圆到，曾经在平民娱乐场所说书弹唱，盛极一时。现在徐娘半老，只好帮助“老窝瓜”变变滑稽戏法，聊以糊口。

小秃子——马家班的少老板，十八岁，学得一口贫嘴贫舌，十分呆气。

老盖儿——整天在马家棚子前面，敲锣打鼓，喊喊唱唱，专门为马家班招揽生意，让客收钱，一句话，一个“拉人的”。

哈哈笑——一个拉洋片的（“唱西洋景”的），一口地道北平话。嘻嘻哈哈，滑头滑脑。

小红——小秃子的情人，十七岁。

领弟——小红的女友，二十岁。

李保长——管辖马家棚子一带的保长。

李老太太——李保长的妈。

五姑奶奶——“老太太”的女儿。

三丫头——保长的女儿，十三岁。

四和尚——保长的少公子，十一岁。

丁老师——某小学教员。

穿西服的瘦子——歌舞团的人。

胖子——敲洋鼓的。

醉汉。

唱数来宝的。

掼跤的力士。

乡下人。

还有卖膏药的、说大鼓的，以及其他奇形怪状各色人等。

景

这一向老窝瓜郁郁不欢，因为棚子里的生意一天比一天清淡。戏法没人看，马家班不改行，眼看着只有饿死。前场只靠一个拉人的老盖儿，喊破了喉咙，棚子里也不上几个座。偏偏这些日子除了马家班的滑稽戏法外，这个小坝子又添上各种新奇娱乐。蹦蹦戏，说大鼓，单口相声，歌舞团，一窝蜂似地簇集一处。真是五花八门，好不热闹！相形之下，窝瓜的汤子，确实阴阴惨惨，仿佛他那场玩意儿只有鬼才肯看。

其实同行们相处，都还融洽，围着棚子的老板们，个个红光满面，生意兴隆，大家望见老窝瓜对着空棚子连喊带叫，乱翻跟头，确也觉得兔死狐悲，凄凉可怜。有时反而抽个闲空，到马家棚里捧个好，喝碗茶，这也是因为：一来窝瓜资格老，自小跑江湖，至今也有几十年，所谓“德高望重”，再潦倒也算个头儿。二来，他性情憨直[1]，人缘好，整天不慌不忙，心里总有他自己一套如意的算盘。虽然[2]有时候不免吹吹大气，翻翻花样，大家也料得稳，这个“傻好儿”干得再热闹，也

---

1 “憨直”原刊作“憨厚”。

2 “虽然”原刊作“虽忽”。

不过是混饱了两顿干饭，没有大来头。三来，他那老婆——那红过一阵的小甜瓜——实在比他聪明，伶俐，四面八方都联络得周周到到，真是圆里透圆，同行亲友们倒也心甘情愿，闲着没事，到棚来凑凑热闹。

今天下午棚里气象大不同，原来窝瓜闷想许久，忽然豁然贯通，说是“要发财，得改行”，以后专演时下最受欢迎的“话剧”。不用说，这一改准是“锦绣前程！日后前场的金银用斗量，堆得满柜满箱！”说得大家欢欢喜喜，不用提多么乐！只有那聪明的甜瓜暗自不信这一套吉利话，却也不便多加议论。心想说不定这“傻好儿”时来运转，福至心灵，也许从此大家就翻了身。再者，变变也好，就算是做梦都好。总之想来想去，目前实在混不下去了。棚里的布置也大改良，正中靠后，那斜斜歪歪的小戏台，现在挂上两个半幅破被单，上面补成红一块，紫一块，作为戏幕。台高三尺，四四方方，这台两个胖子坐不下，半个胖子就压得晃晃摇摇。远远看，孤孤零零，倒像黄泥堆上一座破土庙。台右仍然悬着那褪了色的油渍红布幔，幔后面是艺员们等候上场的隐蔽处，幔下可以望见人们的脚。棚右近前通着出口，拉人的老盖儿在外面扯起破锣嗓子，边唱边讲，鬼哭神嚎，把马窝瓜一家三口的玩意儿吹得天花乱坠。棚内横七竖八排放几堆空桌椅，阳光由棚顶漏下来，寂寞地射着桌上一层暗灰的尘土。前面正中有两张较为完整的靠椅，大约是为着今天的特约贵宾借来的，棚左偏中开一矮矮的入口，通着一间小席棚。在“古”时候这里面因为前台生意好，照例很宽敞地放着黄晶晶大肚皮的开水壶；至今早已充作马家的卧室、饭厅厨房、休息所，最近一变而为窝瓜一家的化装间、经理室，以及窝瓜编剧的所在。此外棚里稀稀落落悬起几块当年的骚人墨客题赠的横绢幅，字迹模糊，只有正中挂在幕上的那一幅上面依稀认得是“色艺双绝”四个字，题明送给“甜瓜女史爱存”的。

抬头望，喜气洋洋的窝瓜穿着自己仅有的一身“古时候”的瘦而短的洋服。头顶常礼帽，手执文明棍，足蹬草鞋，兴高采烈地在颤巍巍的台板上踱来踱去，一双小眼睛，不断地闪动，想起眼前的成功，喜孜孜地直沉不住气。他的老婆小甜瓜——其实以外形看现在她该改名“西瓜”——也打扮得花枝招展，上身红洋布袄，下身粉红缎子裤，笑起来一双眼珠子转啊转的，要勾走台下看戏的魂。比起她那干瘪的丈夫，她那光嫩嫩的圆脸，乌黑的头发，真不像生过秃子那么大的儿子的。尤其是秃子虽然十八岁，神气看来却自命不凡，人小心大。现在留头发，擦“凡士林”，已经学会找女孩子们厮混，早不是当年呆头呆脑的小秃子了。他现在穿一件瘦瘦的浅绿旧绸褂，白扣子，高领子，下面是香芸纱的肥裤，脚下一双白帆布鞋，除了裤嫌旧，白帆布鞋张了嘴外，周身上下收拾得熨熨帖帖，足配得上做一个乡下大姑娘的小情郎。

开幕前就听见马家班前后左右锣鼓喧天，说书叫唱，小买卖人乱吼乱吵，掺杂闹哄哄的土班马戏，热辣辣的半洋歌舞。洋喇叭吹着懒洋洋的小调，配着悠挞挞的破鼓。场外拉人的喊喊叫叫，边劝边拉，乡下老忸忸怩怩，在门口上张望一下就跑。四周围男女老少挤挤蹭蹭，有说有笑，这外面一片喧嚣嘈杂的声浪，益发显出马家棚里分外寂寞。

幕开了，小台上马家三口却在斗气。小秃子抱着一条板凳不知为什么绊倒在台角上，两脚张开，气呼呼地翻着白眼。面对观众，秃子的爹与秃子的妈并排正坐在一条狭长凳上，直眉瞪眼，像一对拌了嘴的土地公婆。倒是窝瓜心软，先偷偷望秃子妈一眼，却发现她还是怒气冲天，就蓦地转过头去。小甜瓜看了看秃子爹的傻相，也气得扭转了身，坐得更远。为着一条板凳，小秃子早被他们支使得头昏眼花，现在左右望望，一肚子的闷气，勉强爬起，走到中间台前，预备放下板凳。窝瓜看着真不顺眼，失望似地瞪瞪他，叹口气转过头。这时小甜瓜突然跳了起来。

小甜瓜　（冒了火，对着他喊）不对，我的小祖宗，你的脑子是跟着刚才的菜汤子下了饭啦？是怎么啦？这椅子不搁在这儿。放在右边墙边上。说啊，（对着她的丈夫窝瓜翻白眼）我的爹，你不是这戏里面的（忽对秃子）什么“行子”？

小秃子 （低声）编剧吗？

小甜瓜 （听不惯，佛然）什么“编剧”？一个变戏法的编了几句戏词也用得着撇这么许多文明话呢？

老窝瓜 （一旁不满）你看你这个叽哩嘟噜的劲儿，仿佛这出戏是你编的似的。（噘着嘴，指着左边）放在这儿。

小甜瓜 （指右边）不，这儿。（对窝瓜）你不是说放在这儿的叫我在台上坐着吗？

老窝瓜 （大怒）我说放在这儿就是这儿。小秃子，放在这儿。快放好，小心，（拿起文明杖）我把你的脑袋敲下来！（几乎把秃子挤下台）

小秃子 （也佛然）爹，什么？

老窝瓜 放在这儿。

小甜瓜 放在这儿。

老窝瓜 （大喊）秃子，放这儿！

小甜瓜 （也大喊）放这儿，秃子！

小秃子 （无名火起）我的天，还是听谁的话？干脆放下。（砰然一声，椅子落下）你们爱怎么摆就怎么摆。（跳下颤巍巍的小台，直向左面席棚走）

小甜瓜 （没想到）小秃子！——

小秃子 （停住回头）再说我现在不叫小秃子，我叫（做势）马一飞，我现在是话剧，嗯！（看窝）文明话剧的演员，我不是那个变戏法，翻跟斗的小秃子。（大摇大摆，进了席棚）

小甜瓜 （望着秃子走出，倒吸一口气）哟，“土地奶奶放屁”，好神气呀！（忽对窝）谁给他起的这个官名？

老窝瓜 （不安地笑）不才，我。

小甜瓜 （睁眼）你为什么不问我？

老窝瓜 问你，你整天在李保长家里死泡，聊闲天，你还有理。（一屁股坐下）

小甜瓜 （触起牢骚）哟！我到李保长家里不是为我们这一家三口人？你这个倒霉鬼，说贫嘴没人听，变戏法没人看。不是我，今天李保长会答应来？不是我，一会儿那个邀人的偏偏想邀你？（讽刺地）对了，人家瞧你长得好看，脸子白。

老窝瓜 （气为之夺，只好幽默地）可就凭我这副长相，你怎么知道人家不来邀我？

小甜瓜 （滔滔不绝）哼，邀你？我们马家棚子四面这些玩把戏的都死绝了，人家看我们生意好，场场卖满座！哼，这一个月每场玩意来不上三个半人。门口老盖儿拉主顾喊得像死了妈。你说哪天卖得够喝水的钱？

老窝瓜 （词穷气短）你有理，你有理，反正现在人家来找我们，不是么？

小甜瓜 嗯，那——

老窝瓜 那就得了。（本性难移，又打起自己如意的算盘）一会儿，把我编的那出戏一演，你看，不到两天，我老窝瓜的名气准出去。哼，半个月以后，这个大戏院的经理也请我，那个大舞台的老板也邀我。你看，那金子洋钱就像发大水似的，哗哗地冲我们家里流。（兴高采烈）你就瞅着吧，那时候——

小甜瓜 （狮吼）就瞅着你在做梦！你少胡思乱想，穷开心，窝窝头都快吃不着，整天闭着眼睛想啊想的，做他妈的发财梦，就凭你呀，哼——

老窝瓜 （愣住，忽然）就凭我，你就配不上！（怜悯的望着甜瓜摇头）哎！我的老婆，你怎么一点儿世界眼光儿都没有？

小甜瓜 你有！有了，一辈子改他三百六十行，行行你只配跟人家穿鞋，打扇拿行头。早晚要饭！（一气要下台，转过脸预备爬下去）

老窝瓜 好，好，好。咱们是话不投机半句多。我只问你，你跟那个邀人的说好了我们要在城里大舞台演戏么？

小甜瓜 （台高人矮，脚悬半空，怒目仰视）扶——着！

老窝瓜 （赶紧过去）知道。（扶下甜瓜，她掉掉衣服）我问你，你问那个邀人的——

小甜瓜 （不耐烦地）说了。（走去排正台前横七竖八、歪歪倒倒的条凳）

老窝瓜 （站在台边）你跟他提过要保管来回路费，还有那店钱、车钱、饭钱、茶水点心钱？

小甜瓜 （不屑与语的神气）提了。（仍收拾她的破椅凳，顺手捡起地上一颗花生，剥开吃下）

老窝瓜 哦，（闭目沉思，走至椅旁）他跟你讲过，一月包银多少？

小甜瓜 包（看他益发异想天开，几乎要笑出来）包银？

老窝瓜 嗯，你多少，我多少，我们儿子多少，我们这群洋鼓洋号又多少？

小甜瓜 （知道他又在做梦，便顺口答应）讲好了。（窝瓜在台中凳上坐下）

老窝瓜 （眼巴巴地）可在大舞台？

小甜瓜 （顺口一说）大舞台！（嘴角上露出一丝嘲讽的笑，又捡起地下一张破报纸，当作抹布擦凳上的尘土）

老窝瓜 （非常乐观地）那你就应该告诉他。我们有大风舞、胡拉舞、下雨舞、抽筋舞；大变活人，各种滑稽西洋戏法；还有包公打东洋、三气诸葛亮，还有那马天才新编的文明话剧，那马天才自己主演、主编、主导，那悲秋女士配演、配编、配导的——

小甜瓜 （脸一沉，放下报纸）什么？

老窝瓜 （忽然梦醒）怎么？

小甜瓜 秃子爹，你整天抱着脑袋打糊涂算盘，我不管你，你可别想背着我乱找人[1]！

老窝瓜 （莫明其妙）谁找人啦？

小甜瓜 我问你，哪儿来的这么一个悲秋女士？这个野娘儿们，是谁？

老窝瓜 咦，自然是你！

小甜瓜 我，悲秋是我？

---

1 “你可别想背着我乱找人”原刊作“你可别想，背着我乱找人”。

老窝瓜 （翻翻眼）嗯，怎么？

小甜瓜 （不可救药，干干脆脆）我叫我的小甜瓜，我不悲秋。

老窝瓜 （无办法）唉，你瞧你这点儿眼光吧！现在年头改良，地皮儿薄，人家唱话剧的当了势，我们这变滑稽戏法的名字早不吃香啦。

小甜瓜 我这名字叫顺了口，小甜瓜这方圆几十里地哪个不知，谁人不晓，想当初——

老窝瓜 想当初，哼，我（拍胸脯）我老窝瓜下南洋，带着一套滑稽西洋大戏法，“二龙戏水”“五子登科”“大变活人”“巧啭珠喉”，就听我这一句：（忽然马猴似地跳上台前一张条凳，扯起破锣喉咙）“辟里拍拉，拍拉，辟里拍，辟里拍拉！”真是——（回头望甜瓜）

小甜瓜 （不堪回首）真是——（颇想寻出一句成语来形容这心情，然而想不出，只好叹口气，还是——）唉，哪个不知，谁人不晓？（孤独地坐在凳上）

老窝瓜 （慢慢迈下凳来，忽然伤感起来）唉！时候变了！（坐下，也凄然）

小甜瓜 （身世凄凉）老喽！

老窝瓜 （摇头想哭）不成喽！

小甜瓜 （眼圈通红）年头改喽！

老窝瓜 （抬头，哭声）秃子妈！

小甜瓜 （不觉也怜惜她的老伴，慢慢地）秃子爹！

老窝瓜 （忽有所感，豁然贯通，蓦立）所以我说你得叫悲秋，悲秋女士。就是那“黛玉悲秋”的意思！

小甜瓜 （想想也点点头）唉，悲秋就悲秋吧，我倒没想到这么一段——（望望窝瓜，油然情生）唉，别看你们男人们，倒是心眼儿机灵。

老窝瓜 （神采焕发）所以我说马天才主演，悲秋女士配演，那是——

小甜瓜 （翻了脸）什么？配演？我不配演。

老窝瓜 （改得快）好，你主演，悲秋女士主演，马天才配演，（嘻皮笑脸）好不好？

小甜瓜 （不好意思，回眸一笑）哟，你还叫天才呢？

老窝瓜 （扬扬得意）我不天才谁天才，（顺口数落，仿佛又道起数来宝）“天牌地牌与人牌，字号招牌换不来”！

小甜瓜 （颇赏识丈夫的聪明，边笑边骂）你少贫嘴。

老窝瓜 （飘飘然）不是我贫嘴，秃子妈，你就听我给小秃子起的名字起得多好，马一飞，这一飞就飞上了天，将来包银就二百块。

小甜瓜 （受了传染，不自主地）嗯，那你一百，我一百。

老窝瓜 不，你两百，我那一百也交给你。

小甜瓜 （想不到丈夫这样多情，抗议地）秃子爹！

老窝瓜 （非常慷慨）不，你拿去，你都拿去。我马天才图名不图利。我想的这几出新戏，就够我万古扬名，以后，整千整万的钱，都归你。

小甜瓜 （深深感动）秃子爹！

老窝瓜 （昂然）干吗？

小甜瓜　现在几点?

老窝瓜　(摸出一个黄铜大怀表)我的表十二点半,(抬头一算)那就是三点了。

小甜瓜　(擦擦眼睛)唉呀!这可不早了。(喊)小秃子,小秃子。(无人应)

老窝瓜　小秃子一定在背词,干吗?

小甜瓜　(乱喊)小秃子,小秃子,我的儿。

老窝瓜　(沉着)别着急,悲秋女士!你听我叫他(轻脆地)马———飞。

小秃子　(立刻)嗳!

〔秃由左面席棚里跳出来。

小秃子　干什么?

老窝瓜　(得意非凡,对其妻)你看见了没有(指着秃子)演了话剧究竟派头不同。

小甜瓜　小秃子,一会儿,那个邀人的就要来了。

老窝瓜　(头一扬)今天我们的"话剧"可不许演坏!

小秃子　(翻翻眼)不是照本子念么?我知道。

小甜瓜　我们场子今天可得弄个满座。洋鼓呢?

小秃子　在前面。

老窝瓜　洋号呢?

小秃子　在前面。

老窝瓜　(忽然想起)老盖儿,老盖儿!

小甜瓜　他为什么还不吹打起来?

小秃子　哼，老盖又到摊上赌钱去了。

老窝瓜　（喟然叹息）这个堕落分子！（对秃）那么我的本子呢？我写的本儿呢？

小秃子　在屋子里。

小甜瓜　哟，什么时候你学会了写字的？

老窝瓜　（正要卖弄）昨天——

小秃子　（不识相）妈，你别听他的，是昨天他托门口摆测字摊先生写的。

老窝瓜　（狠狠瞪小秃子一眼）这孩子，我没说完，你抢什么？（向左门去）

小甜瓜　你上哪儿去？

老窝瓜　我难道不上台，我心里扑扑腾腾地，我要看看我的本儿。

〔窝由左席棚下。

小甜瓜　（望窝进去）去，你先到这四面的棚子看看。

小秃子　干什么？

小甜瓜　看看有什么闲着的叔叔、大爷们，请他们到这儿来压压场子。

小秃子　（觉得丢脸）又找人来凑热闹，不是说连李保长都要来吗？

小甜瓜　这我才叫你多找几个人凑个满场，叫那邀人的看看，我们的玩意儿真赚钱，人家才请我们呀！

小秃子　（抗议）爸爸说过他编的戏词，准受欢迎，别再那么不要脸，到处拉人。

小甜瓜　（恼羞成怒）谁不要脸，脱下棉袄往当铺里送要脸。做梦，你爸爸第一。连我刚才都糊糊涂涂地跟他一块说鬼话。场面上办事要数我。你去!

小秃子 （狐疑）可他知道了——

小甜瓜 （腰杆一挺）有我!

〔秃子向右出口走了两步。

老窝瓜 （在里面）小秃子，小秃子，小秃子!

〔秃子停住，听着刺耳，不肯答应，窝瓜跑出。

老窝瓜 （慌慌张张）糟了，秃子，秃——（看他不答应）妈的，马一飞!

小秃子 （转身）啊!

老窝瓜 （顿足）这名字改得真别扭!

小秃子 爹!

老窝瓜 糟了，你演戏，我演戏，她演戏，可谁给我们提词呀?

小甜瓜 怎么?

老窝瓜 （对其妻）我们得请个提词的，我们忘了词他好提呀!

小秃子 （没规没矩地）那你怎么早不说?

老窝瓜 （恐慌，打头）我脑袋尽装的是戏，是戏，我——

小甜瓜 你吃饭忘不忘?（人急智生）——得了，叫老盖儿来吧。

老窝瓜 不成，他不认识字。

小秃子 （严肃）提词的得认得爹的本儿。

老窝瓜 （点点头）嗯，拿着我写的戏本（十分自得）一个字，一个字的念。

小甜瓜 （看见父子二人都这般严重，也不觉慌张起来）快找人，天不早了，保长他们就要来。

小秃子　（煞有介事）妈，按规矩忘了词不许乱说的。

小甜瓜　什——么？

老窝瓜　（大点头）一点儿也不错。

小甜瓜　（拿起架子）那没有提词的我不上台。

老窝瓜　（不觉埋怨秃子）你看！你看！（偏偏外边锣鼓声大起，夹着老盖儿扯起哑喉咙大叫大唱）

小秃子　妈，你听。

小甜瓜　什么？

老窝瓜　老盖儿回来了。

小秃子　他在门口吆喝呢！

小甜瓜　（叽叽呱呱，乱吵起来）哎，老盖儿这一敲，人更要来得快了，（对其夫）你看，这怎么办？（对其子）你出去，好歹给我拉一个人进来。

小秃子　不管谁？

老窝瓜　（忍不住）不管谁，那怎么成？

小甜瓜　（狮吼）坐下，你好好的坐在那儿抱着你的窝瓜脑袋想去吧！秃子，去。（果然，窝瓜抱头而坐，小秃子一溜烟跑出）

老窝瓜　（叹息）糟，糟，我怎么连这个都忘了呢。

小甜瓜　（藐视）窝瓜，你再摸摸你那头！

老窝瓜　（莫明其妙）我头怎么？

小甜瓜　你没有把头也忘在家里！（气咻咻地坐下）

老窝瓜　去！

〔二人闷坐，外边锣鼓喧天和男女老少谈笑的声音闹成一片。

老盖儿 （在外面，山东口音，唱得津津有味）“看喽看喽！大变活人真正巧，菲洲变来个女多姣。（哄笑声）老窝瓜加唱相思调，小秃子翻跟斗还带吊毛！”快来看，五个大铜板。（又唱）“看喽看喽，滑稽戏法真热闹，锣鼓家伙一齐来敲！”（锣鼓大敲，众人喊好，乱叫）

老窝瓜 （听听觉得不对）这是什么？（立起）

小甜瓜 坐着吧，他拉人呢。（锣鼓声歇）

老盖儿 （唱）“看喽看喽——小甜瓜长得是真正好，月里嫦娥不差分毫。”

老窝瓜 （忍不住）老盖儿！

小甜瓜 什么？

老窝瓜 你听。

老盖儿 “甜瓜对你笑一笑，叫你三天三夜睡不着。”（群众哄笑，叫好声）看喽看喽，五个铜板……

小甜瓜 （虽然听过多少次，但到了这儿不免高兴的笑起来）个死鬼就要见阎王的[1]。

老窝瓜 （跳起来）这个只配啃窝窝头的货，唱这一套，老盖儿……

小甜瓜 干什么？

1 “个死鬼就要见阎王的”原刊作“个死鬼，就要见阎王的”。

老窝瓜　老盖儿？[1]

老盖儿　（在外面）叫什么？

老窝瓜　你来！[2]

〔掀开幕进来老盖儿。老盖儿原来是个将近四十的"小孩"。头顶光光，剃得发了青，天灵盖上，红头绳扎小辫，直挺挺地朝天翘。鼻眼横抹一道白粉，两颊两块红胭脂，和贴近的一脸铁青络腮胡根，相映成趣。他穿一件有无数洞眼的网织的衫。一手持锣锤，一手提铜锣，他来势汹汹，更显出愣头愣脑，山东来的莽壮汉子。

老盖儿　（跑到窝瓜跟前，啐了一口唾沫，一口山东腔）妈的。（指点着）你们哪[3]！好容易在门口吆喝了一堆人，问问是怎么回事，你们又鸡猫子喊叫地[4]，把俺又叫回来。

小甜瓜　（和颜悦色）老盖儿，秃子爹说今天改个样，说不唱这个好。

老盖儿　（目中无人）俺不唱，有人来么？

老窝瓜　（大不满）你甭管，我们以后要演——演"话剧"。

老盖儿　（一个守旧分子）这个新玩意儿[5]，俺不会。你们要招呼人来看玩意儿，俺就是这一套。

1　此句原刊、初版均作"老盖儿。"。

2　此句原刊、初版均作"你来。"。

3　"你们哪"原刊、初版均作"你看哪"。

4　"喊叫地"原刊作"喊叫"。

5　"新玩意儿"原刊、初版均作"好玩意儿"。

小甜瓜　（打开偃局）那洋号呢？

老盖儿　嘴儿掉了。

老窝瓜　（心疼）哎呀，我的号。

小甜瓜　那洋鼓呢？

老盖儿　叫你们小秃子擂破了。

老窝瓜　哎呀，我的鼓。

小甜瓜　（忍不住）老盖儿，你管干什么的？

老盖儿　（不含糊）拉人的，你要不要吧？要，俺还是这一套。

老窝瓜　（鼓起勇气）我不要！

老盖儿　（一手把头上的小辫套抓下，一手伸出，汹汹然）拿钱来！

老窝瓜　（没想到）干什么？

老盖儿　拿钱，分账，散伙！

小甜瓜　（助威）没有钱。

老盖儿　（把小辫子向下一扔）俺有命！（光头一歪，火车头一般对准窝瓜心口快步冲上去）

老窝瓜
小甜瓜　（同时）老盖儿！（窝瓜忙闪躲）

〔突听见秃子大喊，“来啦！来啦！来啦！”忽由右面出口冒出半个身的秃子。

小秃子　来啦，来啦，来啦！

小甜瓜　谁呀？

小秃子　（听也不听）我就回来！（缩回头又不见了）

老窝瓜　这一定是李保长来啦！

小甜瓜　（着慌）哎呀！这可怎么办？我得换衣服去。（向左边跑边喊）窝瓜，快来！（窝瓜手足无措，应了一声，立刻随跑）

〔小甜瓜跑进左屋。

老盖儿　（一把抓住窝）喂！俺们这一段呢？

老窝瓜　（赶紧了事）得，得，得，听你的便。

小甜瓜　（内声）秃子爹，秃子爹。

老窝瓜　（拖长声）来啦！（摔开）

老盖儿　（十分固执，挡着他）先讲明白，还是原样！[1]

老窝瓜　好，好，好！（跑开）

小甜瓜　（在内）秃子爹！

老窝瓜　（应声）就来。

老盖儿　（又拖住他）俺可一字不改。

老窝瓜　我的老盖儿祖宗！

小甜瓜　（内声）秃子爹！

老窝瓜　我来啦。

〔窝由左门跑下。

老盖儿　这个怕老婆的货！

〔由右出口进来一个瘦高个，歪戴破毡帽，身穿旧花丝格袍，腰束黑布带，口叼半根纸烟，眼前搭一块遮太阳的硬纸壳，一口道地[2]北平腔，嘴里有四颗夹金牙，说起话来总是笑嘻

1　“还是原样！”原刊、初版均作“还是原样？”。

2　“道地”底本作“到地”，据原刊改。

嘻地，非常和气，他的官名张春定，别名“哈哈笑”。

哈哈笑 （开口便收不住，其实并没有清楚人）您这一向发财，马老板。（拿下纸烟，在鞋底上慢慢擦灭，同时却忙忙地——）今天天气真热，老阳儿一当了中，连夹袍都穿不住，嘴里发干，（吹吹烟灰，又在鞋底磨磨）心里发毛，四肢发软，浑身上下直出汗，要没有口水润润嗓子，（把剩下的烟蒂头插在左耳上）

老盖儿 要水——

哈哈笑 （堆满笑容，又一串说下去）我喝过了，马老板，您别多张罗了。（一面谈，一面掸掸袍屦）我们都是一个门儿吃饭，一个庙里烧香，自家个儿的弟兄谁帮个谁都没有什么说的。[1]（同时顺手拉前一条板凳，一屁股坐下，又兴高采烈地——[2]）刚才我正叫我那小秃子做着买卖，您那个小秃子就来了，我家小秃子一见着您家小秃子——

老盖儿 （一直呆望，冒然）你找谁？

哈哈笑 （立起）您不是马老板？

老盖儿 （莽莽撞撞）妈的，一个秃子爹不够，又来一个秃子爹。（对左大叫）秃子爹，又来了一个秃子爹找你啦。

〔老盖儿愣头愣脑地走出去，又听见他吆喝起来。

〔哈哈笑莫明其妙，望着他出了左口，这时老窝瓜一手拿着

1　此句原刊作“自家个儿的弟兄，谁帮个谁都没有什么说的。”。

2　此句原刊作“同时顺手拉前一条板凳。一屁股坐下又兴高彩烈地——”。

破镜子，一手拿着管秃画笔，慌慌张张走出来。

老窝瓜　（冒认一声）我当是谁呢，原来是李保长！

哈哈笑　（掉转头，愣了一下，低声）咦，我别走错了门了。

老窝瓜　（吃了一惊）你哪儿来的？

哈哈笑　（拍拍胸脯，趾高气扬）我就是那（大拇指一举，一字一字）哈哈笑。

老窝瓜　（摇摇头，慢慢吞吞）没听说过。

哈哈笑　（同样轻藐地望了窝瓜一眼）我是个（骑马势，双手一拉，做出拉洋片的架势）拉洋片的。

〔甜瓜又换了一身[1]大红袄，腰间掖着一条红手帕，姗姗走出。

小甜瓜　（一见客人，满面春风）哟，我当是谁，这不是我那哈哈笑，笑哈哈吗？

哈哈笑　（也半真半假和她打情卖俏）哟，您[2]才出来！这不是我那甜瓜小，小甜瓜么？

老窝瓜　（颇惊讶）唏！——好亲哪。

小甜瓜　（仿佛对多年的老朋友）你什么时候来的？

哈哈笑　刚才。

小甜瓜　（故意反问，难他一下）咦，谁请您来的？

哈哈笑　（黠伶鬼）你家小秃子！他说：（斜着眼）“我妈要你。”

小甜瓜　（边笑边骂）个缺德，烂舌根子的。

1　“换了一身”原刊作“换了身”。

2　“您”原刊、初版均作“你”。

哈哈笑　（也笑嘻嘻）您别多心，他说："我妈要你做点事。"

老窝瓜　（早已不耐烦）秃子妈，你说说，这是怎么回事？

哈哈笑　这位——

小甜瓜　（很大方地）这就是秃子的爹！

哈哈笑　哟！（真是吃了一惊）我当是谁？原来您就是马老板。

老窝瓜　（颇不高兴）嗯！（坐下）

小甜瓜　（低声，对窝）别噘着嘴！

〔窝瓜于是对客人呲呲牙。

哈哈笑　马老板，您这一向发财。（顺势坐下）今天天气真热——

老窝瓜　（冷若冰霜）嗯！

小甜瓜　（低声）说话！

老窝瓜　（又呲呲牙）嗯，今天天气真热。

哈哈笑　（抖擞精神，分外流利）就说的是呀，老阳儿一当了中，连夹袍都穿不住，嘴里发干，心里发毛，四肢发软，周身上下直出汗，要是没有口水润润嗓子。（看见窝瓜两眼朝天，不在意下，只好停住）

小甜瓜　（拧了窝一把，窝痛得几乎喊出来）说客气话！

老窝瓜　啊？[1]（对着哈哈笑，干涩涩地"客气"了一句）我喝过了。

小甜瓜　（跺脚）你这个死人！（对哈又十分亲热）我跟您泡壶茶。

〔甜瓜走下左屋泡茶。

哈哈笑　（立起，颇文明）不用了。别多张罗了。（又对着窝瓜）真是

1　"啊？"原刊作"啊！"。

我们都是一个门儿吃饭，一个庙里烧香，（不觉向左面望）自家个的弟兄，谁帮个谁都没有什么说的。

〔不知为什么窝瓜突然咳嗽一声。

哈哈笑　（回了头）我刚才正叫我家小秃子，——

〔小秃子由右门跑出。

小秃子　（喜气洋洋）来了，来了，可来了！

哈哈笑　（立起，合呼）小秃子！

老窝瓜　（立起，合呼）谁呀！[1]

小秃子　（答不出，忽然望见哈）哟，你来了。

〔甜瓜由左走出。

小甜瓜　张老板，来喝水吧。

老窝瓜　（低声）混蛋，谁叫你找个拉洋片的？

小秃子　（翻翻眼）咦，不是你说的？

老窝瓜　我？

小秃子　我找他来提词。（转过身向右面不住地望）

老窝瓜
小甜瓜　（没想到，同时）提词的是他？

哈哈笑　（傲然自负）我认识字！

〔正诧异中，忽然——

老盖儿　（在门口）看座，一位，又一位。

老窝瓜　（惊讶）上座了，（忙对秃）关上幕！（跑到台上向秃招手）

1　“谁呀！”原刊作“谁呀？”。

来呀！（又跳下拉着还在呆望的秃子去关幕）

小甜瓜 （拍手）别真是李保长。

老窝瓜 （幕关好，又跳上去，十分神气，对甜）到幕后边来。快来呀，你们。

小甜瓜 你少管！

老盖儿 （高声拖长）看座，两位！

〔小红、领弟手拉手叽叽咯咯笑着走进来，小红十七岁，天真，爱笑，扎着小辫；领弟比她大三岁，比较机警，胆大，嘴上不肯让人。这两个姑娘是马家班住大杂院时邻居。两人浓妆艳抹，都穿了她们认为最时髦的衣服。

小甜瓜 （失望）你们哪！

小　红 马大娘！（羞怯地躲在领弟后面）

领　弟 （笑着）今天演戏呀。

小甜瓜 嗯，谁告诉你们的？

领　弟 （笑嘻嘻地，故意把小红拖出来）她！

小　红 （红了脸）不，大娘，（指领弟）她！

领　弟 去！（指划脸）没羞，也不是我！马大娘，（指着发愣的秃子）是他，你们家的小秃子。

小甜瓜 （手一指）你，秃子？

小秃子 （结结巴巴）我刚才在路上碰见，（心灵地望望小红）碰见他们我就说，我就说……[1]

1　此句原刊作“碰见他们，我就说，我就说……”

小甜瓜　（瞪眼）你说个屁！（对她们）坐着吧，（冷言冷语）反正今天要找人压压场子，挤着点热闹。

领　弟　（眼珠一转）马大娘，我们一进门，就把钱交给老盖儿啦。

小　红　（怯生生地）嗯，我们进了门就把钱给了。

小秃子　（少老板丢了面子）门口收钱了！哪有这么理！老盖儿，老盖儿。

〔向左边跑去。

小甜瓜　你坐着吧！（秃子只好坐下。她转对领弟、小红，笑容可掬）真是的，给了钱，这不太远了吗？从前的老街坊看个戏，还给什么钱！

老窝瓜　（由幕缝伸出头来）给了就给了吧。

小甜瓜　（钉他一眼）知道！要[1]你多嘴！（窝瓜头又缩进去）姑娘们，好好坐着吧，就开戏了。（面面周到，转向哈哈笑）张老板，你不喝水吗？

哈哈笑　早就喝足了。

小甜瓜　（低声）那邀人的怎么样？

哈哈笑　（低声）他说你们先演着，他就来。

老窝瓜　（又伸出头）秃子妈，快上来呀！

小甜瓜　（不耐烦）知道，你快收拾你的吧，我跟张老板商量点事。

老窝瓜　秃子妈！

小甜瓜　（怒叫）进去！

1　“要”原刊作“还”。

老窝瓜　（愣了一下，忽转对秃子大叫）过来！

小秃子　干么？

老窝瓜　（有了发脾气的对象）把幕撑着！（光头又倏地缩进幕内，秃子一面撑幕，一面偷偷地望着小红）

〔甜与哈走进左屋内。

领　弟　（望望秃子和小红，乖巧地）好了，你们俩说话吧，我走了。

小　红　（把她拉住）不，领弟，你别走，我怕。

领　弟　（尖刻）得了吧，昨天你跟我说了一晚上的小秃子，（睨视）哟，现在又怕了。

小　红　谁说的，你这个讨厌鬼！

小秃子　（心里痒痒）小红，（不觉放下幕，坐在她旁边）你真的谈了我一晚上？

领　弟　哟！说梦话都叫小秃子呢？[1]

小　红　（红脸）别胡说，你听见了？（一脚迈过领弟，坐另一凳上）

领　弟　哟，哟！昨儿晚半夜你妈直说屋里没有老鼠，怎么直听见老鼠钻洞的声音呢？我一看，可不是你睡在床上嘴里秃儿秃儿直叫吗？

小秃子　（抗议）领弟，我不叫秃儿。

小　红　（难堪）你这个死鬼！（忍不住嘤嘤哭起来）我回去了！（站起）

小秃子　（着慌）别，别，别，你别走。（向领弟埋怨）你看，你看，

1　“?”原刊作“。”。

哭了。

领　弟　（又来哄她）好容易来了，走什么?

小　红　你们尽欺负我。

小秃子　谁欺负你?

小　红　（抽咽，突然故意狠狠地）你!（又走）

小秃子　（情人无办法）领弟！领弟!

领　弟　（追去拉住她）你不是说出来要玩一天吗?

小　红　（低头，搓弄粉手帕）

领　弟　你不是出来到这里看戏吗?（轻轻推小红坐下）

小秃子　你不是要看我演戏?（挤眉弄眼）看你的小秃秃演小秃秃吗?

小　红　（扑嗤）讨厌!

小秃子　（看见小红笑了，于是倒坐在另一张条凳的一头，仿佛压在"跷跷板"上，一上一下，起伏起来）小红!（小红低头卷弄衣角，秃子对领弟传个眼神。她会意地躲在后面。情人的低而温柔声音）小红，今天晚上你在公园里等我好吗?

小　红　我，我不知道。

小秃子　（飘飘然，又有些忸怩）现在新派的都当着人逛公园，我们今天晚上就在荷花池边上也当着人，手拉手走，走几趟，你看不好吗?

小　红　（怯惧）那人家一定说我们俩相好了。我妈听见就不乐意[1]。

1　此句原刊作"我妈听见，就不乐意。"。

她说你们家里没有钱！

小秃子 （慌急）没有钱？我爸爸编了这一出戏，那邀人儿的说演一晚上就一百元，十晚上就一千元，一千晚上就[1]——（咽一口吐沫）哼，就许多许多钱，那钱都是我的。我跟你买花买粉，买高底鞋，买大红丝袜子，那你来不来？

小　红 我妈说：你们家没有房子，你妈嫁你爹的时候，就不热闹。

小秃子 （两眼一瞪）现在我有钱了，那还不热闹！我告诉你，我们搭大棚子娶媳妇。（手舞足蹈，指东画西，一气说下）门外头扎四个鲜花牌楼，排好了旗锣伞扇，鼓乐旌旗，大红官轿，堂前点着龙凤蜡烛，宫灯戳灯牛角灯，酒席筵前三十二个吹鼓手，花轿在街上，鸣锣开道，五十四顶马，一百个金童玉女，手举着宫花团扇孔雀毛，金瓜钺斧朝天蹬。还有——

小　红 （听呆了）还有——

小秃子 （站起）还有军乐队，红军服，蓝呢裤，头顶白兔子毛，"滴滴打打，打打滴"，把你吹到我们家里。

小　红 （不觉骄傲地望望领弟）哦！[2]

小秃子 （神采焕发）进大门，入洞房，抬头一望，喝！里面金皮柜，银皮箱，虎皮椅子象牙床，团龙靠枕，喷香的被，鸭绒褥子，绣花帐，（向小红近旁偎坐）这时候我们吃交杯酒，长寿面，子孙饽饽，团圆饭，——这时候，（小秃子不自觉对

---

1 "一千晚上就"原刊作"一千晚上，就"。

2 "哦！"原刊、初版均作"我！"

小红忽然[1]一笑，二人立刻都低下头）

领　弟　别说了！

小秃子　（回头）怎么？

领　弟　（刻薄）这一段我听你爸爸那天（指幕）在台上说过。

小秃子　（正在高兴，不理她，立向小红）那你今天晚上到公园去不去？

小　红　我——我也许——

领　弟　（快嘴）也许——不？

小　红　（偏不听她的话，冒然）也许去！[2]

小秃子　（狂喜）去？小红！[3]（管不住自己，大喊跑向幕前）爹！（又大喊，跑到左面）妈！（忽然外面——）

老盖儿　（一串喊下）看座！一位，又一位，一位，又一位，一位——

〔甜由左面跑出来。

小甜瓜　（跑出来）什么事？

老窝瓜　（伸头）怎么啦？

〔由右出口李保长，一位自视颇高的"大人物"块然踱进来。他原是个杂货商，这两年财运亨通，俨然成了当地的小财主。他有四十望外，心广体胖，满面红光，穿一件油渍渍的闪光缎袍，外罩老式宽坎肩，拿着一把破折扇，两只小胖手，时时交错放在那肥大无比，油亮夺目的秃头上抹来

1　"忽然"原刊作"悤然"。

2　"也许去！"原刊作"也许去？"。

3　"去？小红！"原刊、初版均作"去，小红！"。

弄去，确实心满意足，皇上也比不得他愉快。追随他左右是一群亲戚家小。夹在当中，有一个矮小的中年妇人，苦黄干瘦，古怪精灵，外号“赛黄鳝”。她鼻架粗边玳瑁镜，手持雨伞书包，蓝衫黑裙，满脸怨气。

小秃子 （正答不出，忽见李保长，于是——）李保长来了。

小　红 （同时对领弟指着那条“黄鳝”）哎呀，丁老师来啦。[1]（领弟立刻拉小红躲在一旁）

小甜瓜 （走上前，万分亲热）哟，李保长，您可来了！[2]

李保长 （喘气擦汗）来啦！

小甜瓜 坐吧！（应接不暇）哟，李老太太您别走累了？

李老太太（一位矮胖的老妇人，穿着缎裙和藏青坎肩）还好！（擦汗）马大娘，别招呼了。

〔突然右面冲出花里胡哨两个东西，原来四和尚头顶三丫头的腰眼，嘎嘎叫得赛叫驴，连推带撞，又蹶又跳，把三丫头顶到众人面前。三丫头，一身新衣服，孤立无援，又气又急，一路大喊：“看和尚，看和尚！”直等到甩开了四和尚，才狠狠地顿足，嘶叫一声“你们看！”两手插腰，气呼呼的，眼里要挂小灯笼。

小甜瓜 （偏偏在此时招呼小客人）好哇，三丫头，你也来了。

三丫头 （一肚子别扭，翘着两根黄毛小辫，恶声恶气）可不是来了！

1　此句原刊、初版均作“哎呀丁老师来啦。”。

2　此处“！”原刊作“。”

〔一屁股坐下，眼泪汪汪。

小甜瓜 （吃了一鼻子灰，刚一回头，想不到——）

四和尚 （从甜瓜胁边跳出，指着她高叫）小甜瓜！（正得意间，突然他的爸爸——）

李保长 （顺手一扇骨打在和尚光头上）和尚，别乱叫！（和尚哇哇大哭）

小甜瓜 （连忙转头）五姑奶奶也到了？

五姑奶奶（浓妆艳抹的少妇，颇过意不去的样子）哎，马大娘，你一请看戏，我们一来就一大帮！

小甜瓜 哟，真是请也请不到的。（转身对李家老小）都落坐吧！坐吧！

〔赶紧让坐。

李保长 （摆摆手）马大娘，不用招呼啦。（一面扇扇擦汗，一面对他的老小）都坐吧。（五姑娘扶着老太太，大家参差坐下，李保长左顾右盼，十分得意）啊，今天你们可摸着看戏了！

三丫头 怎么还不开戏呀？

李保长 就开了。（手摸摸哭声渐息的四和尚的头）别哭了，四和尚。（和尚又干嚎起来。李忽看见台下的窝瓜）哟，你都预备好了？

老窝瓜 （被李家人马撩得头昏眼花）好了，好了。秃子，马一飞，倒茶。

〔秃子由左下。

李保长 （俨然要人）不用张罗了，（对甜）人还不多啊！

小甜瓜 还早呢，就来了。您瞅着吧，一会就满座。（回头喊）张老板——

李保长　（这才想起“赛黄鳝”，立起）丁老师，您坐啊！

丁老师　（早已不高兴，喉咙咳出一声干笑）坐，李保长。（纹风不动）

李保长　这是怎么说的。今天特意来请丁老师看戏，你看，我们李家倒先坐下了。五姑奶奶，扶起老太太，让丁老师坐。

丁老师　（细声细气）李老太坐吧，这不太客气了么？

〔五姑奶奶由贵宾座上扶起老太太，把她又请到右边坐下。

李保长　坐，坐，丁老师坐吧，您就坐下吧。

丁老师　（同时）还是站着看好，（看着李要过来推她，于是连忙坐下）真是的！（摸出白手巾，掩着她的小红鼻子）

〔同时在左面——

小甜瓜　张老板！

〔哈哈笑由左面上。

哈哈笑　怎么啦，嫂子？

小甜瓜　你看李保长来了，那邀人儿的还没有来！

哈哈笑　您放心，他准来的，包在小兄弟我身上。

小甜瓜　（推他走，忙迫地）不早啦，你先叫他们赶快来压压场子。

哈哈笑　（伶俐）没有错，嫂子，你就瞧好儿吧！

小甜瓜　（媚笑，重重地打他一下）少贫嘴！快去！

〔哈由右下。

老盖儿　（在外）看座儿，来一位，又一位。（进了两三个短打闲散客人，提鸟笼嗑瓜子儿，摇摇摆摆，说说笑笑，找个座坐下）

老窝瓜　（又撩开幕）秃子妈，快上装吧！

小甜瓜　催命鬼！（圆到）李保长，您坐着，少陪了。

〔甜由左下。

李保长　（对来了的客人，拱拱手，点点头，十分得意，回头）丁老师，我们这个地方小，高尚娱乐也只有这几个地方。

丁老师　（拒人于千里之外，冷冷地）我从来就不娱乐！

李保长　（想不到这当头一棒[1]，又嘻嘻地）丁老师在学校教我们家里的学生，自然不——（忽然望见小红在后面）咦，小红你怎么来了？

小　红　（只好出头）李大爷！（又逡巡向后移）

丁老师　（忽然立起把眼睛放正，倒咽一口气）啊，你？

小　红　（胆战心惊）丁老师！（蓦然深深鞠了一躬，又想躲着坐下，偏偏——）

丁老师　谁叫你来的？

小　红　（只好笔直地立起）我妈。

丁老师　你叫什么？（拿出记事簿子）

小　红　陈小红。

〔丁老师又上下打量一刻，立刻把名字记上。

李保长　丁老师今天生日，你们为什么不送礼？

小　红　（怯生生地）我？（望望领弟）

领　弟　（回戈一击）您送了，李大爷？

李保长　我——（含糊了事）我请丁老师看戏。（于是又转过头同家

1　“棒”底本作“捧”，据原刊改。

人们谈话）

老盖儿　（在外）看座，上座啦。

〔哈哈笑由右面跳出来。

哈哈笑　（向外）请，请这边进。

〔于是走进来许多奇形怪状的朋友，有的细高条儿，臂挟长衫，头顶瓜皮帽，身穿半旧的绸短褂，手提着带套胡琴；有的是巨大身量，穿上“百子褡裢”，雄赳赳，气昂昂，脚蹬“螳螂肚”，直眉瞪眼，见人就要“掼跤”的模样；有的是歌舞团的闲散角色，绿西服，红领带，头顶草帽，手舞指挥棍，嘻嘻哈哈和进来的张三李四乱打招呼；有的是短打扮，靸着破鞋的唱数来宝的；有的是街头卖野膏药的；有的是说大鼓书的；有的是流氓、混混儿没有事干的；还有两三个乡下老跟着进来。大家有说有笑，在门口乱挤。

哈哈笑　进来吧，各位弟兄辛苦，今天多捧场。

同行们　（不断地）张老板——没说的。——张老板。闲着也是闲着——窝瓜呢？

老盖儿　看座。

哈哈笑　哟，还有一位——你——（正在挤挤拥拥当中，一个醉汉走进来，后面又跟着一个胖子，抬着大鼓，各不相让，拥塞一处，直等醉汉由鼓下爬进来，才弄清楚）

醉　汉　（大喊）我给了钱了，让开，我给了钱，我看戏。（哈走到左面，胖子和穿西服的原是一道，坐在一处。醉汉偏挨近丁老师坐下，大家陆续坐好）

丁老师　（掩鼻）这是什么地方！（嫌恶）李保长，我早知道我一定不来的，——一个女孩子家，不该来的。

醉　汉　（望望丁，指着她）这个女孩子家是哪院的呀？

丁老师　（把椅子一挪）这个人！（气得只好找五姑奶奶说理）

哈哈笑　（把甜瓜招呼出来）喂！那邀人儿的说，你们先演着，他就来。

小甜瓜　（由左面露头）好，你到台边上提词去吧。

哈哈笑　（眨眨眼，笑问）嫂子不要我了？

小甜瓜　（斜眼笑）去！（又一巴掌打在"哈哈笑"的颈脖上，他笑嘻嘻地躲开向台前跑）

哈哈笑　（走到台前，大家鼓掌喊好，他爬上台，脱帽扬手）别叫好，我是提词的。

观众一　给提词的来个好。（大家大喊好，鼓掌，他鞠躬，钻到台的左面布挡后）

丁老师　（低声，指指点点）五姑奶奶，我昨天看见陈小红跟着一个男人偷偷走路，今天她又到这儿来看戏——

五姑奶奶　真的。

李保长　（自命维新人物）年头改了，男的跟女的走走也不算稀奇了。

丁老师　那怎么成！我小的时候，连跟男人说句话都要挨打的。

醉　汉　（听了半天莫明其妙，忽然立起不信的口气）嗯，昨天我还看见你跟着你的男朋友在公园里喝茶呢。（大家哄笑）

丁老师　（立起大怒）你们是鬼还是人哪？

李保长　（立起）把这个混蛋拉出去。

醉　汉　（蹒跚）我花了钱。

李保长　（大逞威风）放你妈的屁。

醉　汉　（大闹）我花了钱，我就要看戏。（群众中掼跤的力士站起[1]，轻轻地把他提起来，他还指着丁老师高叫）我在公园亲眼看见她跟她的男朋友，（李保长耀武扬威指挥着众人，乱推乱喊，但最后还是力士把他顶出去）

丁老师　（气吁吁才坐下）这个人真该送到牢里关起来。李保长。

李保长　（仿佛立一件大功，指手画脚，当众演讲）这个家伙在我那间破拘留所里一直常来常往，他把衣服被窝都放在那儿。说这是他的旅馆。昨天我痛痛快快地把钥匙交给他，您不知道关门把他锁起来，开门把他放出来是多麻烦[2]！

〔秃子由台上幕缝只伸出个头来，观众大鼓掌，李保长回头坐下。

小秃子　（望望观众傻笑，得意地点点头，同时向左又对着那提词的）提词张大爷！（哈哈笑也从左面布挡缝伸出头，观众以为有什么事，也静下来听）您会吹洋号——吹得热热闹闹像娶媳妇似的。

哈哈笑　我？（摇摇头）我就会拉洋片！

小秃子　那糟了，我爸爸说开戏以前要吹吹打打，来段热闹的——

穿西服的（歌舞团的大明星）窝瓜的儿子，别着急，瞧我们哥儿们的，来吧胖子[3]。（一棍打在胖子白盔上，胖子立刻敲打起外国鼓

1　此句原刊作“群众中掼交的力士，站起”。

2　此句原刊作“开门把他放出来，是多麻烦”。

3　“来吧胖子”原刊作“来吧，胖子”。

钹“巩扎，巩扎，巩扎扎”。一个愉快的拍子，于是指挥棍忽天忽地，他指挥他的群众唱起来）

小秃子　（同时拱手）磕头，磕头[1]，诸位。（由幕里走出来）

大　家　（非常愉快而热闹地唱——插曲一[2]）

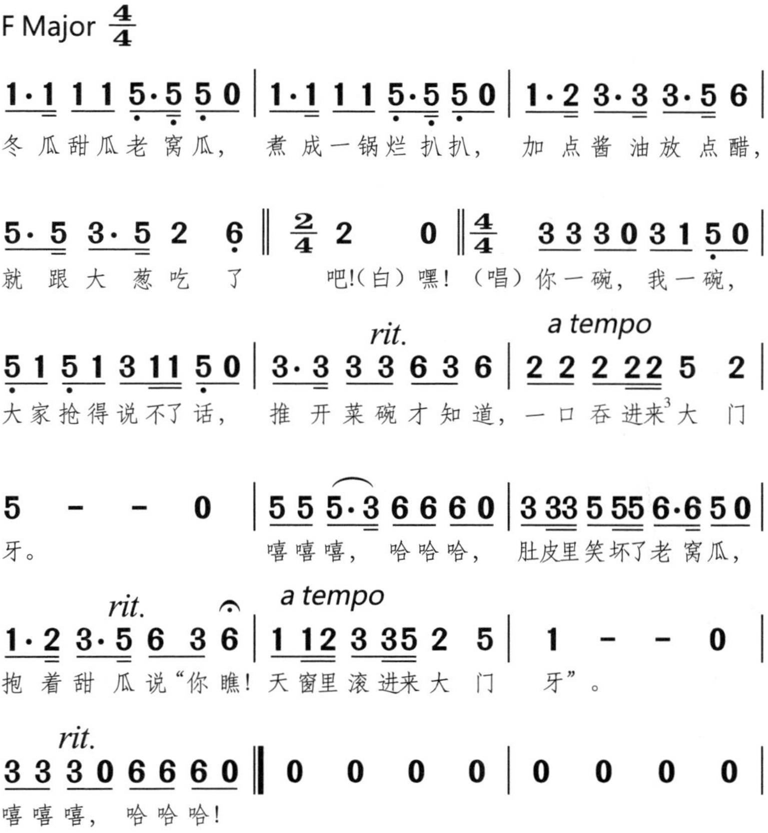

1 “磕头，磕头”原刊作“磕头磕头”。

2 曲中“嘻”字读作“He”，由第十一小节起，可以不唱，在笑声里终止。——底本注。

3 “一口吞进来”原刊作“天窗滚进来”。

〔大家叫好，吹哨，大鼓掌。

小秃子 （鞠躬脱帽拱手，大家渐静下来）我马一飞鞠躬脱帽，到诸位花钱的老爷们面前发表发表。（咳嗽，吊吊喉咙）今天天气——很好——（干咳，苦笑）没下雨。今天我们一家三口供献[1]给诸位一段文明“话剧”。

观　众 好，演得好。（欢呼，拍掌）

小秃子 （举手）别着急，还没演呢……这戏是我爸爸“老窝瓜”——

幕后窝 马天才先生。

小秃子 （点点头）马天才先生主编的，他主编、主导、主演。

幕后窝 不是，主演是你妈。

小秃子 主演是我妈。

幕后窝 （忍不住）放屁，悲秋女士！

小秃子 嗯，是悲秋女士主演，还有在下我，马一飞。

唱数来宝的和他的弟兄们 （大喊）好哇，小秃子！

小秃子 （向那几个人瞪瞪眼）我不叫小秃子！

唱数来宝的和他的弟兄们 （同样热心）好，“不叫小秃子”好！

小秃子 （鞠躬）演得好与不好，请诸位花钱的老爷们多多原谅。（转身要进幕）

幕后窝 戏名字，戏名字。

小秃子 （倒退回来）啊，这戏名字，（立好，却又忘了，低声对幕后）叫什么？——叫？

1 “供献”原刊作“贡献”。

幕后窝 妈的，过来。（秃子头又伸进去，只听里面“拍”的一声，秃子大叫）去！

小秃子 （转过身来，眼圈通红，手摸着脸，哭声）这戏名字叫——

四和尚 （大发现，立起大叫，指着）秃子挨了打了！

〔大家哄笑。

小秃子 （望过小红，转瞪和尚，大气）没有，你这小兔崽子。

四和尚 （撒赖）他骂我，爸！

李保长 （立起，对小秃子）你骂谁？

幕　后 （大慌，大声）骂我，我自个儿！

小秃子 （委委曲曲）骂我，我自个儿。（李才坐下，秃子刚转身，昏头昏脑，预备进幕）

幕　后 （顿足）戏名字！

小秃子 （闹晕了）这戏名字叫、叫改、改……

〔一个大手把秃子抓进去。窝瓜的光头突然从幕后伸出来。

老窝瓜 （画成一张非常可笑的丑脸，眼珠乱转）叫改良《平贵回窑》！（大家欢呼）

观　众 窝瓜好！

老窝瓜 （满脸感激而又可怜的神色，得意地四下点点头）是那全球驰名的悲秋女士主演！（随着又露一“手”，红舌头蓦然卷到鼻尖上去，又猖猖然饿狗似地一口仿佛把舌头吞咽下了肚，光头倏地缩进幕里）

观　众 （出其不意，狂叫）好，好，好！

老窝瓜 （又伸出头发军令一般）向右——看！（大家一怔，低声）看

悲秋！（头又缩进）

〔由右屋姗姗走出来小甜瓜，打扮得益发地楚楚动人，大家喊好。

小甜瓜 我就是那悲秋女士。（大家又喊好，她走到台前，做欲上状，忽然秋波一转）哟，哪位先生行好，扶我们一把吧！

李保长 （立起殷勤）让我扶。

丁老师 （咳嗽一声，不以为然[1]）李保长！（李正犹疑中）

哈哈笑 （抢出扶着她）找的人怎么样？嫂子？

小甜瓜 好，不少。（爬上台，由幕缝进去，锣鼓急敲）

小　红 哎呀，（非常紧张）哎呀，就要开戏了。

领　弟 （拉着小红）你看，有人拉幕。

〔幕开了，窝瓜面背观众，背上枪杆，头戴破军帽，上身黄制服，挂着无数勋章，手执文明棍，仿佛正要照像时的英雄模样。观众大鼓掌。

〔大鼓和钢钹：“巩扎，巩扎，巩扎扎”。

穿西服的（又领着他的群众唱——插曲二）

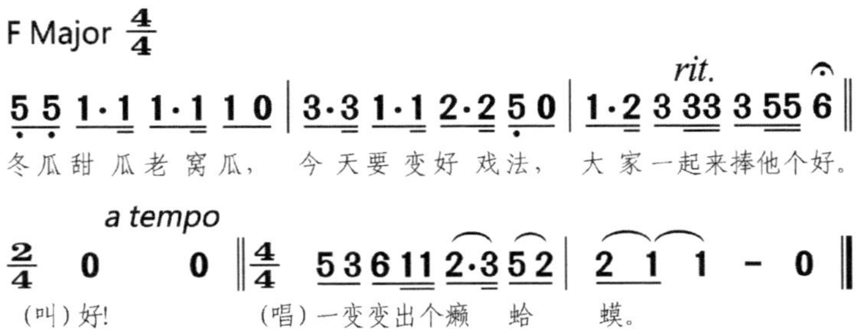

1　此句原刊作“咳嗽一声不以为然”。

〔窝瓜随着“一变变出个癞蛤蟆”把正面转向观众，大众哄笑，他蓦地做了一个英雄姿式，没有反应。他又来了一个“亮相”，还不见动静，他低下身，敲着左面的台板。

哈哈笑 （由左面布挡后伸出头）啊？

老窝瓜 （不耐烦地）喂，提呀！

哈哈笑 （莫明其妙）您预备好了！

老窝瓜 （倒吸一口长气）我的妈，真要人命，（大喊）预备好了！

哈哈笑 （轻描淡写）我没有本儿。（索性把身子也露出来）

老窝瓜 那你是干什么的？

哈哈笑 （不满意窝的态度）拉洋片的！（忽然找着个宣传机会，转过脸，面对观众，又唱又做起来）喂，“望那里来瞧来，望那里头观，小寡妇上坟在那里边，若问她的名和姓，她姓杨名叫杨——”

老窝瓜 够了！

哈哈笑 （望望他，仍唱完全句）“杨——素娟！”（白）诸位，我叫哈哈笑，我就在东边不远拉洋片。我——

老窝瓜 （大叫）够了！（压下自己心头火）这儿演高尚文明话剧，不是你那下流——

哈哈笑 （严重警告）窝瓜，小心，你还靠我提词。

老窝瓜 （忍着气，回头）秃——（又想起）马一飞，把本儿拿来。

小秃子 （由右面把本儿扔出来）这儿啦。

老窝瓜 （把本儿交给哈，他又退到左面台阶上，露出他的下半身。于是窝瓜又做了个英雄亮相）来吧！

〔提词的念得快，清楚而单调，但总比演员念得快一步。

哈与窝　我乃是当兵的赵老大！

观　众　好，当兵好！

哈与窝　要杀贼人[1]把家放下。

观　众　对，对。（内有一个："你舍得下小甜瓜吗？"）

哈与窝　我一打打了二十年整，这才想起我的那个妻儿转回家。

小流氓　（忽然立起）我们现在才打了八年仗。

老窝瓜　（狠狠地瞪他一眼）妈的，是你打仗还是我打仗？

〔从此窝说一句，哈读另一句。

哈哈笑　我真想我那娇妻美貌小娃娃。

老窝瓜　我一打打了三十年整——（跑到左面，在台板上大敲）哈哈笑，你念早了一句。

哈哈笑　谁知道你要重说吗？（念）这才想起我那妻儿转回家。

老窝瓜　（真着了急）我这句话说过了。

哈哈笑　好！那你再说一遍[2]吧。

〔窝瓜正要发作，忽然——

小秃子　（在右边边幕伸出头来）爹爹！（招招手）

老窝瓜　（走过去）啊，怎么啦？

小秃子　（高声耳语）你上场上早了，按本儿我们在你前头。

老窝瓜　（连次出事，再也忍耐不住）这戏是我编的，我要在你们以

1　"杀贼人"原刊作"杀破人"。

2　"一遍"原刊、初版均作"一次"。

前上台，我就上。

小秃子　（警告）妈说了。要她现在不出台，她就不演了。

老窝瓜　（明白势不可挡，便偃旗息鼓，叹口气）好吧。（走到台边对观众说）就当我刚才没有上台，我一会儿回来。（由右门下去，下面大为满意，鼓掌）

〔甜与秃由右上，小秃子戴上一个翘着两根扎红绳的小辫的发套。以后演员各演各的，互不相犯，自认为不必演时便脱板，演时便夸张。手势腔调俱脱不了旧剧的气味。

甜与哈　我乃赵大的妻结发。

秃与哈　（童子声音）我乃赵大的小娃娃[1]。

甜与哈　哎呀，我昨天一梦大不祥，梦见了你爸爸转回了乡[2]。

秃与哈　妈妈，您不是说过多少年前我没生下，爸爸就死了吗？

甜与哈　哎呀，我忽然心中有事吃不下饭，我猜你爸爸今天一定找我来相见，（忽然很重的马蹄声在台口，望见右面红布幔下窝瓜的脚大跺梯板）不好了，这驴蹄子声音一定就是他，啊！[3]菩萨，菩萨，赶快搭救我小奴家。

秃与哈　（童声）我看看是谁来了？（跑出去）

甜与哈　啊呀，（捶胸）怎么办，我怎么有脸再见我的赵老大，哎呀，哎呀！（捶胸）

1　“娃娃”原刊作“姗姗”。

2　“乡”原刊、初版均作“家”。

3　“啊！”原刊作“啊，”。

秃与哈 （秃立刻出来，这次他取下发套，戴了一个假胡子）我的老婆。

甜与哈 我的丈夫!（刚要上前，甜推开他，忽然“道白”一句）哎呀，我的丈夫啊，以后我们不能再见面了。

秃与哈 什么话，什么话？这是哪一国的话？[1]这个消息叫我心如刀扎。

甜与哈 天啊，我怕，我怕！我们儿子的爹今天要回家。

秃与哈 你不是说赵老大死了吗？

甜与哈 当初我倒是这么想，可是今天树上叫乌鸦，一个劲儿对我只“扎扎”（学乌鸦叫）“啊，啊!”我看我那前任的丈夫要回家。

秃与哈 你这句话要了我的命。（忽然提词的笑起来）

小秃子 （忍不住，又高声耳语，对着哈哈笑）声音大一点，哈哈笑。

秃与哈 （哈一边笑，一边读，字音含糊）我心中不定，不定又不定——

小秃子 （实在忍不下，对哈哈笑）你尽笑，我怎么听得见，你这个浑人[2]。

哈哈笑 （攻其不备，突然提词）我要死!

小秃子 （只好跟着念）我要死!

哈哈笑 （更紧提，高声）我要死!

---

1 “?”原刊作“。”，初版作“，”。

2 “浑人”初刊作“混人”。

小秃子 （拼命赶，更高声）我要死！[1]

秃与哈 （二人开始喉咙比赛，但哈毕竟胜过秃）我要死，我要死，我就要死，我已经死了！（秃转了一刻[2]，找一个干净地方躺下）

甜与哈 救命，救命，他死了。（她跪在一旁，双手举起，观众突然站起抢着看）

丁老师 （摇头）不像，不像！

五姑奶奶（津津有味）真是，这怎么办？

三丫头 （入神）爸爸！

小甜瓜 大家落坐，别说话，下面是悲词。（观众于是又坐下）

甜与哈 （做起戏来，每句末字特别读得又重又狠）哎呀，我的天，我那没长眼睛的天。人人都说那黄连苦，奴比那黄连还苦十分，奴克死了一个丈夫，现在（大抽咽）又克死一个，这个死了我到哪里再找人嗯[3]。

小　红 （哭泣）领弟，小秃子死了。

小秃子 （坐起）我就活，只要你答应去。

小甜瓜 （对秃）混蛋，躺着，你忘了你死啦？（推他倒下，忽对哈）以后怎么样？

哈哈笑 你把他抬出去。

小甜瓜 （她对秃高声耳语）起来，走出去。（秃子立起茫然，甜瓜灵

---

1 “（攻其不备，突然提词）我要死”以下原刊、初版无。

2 “转了一刻”原刊作“转了刻”。

3 “再找人嗯”原刊、初版均作“再找人儿”。

机一动）像个鬼似的就成了。

〔果然秃子呜呜叫了一声，真像个鬼转到门口不见了。

甜与哈 唉，我现在又成了寡妇，哦，天哪，哦，地呀！[1]我那苦命的人呀！（她随着秃子走出去，同时窝瓜走出来遮住自己的脸[2]，就算没看见甜瓜）

老窝瓜 （对观众）诸位记得我说过我回了家，就叫人搅了，刚才我们在哪儿断的，[3]（气狠狠地看了右门一眼）现在还在哪儿起。（对左）哈哈笑，来吧！

窝与哈 我常在前线打胜仗！（观众大鼓掌）可有一次我也受了伤。（鼓掌，窝伸手做发言势）

老窝瓜 诸位暂勿鼓掌，好的还在后头。（又对左哈哈笑挤挤眼）

窝与哈 可有一次我也受了伤，但是那打了我的敌人，（手势）叫我一枪呜呼一命亡，现在我骑着我的小驴儿得儿得儿地回家转，一心一意看我那沉鱼落雁闭月羞花我的妻房。（敲门）开门来！怎么，里边的人都死啦？

小秃子 （脱下假须，又戴上[4]那两根翘挺着的小辫，走进）啊，父亲，父亲在上，（扑腾跪下）孩儿——

窝与哈 （大吃一惊，后退颤声）你、你、你是哪个？

---

1 “地呀！”原刊作“地哪呀，”，初版作“地哪呀！”。

2 此句原刊作“同时窝瓜走出来，遮住自己的脸”。

3 “，”原刊作“？”。

4 “戴上”底本、初版均作“载上”，据原刊改。

小秃子　你的儿子。

窝与哈　（自忖状）我的儿子？……（对秃）我的儿子，你多大？

小秃子　十八！

小　红　（忍不住站起）小秃子，[1]（秃回头，她又转向领弟哭诉）领弟！[2]他骗我，他告诉我他二十二！

领　弟　（指着秃子，安慰小红）他跑不了，一会儿咱们问他。（秃子莫明其妙又回转跪下）

窝与哈　（狠狠地瞪了瞪这对捣乱分子，然后做想状）啊呀！我的儿子才十八，我可在外三十年没有回家？

小流氓　你刚才还说二十年呢！[3]（秃子立起）

老窝瓜　（文章是自己做的好，大为不悦，走到台前）戏是我编的，我要改就改，你管不着。[4]

窝与哈　（回来）啊孩子[5]，哪里是我的妻结发，哪里是你爸爸（指自己）的媳妇，（指秃子）我儿子的妈？

老窝瓜　（对观众）此处可以拍掌。（观众大鼓掌，窝瓜颇谦虚地点点头）这——这不算什么，好的还在后头。

窝与哈　她在哪里？

1　“，”原刊作“！”。

2　“！”原刊作“，”。

3　“！”原刊作“？”。

4　“。”原刊作“！”。

5　“啊孩子”原刊作“啊，孩子”。

〔甜瓜由台右边上，秃子暗下。

甜与哈 啊，我的赵老大！

窝与哈 啊，我的儿子妈？[1]

甜与哈 我的夫！

窝与哈 我的妻！（二人正要抱头痛哭）

四和尚 （抓住老太太大叫）奶奶，我要撒尿！[2]（大家哄笑，台上只好不演，大家看着台下的）

李老太太（大声抱怨五姑奶奶）五姑奶奶，一出门我就嘱咐你，叫你先带着四和尚撒泡尿，你看，他撒了裤你去洗！[3]

四和尚 （又闹）奶奶，我要撒尿，我要撒尿！[4]

五姑奶奶（看得正入神，这一搅，大扫兴，咕哝着）真讨厌，这孩子！[5]（大懒使小懒）三丫头你带着和尚到门口去。

三丫头 我不，我要看戏！[6]（转眼望着台上）

五姑奶奶（咕哝着）死丫头！

〔五姑奶奶带四和尚由右走出。

老窝瓜 （望望李保长，以为可以弹压一下，但李却对他笑，窝叹了一口气）唉，重来，下去！

---

1 “?”原刊作“。”。

2 “!”原刊作“，”。

3 “!”原刊作“?”。

4 “!”原刊作“?”。

5 “!”原刊作“，”。

6 “!”原刊作“——”。

〔甜由右下，秃子由右上。

窝与哈 啊，孩子，哪里是我的妻结发，哪里是你爸爸的媳妇，我儿子的妈？——她在哪里？

〔甜由台右上，秃子暗下。

甜与哈 啊，我的赵老大！

窝与哈 啊，我的儿子妈！

甜与哈 我的夫！

窝与哈 我的妻！（正想抱头痛哭，窝瓜忽然心血来潮，放心不下，回头一望——）

〔果然哭着四和尚跟着五姑奶奶从右口走出来，戏只好暂停。

四和尚 （指着五姑奶奶）奶奶，她打我！

五姑奶奶（大声）这孩子出了门，尿又不撒了。（把四和尚送到老太太面前）

李老太太（拉回）坐下，听戏吧。（四坐[1]）（戏几乎又脱了板，幸亏——）

甜与哈 （忙接）呀，我的夫！

窝与哈 呀，我的妻！（忽然推开她）等等，你要讲明白，怎么我有个儿子十八整，我出门在外有——

小流氓 （又多嘴，立起，手一比）三十年。[2]

老窝瓜 （走到台前，对小流氓，狠狠地瞪着他，也手一比）四十春！……（得意地）哼！

甜与哈 人家跟我捎了个信，说你死了，早死了。

---

1 “四坐”（即四和尚坐）底本作“回坐”，据原刊改。

2 “。”原刊作“！”。

窝与哈 （颤抖声音）给我跪下！（窝吹气，慢慢摸出杀人的刀）

甜与哈 （跪下，浑身发抖）哎呀，我的夫！（对着吓人的刀尖）我年纪青青二十八，又是个美貌多才女娇娃，请你丈夫（仰望他）高抬贵手饶了我，我的亲亲热热的老冤家。

胖　子 好劲儿啊！（大家叫好）

窝与哈 （慢慢放下刀）不成，哎呀，我得口问心来，心问口，我不能活活当了绿毛的老王八。

观　众 对呀！

老窝瓜 （忽然走向前对着观众）我怎么办？你们诸位评评，我该怎么办？

观众甲 枪毙她。

观众乙 把她的脑袋枭下来。

李老太太（十分感动）阿弥陀佛，饶了她吧。

老窝瓜 （忽然想起，忙敲那提词的眼前的台板[1]）喂，按本儿我该怎么办？

哈哈笑 （立起）你掐死她。

窝与哈 （窝走回来，开始来掐甜的喉咙）这样我才给男人们出了口气，管你是不是美貌多才女娇娃。

〔掌声雷动，窝谋害了一半，立刻走到台口边。

老窝瓜 （鞠躬致谢）诸位捧场。（回去继续“谋杀”，掐甜瓜的颈脖，她倒死地上，大家更大声欢呼）

---

1 “眼前的台板”原刊、初版均作“箱板”。

唱数来宝的 （在欢呼声中，跳在板凳上，打起牛胯骨）喂，窝瓜窝瓜老窝瓜，今天演得真不差，（指窝瓜）你要是个男子种，你上前再敢踢一下。

窝与哈 （一阵心血来潮，立刻）哼，谁说不是男子种？（望着那唱数来宝的）我上前就去踢一下！

〔他果然上前踢了她一脚。

小甜瓜 （一怒而起）秃子爹，戏本儿上没有说叫你踢我。

老窝瓜 嘘——（低声）躺下，你是个死人。

小甜瓜 （势不可挡）死人？死人我也能治了你的命，你这个死不了的乌龟孙。

老窝瓜 （高声耳语）秃子妈，那个邀人儿的在台下面。

小甜瓜 我知道，他还没有来。你这个老混蛋！（四面找东西，哈顺手把左边丁老师的书包递给她。）

哈哈笑 这儿！

小甜瓜 （举起书包，追窝绕台转）你这个死不了的老"鼻烟"壶。你跑，你跑！[1]

丁老师 我的书，我的书！

〔窝瓜躲到台前中方，甜一手掷去。窝闪过，没站稳，由台上带着破幕一齐滚下，落在丁老师身上。那书包从李保长头上飞过，打中四和尚。四大哭，丁老师大怒，观众立起，有的劝解，有的起哄。

---

1 "！"原刊作"？"

四和尚 （咧着嘴）爸爸！（老太太也开始从右到左连忙抚慰孙子）

丁老师 （推开窝）滚开，岂有此理。

李保长 反了，反了！

小甜瓜 （大惊失色）啊呀，李保长！

李老太太 四和尚，别哭！

五姑奶奶（吓坏了）哎呀，下次我再也不出来看戏了！

李保长 （跑过去）丁老师，这，这——（惶然）

〔窝瓜赶紧跑去拾书包。

丁老师 （气极）下流，下流，下……流！

老窝瓜 （走来递上书包，道歉）太太！

丁老师 （口出恶言）放屁！（一手抢回书包）我不跟你们这群下流人说话！

李保长 （无面孔见丁老师，不住地说）叫他们赔偿损失！叫他们赔偿损失！

小甜瓜 （同时劝解）李保长！（当然以为闯祸的是窝瓜）大人不见小人怪——

丁老师 我说过，我从来不出来娱乐的，（哈同时说："算了吧，算了吧！"）我说过这种下流地方我绝对不肯来的。[1]（跑到李面前，又怨又怒）李保长！你[2]（蓦地转身）我走了！（拔脚就走）

李保长 （追上前）丁老师，丁老师！

1　此句原刊作"我说过这种下流地方，我绝对不肯来的"。

2　"你"原刊、初版均作"你！"。

老窝瓜　（忙拿起那遗落下的伞，捡上来，万分殷勤地）您的伞，太太。

丁老师　（抢回伞，同时）下流，你这个老……老（想不出合适的词）

老窝瓜　（满面春风）老……混……蛋，嘻嘻！

丁老师　（想再骂，但一气而出）

李保长　（追上去）丁老师，丁老师，（对他的家属）走，走！四和尚走！（领着四和尚）

〔观众开始走散。

老窝瓜[1]　（同时）这是怎么说的？

五姑奶奶（同时）走吧，走吧！

小甜瓜　（同时）李保长，李保长！

老窝瓜　（拉着李保长）还有戏，李保长，好的还在后头，好的……

李保长　（捽开窝的手，大发雷霆）窝瓜！

老窝瓜　啊？[2]

李保长　（气得说不出话）我要，我要办你！

〔李和家属盛气出去，剩下的观众一哄而下。

小甜瓜　（追到右出口）老太太，五姑奶奶，老太太，（贵宾竟昂然走出，置之不理，恼羞成怒）去就去[3]，戏也不是为着你们演的！（指窝）都是你！（对门口）老盖儿，老盖儿！

老盖儿　（老盖儿睡眼蒙眬由右出口上，打哈欠）干吗？

1　此处底本作“老”（即“老盖儿”），参下文当作“窝”（即“老窝瓜”）。

2　“啊？”原刊作“啊！”

3　“去就去”原刊作“去，就去”。

小甜瓜　那个邀人的来了没有?

老盖儿　(不高兴地)没有!(转身就走)

哈哈笑　(一把抓着老盖儿)没有?你没有见着一个高高个儿,灰布袍,一个眼儿瞎![1]

老盖儿　(恍然)你说那个独眼龙啊?他来了!

老窝瓜　来了?

小甜瓜　来了你怎么不说?

老盖儿　我知道他是老几?人家在门缝看了一半,就走了。

小甜瓜　他又走了?

老窝瓜　(很兴奋地)他说什么?

老盖儿　他说最好你改名叫(指窝瓜的鼻子)大傻瓜,问你还有好的没有?

〔窝瓜颓然,半晌。

小甜瓜　(一肚子闷气,都发泄在——)你这个老不死的鼻烟壶,乌龟孙,我早就知道你一辈子没有出息。(拿起地上的文明棍)我问你,你还有好的没有?(追前)

老窝瓜　(闪躲,后跑)秃子妈,我,我……

小甜瓜　(追赶)你不是说你一脑袋都装的是戏吗?(把窝瓜逼得走投无路,举棍)你个乌龟孙!(就要打去)

老窝瓜　(大叫)秃子妈,我有,(甜瓜停住手)我有,……我有好的。[2]

1　此处"!"原刊作"?"

2　此句原刊作"(大叫)秃子妈,我有(甜瓜停住手)我有——我有好的。"

小甜瓜 （插腰）在哪里?

老窝瓜 （实无办法，只好幽默）我，我，我正在想。

〔窝瓜对甜瓜无可奈何地傻笑。

（幕落。幕落即启。）

再开幕时，音乐伴奏，所有演员（连李保长一家在内）围着老窝瓜随唱随舞，指指点点，唱着下面的歌词，窝瓜一个人领着这一群舞队，做各种舞蹈姿势，在最后一句话“他气死了!”他晕倒地下:（插曲三）

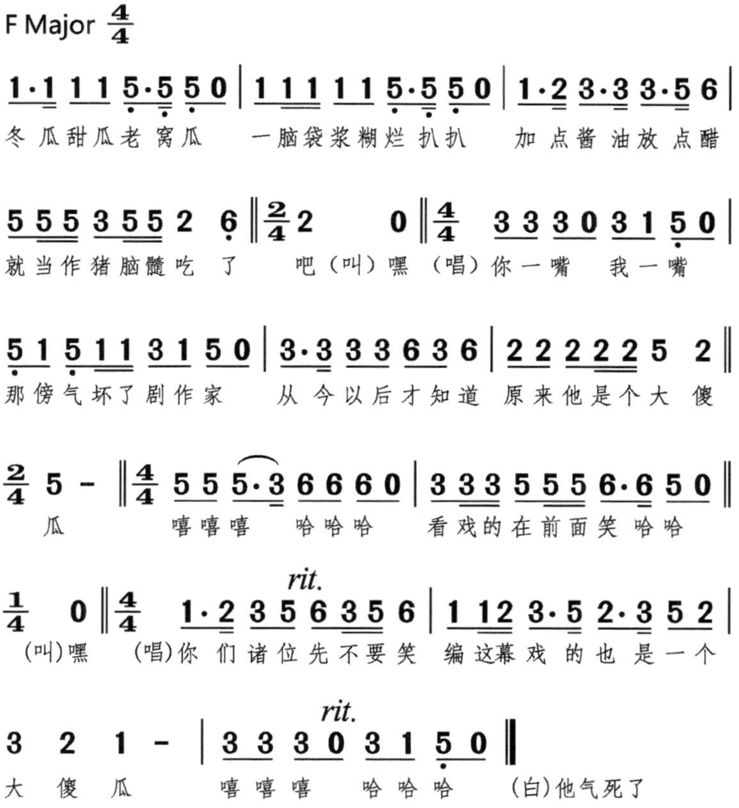

——闭幕[1]

1 “闭幕”底本作“开幕”，据原刊、初版改。

㈠ 是剧是根据Niggli的*The Red Volvet Goat*大意重写的。

㈡ 剧末“舞唱”一节若无音乐与舞蹈专家来参预指点，最好删去。演到第一次幕落即可终结。

㈢ 剧中乐谱系张定和先生作的。在此志谢。

柔蜜欧与幽丽叶

【题注】改译自英国William Shakespeare著Romeo and Juliet。据1954年8月作家出版社第一版排印。通校1948年11月文化生活出版社沪三版“译文丛书”本（校注称“沪三版”）。参校1944年2月、6月《文学修养》第2卷第3、4期初刊本（校注称“原刊”）。又，“奶妈”通校本“奶妈”“奶姆”杂用；“卖药人”通校本作“药剂师”，不一一出注。

译者前记

《柔蜜欧与幽丽叶》这个译本大约是在一九四二年译的。那时在成都有一个职业剧团，准备演莎士比亚的《柔蜜欧与幽丽叶》，邀了张骏祥兄做导演。他觉得当时还没有适宜于上演的译本，约我重译一下。我就根据这个要求，大胆地翻译了，目的是为了便于上演，此外也是想试一试诗剧的翻译。但有些地方我插入了自己对人物、动作和情境的解释，当时的意思不过是为了便利演员去了解剧本，就不管自己对于莎士比亚懂得多少，贸然地添了一些“说明”。后来也就用这样的面貌印出来了，一直没有改动。

我不是一个莎士比亚的研究者，我仅能从上演的角度考虑问题，同时也有一个希望，就是使我们的读者更容易地接近莎士比亚。因此在各种莎士比亚的译本中，认为也可以有这样一类的译本，如果译本中那些添进去的“说明”可以帮助人来了解莎士比亚，而不是曲解他。但是这个方法好不好呢？那就需要读者和莎士比亚的专家们共同

【题注】据1954年8月作家出版社第一版排印。通校1960年2月人民文学出版社第一版《译者后记》。

研究了。

在这个译本里，我固然想尽量忠实于原作，但是有些地方还是有些改动，譬如遇见丑角打诨的那些俏皮话，若直译出来就会失去风趣的时候，我就大胆地改成我们的观众能了解的笑话了。翻译莎士比亚是一个艰巨的工作，需要具备很多的条件才可以担当。这个译本会有许多错误和不妥当的地方，是可以想象的，希望关心莎士比亚译作的朋友们看到了，给我指正。

译这部戏根据什么版本，已记不清了，只记得译完了以后才找到一本亚登版莎士比亚，参考校对了一下。这个译本曾经于一九四三年出版过，现在我做了一些修改，并且加了些注解，重排出版。原来的作者像及插图一幅，换了另外两幅钢刻，都是从一八八三年莱比锡勃洛克豪斯书店出版的《莎士比亚画册》里选出的，第一幅系亨利希·霍夫曼所画，第二幅系奥古斯特·司派斯所画，戈尔德培格所刻。

一九五四年六月一日

附　录：

前　言

约在一九四二年，张骏祥同志要在四川的一个剧团演出《柔蜜欧与幽丽叶》，但是没有适当的演出本。因为读莎士比亚是一回事，演出他的脚本，使观众比较听得懂，看得明自（尤其是中国的观众），又是一回事了。我斗胆应骏祥同志这个要求，在匆忙的时间里译出《柔蜜欧与幽丽叶》。我的用意是为演出的，力求读起来上口。事实上，莎士比亚剧作中的许多深邃的涵义，我译不出来，甚至可以说还不理解。这个演出本，只能说是译出莎士比亚这个剧本的一部分含义与内容，至于其中的音节，诗意，就更谈不上了。

这个译本有不少缺点：一，我怕观众看不明白，就加了我个人的解释。而莎士比亚的原本是没有的。二，我加了一些“韵文”，以为这样做增加一点“诗”意。当然，莎士比亚原剧是用五音步十音节的无韵体写的，并不押韵。

我说这些，自己便觉得有些“掉书袋”的毛病。其实，我只是为我的译本做一些“辩护”。我没有真正研究过莎士比亚。过去，倒

【题注】据1979年1月人民文学出版社“文学小丛书”本排印。

是听过一些莎士比亚版本学的专家们，在讲坛上讲“对折本”，“四开本”，以及各种版本之区别等等。名堂之多，弄得我有些晕头转向。对这些莎士比亚专家，我确有些害怕，如若莎士比亚从墓中站起，走进课堂，听他们的“版本学”，大约也是会头痛的；或许还要写一首十四行的讽刺诗吧！

当然，版本学对于莎士比亚研究还是有很重要的意义，但莎士比亚的光彩是在他的剧本之中。

我曾经读过一阵莎士比亚的剧本，尤其在年少时，读后，总觉心旷神怡。特别是他的悲剧，更加爱不释手。自然，过去多是从艺术上欣赏。对于其它意义种种根本不理解。

莎士比亚本是一位英国文艺复兴时期的伟大戏剧家和诗人，他的作品之多，可谓“著作等身”。早年他的生活是贫贱的，他使我联想到杜甫的一首诗：“朝扣富儿门，暮随肥马尘；残杯与冷炙，到处潜悲辛！”这样的境遇，使他日后的作品具有一定的人民性，也是他人文主义思想的一个来源。他早期的作品多是喜剧，历史剧及诗。宣扬道德，和谐，抒发他美好的理想，荡漾着乐观的气氛。《柔蜜欧与幽丽叶》，就是他早期的作品之一。

这个戏是歌颂爱情和青春的悲剧。有人讲，一对恋人，相爱，以至死去，这是反封建的戏。也有人说，两家“死对头”，因而自己的儿女，为他们的仇恨死去，最后，又和好起来，这是反对械斗，宣扬太平、和睦的戏。这类想法，都可以随心所欲，愿意如何解释便如何解释吧！因为莎士比亚是十六世纪的大诗人，他的作品思想内容之广博，文采之富丽，实在难以十分确切地解释与翻译的。

柔蜜欧与幽丽叶的故事是十五、十六世纪在人间流传的一个古老的故事。莎士比亚写此戏是根据一五六二年一位名叫阿瑟·勃洛克的诗人写的一首《柔蜜欧与幽丽叶的悲剧故事》的诗改编的。勃洛克的这首诗大约相当乏味，但是提出了很多人物的影子。在他的诗里，故事发生在“两个月”的时间里；而莎士比亚却把它缩短为“五天”，使得这悲剧的节奏感如此强烈，显示出青春和冲动的力量。可以说，莎士比亚是把一篇平庸的东西化为神奇的剧作。

十九世纪一位英国诗人柯勒律治提到《柔蜜欧与幽丽叶》时说，这个戏名为悲剧，实际上，剧情的发展充满了“青春与春天的气息。它有着青春的种种愚蠢（这自然是十九世纪的话）与美德，急躁与轻率。有着春天的种种芬芳、迷人，也有春天的‘常’。（大概是指短促易逝吧！）连那些老年人也是火一般的性格，也染着春天的气息。至于柔蜜欧突然忘却原来所爱的人，与幽丽叶一见锺情转瞬成亲，又冒失地死去，而幽丽叶以夜莺般的温柔与忧郁的爱情接受这一切，这些都充满了新春中的所有的甜蜜，但，又以一种深长的叹息告终，像是意大利最后的微风。”（大意如此）

这也是一种说法吧！我以为这个悲剧充满了乐观主义的情绪，并不使人悲伤。只是像四月的天，忽晴忽雨；像一个女孩子一会儿放声大笑，一会儿又倚着你的肩膀，低低地哭泣起来。

应当说，我不推荐这个戏！我觉得它并不能代表莎士比亚。我一直认为，莎士比亚的艺术高峰，是他的“四大悲剧”（《哈姆莱特》《李尔王》《麦克白》《奥瑟罗》）和《雅典的泰门》。那才是壮丽、深邃而浩瀚的。在这些剧中，莎士比亚道出了他对人生及社会现实的深刻认识及控诉。对于邪恶的势力，冷酷的人情，万能的金钱，他的厌恶，是不可遏止的，通过艺术的形象而震撼人的灵魂。然而，与此同时，道德、理想的美好也还是在他笔下的人物身上闪着光辉。可是，这种光辉从哈姆莱特到雅典的泰门而逐渐暗淡以至消逝了。这表现了莎士比亚的人文主义理想与残酷的现实发生了矛盾，并且日益地无法调和了。我觉得哈姆莱特有一段独白，开头有几个字——“生存还是毁灭……”以及以后的话，是可以深思的，可以借此对他有所理解的。

在莎士比亚的剧作中，常用神奇的幻想手法，后期更偏重于此。这说明他的瑰丽的想象力。然而是不是也说明他已不愿再面对和正视现实，情愿幻想，在梦幻中憧憬呢？确实的，后来莎士比亚回到了故乡，在溪水边盖几间房屋，不想再为什么问题而苦恼了。这位伟大的剧作家，大约觉得已经把他所了解的一切，都写干净了。人文主义的理想已失去了力量，而新的召唤他却感觉不到了。虽然在资产阶级上升时期，他就洞察了资产阶级利己主义的毫无“人”性的掠夺和兼并的本质；但是到了资本主义社会中的社会矛盾和斗争日趋激烈的年代，他却茫然了。用善与恶的道德无法解释理想与现实的矛盾。莎士比亚一辈子研究人、分析人、描写人，但是他一点不懂什么叫作“阶级”，不懂得人民的力量。他搁笔了，他过早地死去，这对于他也是一种悲剧。

莎士比亚同时代的朋友本·琼生曾说过，莎士比亚“不属于一个时代而属于所有的世纪”。这句话是有道理的。至今全世界都在为他波澜壮阔的艺术而惊叹！莎士比亚的剧作是语言的大海，如能读原文，那真是万道霞光遍地起，仙乐自天任意飞。

我们的导师马克思、恩格斯都是莎士比亚的热心的读者，对于莎士比亚的思想性给予了历史唯物主义的评价，对于他的艺术性则是衷心赞美的。

今天，以华主席为首的党中央粉碎了“四人帮”，我们又能读到被“四人帮”禁锢的莎士比亚的作品了！这对于我们今天的戏剧创作是有益的。我们要“古为今用，洋为中用”，取其精华，去其糟粕，对莎士比亚也应该如此。

我再声明一下，对莎士比亚研究我是外行，我只是他的一个读者。以上的话必然有许多谬论，请同志们多加指正。

译者

一九七八年五月

剧中人物

爱嘉璐——梵萝那大公

霸礼——青年贵族，大公的亲戚

猛泰
——两个互相仇雠的世家的家长
凯布

凯布老人——凯布的叔父

柔蜜欧——猛泰的儿子[1]

墨故求——大公的亲戚，柔蜜欧的友人[2]

班浮柳——猛泰的外甥，柔蜜欧的友人

悌暴——凯布夫人的内侄

劳莲思长老——法兰西斯派[3]的僧侣

约翰长老——同派僧侣

贝儿——柔蜜欧的仆人

---

1 “猛泰的儿子”沪三版作“猛泰之子”。

2 “友人”沪三版作“朋友”。

3 “法兰西斯派”沪三版作“馥兰溪斯派”。

洒嵩

——凯布家的仆人

力高

比得——幽丽叶奶妈的小厮

阿拉汉——猛泰家的仆人[1]

卖药人

三个乐师

致词人

霸礼的小厮，另一小厮[2]

猛泰夫人——猛泰之妻

凯布夫人——凯布之妻

幽丽叶——凯布的女儿[3]

幽丽叶的奶妈[4]

梵萝那的市民们，两家的男女亲属，戴假面赴跳舞会的人们，卫士们，

守夜人和仆役等[5]

---

1 “猛泰家的仆人”沪三版作“猛泰的用人”。

2 此句沪三版作“霜礼的小仆，另一小仆”。此后另起一行有“一个官吏”。

3 “凯布的女儿”沪三版作“凯布之女”。

4 此句沪三版作“奶姆　幽丽叶的奶妈”。

5 沪三版标注了人物英文名。

地　点

梵萝那，曼陀[1]

1　沪三版为“景：大部设在梵萝那城中，只有第五幕在曼陀（Mantua）。”

序诗

〔致词人上。

致词人 我们的戏发生在梵萝那，一个美丽的城，
讲的是两个声威相等的世家。
很早他们结下了私怨，如今爆发出新的斗争；
私争的血污了和平的手，为了两家互相的残杀。
上苍派定：在这一对仇人的怀抱中
降生一对苦命的爱人。
他们悲惨的毁灭和灾厄重重，
埋葬他们老人的冲突，也断送他们的生命。

这故事，这段情死的惨变，
和[1]他们父母如何死了亲生的骨肉，
才肯把无尽无休的愤怒消弭[2]，
是今天台上所看见的悲欢离合，在短短两点钟的时候。
这些只要诸位肯耐着性子细听，
此处说得含混，以后我们总要演得分明。

---

1 “和”沪三版作“同”。

2 “消弭”沪三版作“移换”。

〔致词人下[1]。

1 “致词人下”沪三版作“致词人退场”。

第一幕

第一景　梵萝那[1]，公共场所

〔洒嵩和力高佩甲持剑雄赳赳气昂昂地走进来。

洒　嵩　喂，力高，我就是这一句话，不栽这个跟头！

力　高　自然，我们又不是倒霉蛋，受这种气？

洒　嵩　对，不受气，惹起我们的火，我们就打。

力　高　（开玩笑）嗯，要打嘿，你有一口气就把你的脖子伸出来挨！别缩着。

洒　嵩　哼，谁要惹起我的火，我可动手动得快。

力　高　（俏皮）不过，惹动你的火也不易。[2]

洒　嵩　得了，我一见着猛泰家的狗[3]我就要动气，我一动气，就要动手，一动手——

力　高　（抢接）你就要动脚！有本事的，你站着，动也不动。我看你呀，不动气则罢，一动你就抱着脑袋跑了。

1　“梵萝那”沪三版作“梵萝那城”。

2　此句沪三版作“（俏皮）不过，先生，惹动你老人家的火也不容易。”。

3　指人。——底本注。

洒　嵩　（语涉双关）哼，猛泰家里出个什么都叫我气得硬起来。男的女的，只要是猛泰家里的，我一概推到墙，玩了他们！

力　高　别吹，顶没出息的才要靠墙。

洒　嵩　是啊，女人们泄气，总得叫人逼得靠了墙。所以我就把猛泰家里的男人拉出来干，把猛泰家的女人推进去玩。

力　高　算了，有仇的是我们两家的老爷跟我们下人们。

洒　嵩　（一半玩笑，一半汹汹）我一律看待。我是暴君！跟男人们动完了手，我还要跟女人们凶一下，我要干掉她们的“脑袋”。

力　高　（恫吓[1]）干掉她们的“脑袋”。

洒　嵩　（霎霎眼）嗯，干掉，这“干”字你怎么讲都成。

力　高　（笑嘻嘻）人家知道怎么讲，她们会尝出味来的。

洒　嵩　（大笑）我一硬起来，她们就尝出味来了。我这块肉，哼，还挺出名呢。

力　高　幸而你不是条鱼，哼，要真是，这准是条糟鱼。（瞥见两个人走来，两人头上都戴着猛泰家的徽帜）[2]操[3]家伙！猛泰家里来了人了，两个！

洒　嵩　（不在意下，抽出剑来）小子，硬家伙拿出来了。来，雄

1　“恫吓”沪三版作“吓着”。

2　此句沪三版作“（瞥见）”。

3　拿出的意思。——底本注。

他[1]！我帮你，在你后头。

力　高　（懂得）在我后头干什么？好跑啊？

洒　嵩　你放下心[2]吧。

力　高　不，我就是放你不下。

洒　嵩　喂，我们得先占了理，让他们先动手。

力　高　那么我去，我对他们皱眉头瞪眼睛[3]，瞧他们[4]怎么办？

洒　嵩　（改正）瞧他们[5]怎么敢！对了，你皱眉头，我咬大拇指。（得意）他们要是受下去，那就算在爷儿们手里栽了。

〔阿拉汉和贝儿，一对猛泰家里的下人走进。力高和洒嵩从他们身边擦过。

阿拉汉　喂，哥儿们，你对我们咬你的大拇指吗？

洒　嵩　（点点头）我是咬我的大拇指，哥儿们。

阿拉汉　（看出苗头）喂，先生，我问你是不是对我们咬大拇指？

洒　嵩　（回头，低声）我要说了“是”，我们还有理不？

力　高　（连忙）没理。

洒　嵩　（转身，大声）不，先生，我并不是咬大拇指，先生。

力　高　（找碴儿，向前）怎么，你要打架，是吗？先生？

1　寻衅的意思。——底本注。

2　“放下心”沪三版作“放心”。

3　“皱眉头瞪眼睛”沪三版作“绉着眉头瞪眼”。

4　“瞧他们”沪三版作“瞧瞧他们”。

5　“瞧他们”沪三版作“瞧瞧他们”。

阿拉汉　打？先生，我不，先生。

洒　嵩　（激将）想打，先生，我奉陪[1]。我们凯布家并不比猛泰家差。

阿拉汉　（忍不住）不差，也强不了。

洒　嵩　（正不知如何[2]回答）那么，先生——

力　高　（怂恿）说“强”！瞧，我们凯布家又来了人。

洒　嵩　（立刻）强，小子，强！强！强！

阿拉汉　你放屁！

洒　嵩　（抽出剑）你们有种的，杀！（回望）力高，别忘你吃奶的那两手。

〔他们忽然就凶狠地斗起来。这时班浮柳，猛泰的外甥，一个温和知事的青年[3]，看见这情形[4]，立刻也抽出剑来。

班浮柳　分开，你们这些混虫！放下剑，你们不知道自己做些什么。（就夹在当中，想把他们的武器打落。）

〔正闹得不得开交，悌暴，凯布夫人的内侄，一个秉性如火的青年，也赶到，他一眼望见班浮柳。

悌　暴　（大吼）什么，（对班浮柳）你也夹在当中跟这批没心没肺的禽兽打起来？（抽出剑，对班浮柳）班浮柳，回过头来，送

---

1 “我奉陪”沪三版作“像你这样的，我还能对付”。

2 “如何”沪三版作“若何”。

3 “青年”沪三版作“青年人”。

4 “看见这情形”沪三版作“见情形”。

你回老家[1]！

班浮柳　（一面打，一面解释）我是来保持和平[2]的，放下剑，要不，帮我一块打开他们。

悌　暴　（暴怒）什么，家伙都亮出来了，还说"和平[3]"？我恨这个字，正像我恨地狱[4]，恨所有猛泰家里的，恨你！照家伙[5]，你这胆小的东西。

〔他们也厮杀起来了。

〔两家大户都来了些人，参加混战，眼看着越杀越凶，于是惹起城中爱和平的市民持枪执棒出来干涉。市民们跑进来。

市民们　（喊成一片）棍子，棒子，刀枪剑戟矛！有什么拿什么，打呀，打呀！把他们打倒，打倒！打倒凯布家里的人！打倒猛泰家里的人！[6]

〔这时凯布——凯布家的主人——闻声追踪而至，也没顾得把衣服穿好，就和凯布夫人一同赶来。

凯　布　这是什么声音？（看见情景，就不由心头火起）嘿[7]，快把我

---

1 "回老家"沪三版作"见阎王"。

2 "保持和平"沪三版作"说和"。

3 "和平"沪三版作"和"。

4 "我恨这个字，正像我恨地狱"沪三版作"我不爱听'和'这个字。我恨地狱"。

5 "照家伙"沪三版作"招家伙"。

6 "有什么拿什么"至句末的四个"！"沪三版分别作"，""。""，""。"。

7 "嘿"沪三版作"喝"。

的长剑[1]拿来。

凯布夫人（拦住他）拿剑？你拿拐棍吧！拿拐棍吧，老太爷！[2]

凯　布　（坚决）我要剑，我要剑！（瞥见对面仇人也气愤愤地跑来，益怒）你看，猛泰那个老家伙也来了。简直没有把我放在眼里，他也要起刀片子来了。

〔猛泰和猛泰夫人，一个奔前一个追后赶入。

猛　泰　（暴躁）这个老不死的凯布！（对其妻）别拉住我，让我去。

猛泰夫人（不放手）我不许你去，你去跟仇人拼命，你动一步也不成。

〔三声号响，大家回首，梵萝那大公与其随从步入。

大　公　（赫然震怒）这批不听说的反叛，和平的敌人[3]！

天天要枪弄刀，连邻居的血都要喝的东西。

（对随从）他们到底听不听话？

（转身）什么？嘿[4]，你们！

你们这些禽兽，

你们只知道流血，

流血来满足自己恶毒的仇恨。

放下那刀，剑，这些疯狂的武器，

---

1 “剑”沪三版作“刀”。以下相同改动，不再一一注出。

2 此句中两个“!”沪三版均作“。”。

3 “敌人”沪三版作“仇人”。

4 “嘿”沪三版作“喝”。

放下，放在地上，静静地听你们动了怒[1]的君主来判决。

三次了，三次流血的争斗，

只是为轻轻的一句话，

你们，凯布跟猛泰，

就三次搅乱了城里的安静。

叫梵萝那居住的老市民

也抛下他们庄严的袍巾[2]，

拿起戈矛，日久不用生锈[3]的戈矛，

来分解你们日久天长刻骨[4]的仇恨。

如果你们再要搅乱城里的和平，

你们的命就拿来赔偿！

目前，这一次，其余的都可以走开；

你，凯布跟着我去，

你，猛泰，下午到我那里来，

到浮力城，法庭，静候我的处分。

我再说一遍，赶快散开，

除了那再也不想活命的人。

〔全体凛然，大公与其随从等下；后随凯布，凯布夫人，悌

1 “动了怒”沪三版作“动了气”。

2 此句沪三版作“也丢下庄严和平的拐棍”。

3 “生锈”沪三版作“生了锈”。

4 “刻骨”沪三版作“生了锈”。

暴，市民和仆人等。

猛　泰　（冷静下来）这多年的仇恨是哪个又重新煽起来？

你说，我的外甥，刚打时，你不也在场？

班浮柳　我没有到，你仇家的下人已经跟你家的斗起来，

我拔剑分开他们，正在想；

谁知悌暴一阵风就到了场。

他拿着[1]剑一面对我叫喊，

一面在头上前后乱砍。

飕飕[2]的剑响，风都对他笑，

伤不了人，就听他叫。

我们一来一往，

人们也就一堆一堆地来，

一个祸害打一个祸害，

一直打到大公赶来，

才把大家分开。

猛泰夫人　哦，柔蜜欧到哪里去了？你今天看见了他么？

倒是万幸，这场械斗[3]他不在。

班浮柳　（温和）舅母，当着东方的太阳还没有从黄金的窗子探出头来，

1　“拿着”沪三版作“拿出”。

2　“飕飕”沪三版作“刷刷”。

3　“这场械斗”沪三版作“这场上”。

我心思不宁，很早地出门，散步在郊外。
在城西枫树的林子里，就看见柔蜜欧我那表弟
也早早一个人在徘徊。
我向他走去，他一觉出，就连忙
偷偷走进了树林子里。
我拿我的心情来揣测他的心：
甘愿寂寞的准是心里藏着事情，
我就顺着自己的性儿[1]走开，
没有去追问他的心境。

猛　泰　是啊，多少天早晨
就有人看见他在那里发闷；
泪水添多了清晨的露珠[2]，
一声一声的长叹，真是乌云之外，又添上了乌云。
当着快乐的阳光刚刚
撩起黑暗的幔帐，
我的儿子就抱着满心的忧愁，赶紧躲开，
回家锁起了门，关上了窗，把光明拦在墙外，
故意造成漆黑的夜晚，
藏在房里，不知写些什么文章。
这种心病真会惹出

1 “性儿”沪三版作“心境”。

2 “泪水添多了清晨的露珠”沪三版作“泪水比露水还多”。

什么严重的下文，

除非有人善为开引，

指破[1]了造成这心病的原因。

班浮柳　舅舅，您知道为什么？

猛　泰　我不知道，也打听不出来。

班浮柳　您没用什么方法

不断地追问[2]？

猛　泰　嗐，我自己之外

已经请了不少的朋友

来问他了。

不过提到他的情感他只肯

和自己商量。

真的他不知有多少秘密不肯讲，

叫谁也猜不出他肚子里

是一篇什么账。

嗐，花儿还没有开，

嫉妒的虫儿已经把他咬伤[3]，

怕等不到[4]肥肥的叶子迎着风摆，

1　“指破”沪三版作“说出”。

2　“追问”沪三版作“追他”。

3　“嫉妒的虫儿已经把他咬伤”沪三版作“虫儿隐隐已经在心儿上咬”。

4　“等不到”沪三版作“不等”。

也等不到把他的美丽献给太阳[1]。
只要我们知道从哪儿
招来这场忧闷，
我们一定设法治好这心病。

班浮柳　（望见）看，他从那儿来了。
走开，您二位先请走开，
他也许对我一字不提，
可也许对我完全讲个明白。

猛　泰　但愿如此[2]，夫人，我们先走吧，
我盼望你能听见他的真心话。

〔猛泰与其夫人下。柔蜜欧从对面缓步走进。[3]

班浮柳　早啊，表弟。

柔蜜欧　（在梦里）哦，天色还这样早么？

班浮柳　刚刚打过九点。

柔蜜欧　嗳，真的，痛苦的时候就觉得这样长啊。
（忽然）那忙忙走开的是不是我的父亲？

班浮柳　是的。有什么事不快活使得柔蜜欧觉得日子那样长呢？

柔蜜欧　就因为没有那一点点；
有了那一点点，日子就觉得短了。

---

1 “也等不到把他的美丽献给太阳”沪三版作“他就暗暗地死掉”。

2 “但愿如此”沪三版作“只要这样”。

3 沪三版无“柔蜜欧从对面缓步走进。”。

班浮柳 那么说正在爱情里面了？

柔蜜欧 不，失去了[1]。

班浮柳 （关切）失了恋？

柔蜜欧 （懊丧）失了欢心，失了我所爱的，她的欢心。

班浮柳 唉[2]，可怕呀，原来那爱情看起来这样温柔，

想不到闹起来就这样凶狠。

柔蜜欧 唉，是啊，就是那爱情，[3]

明明蒙盖上眼睛，

可不用眼，

也能拴住了我们[4]。

——（蓦然）我们到哪里

去吃饭去？——（痛苦）哦，天哪！

——（找话谈）

此地又打了架了吧？

可你不用告诉我，我都听见了。

此地多的是恨，而更多的是爱。

哦，爱里爆出战争的烟火，

恨里又有柔软的温存。

---

1 “失去了”沪三版作“出来了”。

2 “唉”沪三版作“咳”。

3 此句沪三版作“咳，是啊，就是这爱情，”。

4 “也能拴住了我们”沪三版作“也会找到它的心”。

又是重，又是轻，
庄严里却听见轻浮的笑声，
从一片空虚忽然出来一片天地，
乌烟瘴气的，仔细看又有些光明。
羽毛忽然像铅铁那样重，
黑烟发亮，火焰如冰，
健康就是病。
明明是睡又在醒，
说它是什么，它就不是什么。
我就感到这样的爱情，
我又不爱这样的爱情。
（突兀）你要笑吧？

班浮柳　（同情）不，表弟，我想哭。

柔蜜欧　好心人，你为什么？

班浮柳　（缓缓）为着看你苦。

柔蜜欧　唉，爱情就这样惹人，
我一个人心里够苦，
你扇了一下，
又添上你心里为我的痛楚。
我知道你对我的关怀，
却这样更加深我心上的悲哀。
唉，爱是一团烟，
叹几口气，火苗冲天，

烟烧烬了，就化成爱人
眼里那点火焰。
烦恼了，又变成海，
爱人的泪就是汪洋一片。
这是再清醒没有的疯癫，
是甜沁沁的蜜，
是苦死人的黄连！
再见吧，我的表哥。（就要走开。）

班浮柳 等等，我跟你走，你要是不理，
你就对不起我。

柔蜜欧 我？我早就丢了，我不在这儿，
跟你说话的不是柔蜜欧。
他飞了，飞到别的地方去了。

班浮柳 你冷静一点，
告诉我你爱的究竟是谁？

柔蜜欧 你以为我会哭着告诉你吗？

班浮柳 哭？那你倒也不必，你只要
先冷冷静静地告诉是谁？

柔蜜欧 冷静？你叫一个快死的人
也冷冷静静地写他的遗嘱么？
你这个字眼用在这么一个

病人身上[1]是多么狠。

不过，你要我冷静讲，我是爱一个女人。

班浮柳 哈，你看我这一箭射得多准。

柔蜜欧 （欢喜）你射得太准了！我所爱的

是人间最美的美人。

班浮柳 这样美丽的箭靶

你就更不会错过。

柔蜜欧 （沮丧）不，这一下你恰恰猜错。

爱情的箭射不中她的心，

她有神仙一样的聪明。

她把贞洁当做盔甲，

爱情的小弓损伤不了她一丝毫发。

她不受[2]甜言蜜语的围攻，

也不怕眉眼的利箭，

黄金诱惑了多少圣贤，

她看都不看一眼。

她的美呀，比世界还要富，

可惜有一天她死了，

再富的美丽也随着入土。

班浮柳 那么她起誓一生不嫁人了。

---

1 指自己。——底本注。

2 “不受”沪三版作“不爱”。

柔蜜欧　是啊，这样的吝啬
不是天大的浪费?
美丽遇见了她的严刻，
连美丽的[1]子孙也跟着毁。
她太美了，又看得太透，
看透了她是太美，
空空绝了我的望，她也得不着安慰。
她起了誓，谁也不去爱，
为着这个，我活着像是死了[2]，
死了可还活着[3]，告诉你这件祸害。

班浮柳　（断然）听我的话，以后不要再想她。

柔蜜欧　那你先要教我如何忘记去想。

班浮柳　很简单，把你的眼睛睁开，
看看其他的美人。

柔蜜欧　这只能叫我更想起
她是真好。
跟你说吧，
幸福的面罩
亲着小姐们的眉毛，

1　沪三版无“美丽的”。

2　“我活着像是死了”沪三版作“我活着死”。

3　“死了可还活着”沪三版作“死了活”。

它黑，可叫人更想下面
盖着的珍宝。
再告诉你，瞎了眼的忘不了
见过的光明，
你指出那最美的
不过叫我更深地追念[1]
比那最美还美的人[2]。
算了吧，你再也不能教我忘记。

班浮柳　不，我不信，死也得叫你信服我这个主意。

〔班浮柳边说边随柔蜜欧下。

1　此句沪三版作“不过叫我追念”。

2　此句沪三版作“比那最美还美的人更深”。

第二景　梵萝那，街上

〔凯布，霸礼——一个风仪翩翩的青年贵族，和仆人上。

凯　布　但是猛泰还不是跟我一样，

再出了事也要处分，

其实我跟他已经年老，

相安无事倒也能混。

霸　礼　两位都是体面、有地位的人，

不幸你们意见这样深。

哦，正经话，您觉得怎么样，

我同令嫒的婚姻？

凯　布　还是那句说过的话，

我的女儿还小，

十四都没有到，

再过两个夏天再谈吧，

那时也不算太晚。

霸　礼　（固执）比令嫒还小的

女孩都当了母亲了。

凯　布　生育这样早总是太快地死掉。

从前我的子女很多，如今只剩下一个，

这个女儿是我唯一的希望也是快乐。

好啦，温和的霸礼，常去找她，先得她的心，

我就是许可，还得要她的答应。

如果她点了头，我也决不说否。

——今晚又是我家请酒，

在座都是我所爱的朋友，

你自然也来，更欢迎你，

在寒舍瞻仰多少

天上的星光降在地上行走。

哈，年轻人要多多享受四月天，

冬天是瘸子，四月是又跳又叫的神仙。

瘸子赶走了，四月跳得才巧，

今晚在一堆鲜花里

你尝尝四月的美好。

来吧，你就都瞧瞧，

哪位姑娘真好

你无妨爱上哪个。

我的女儿只能充数，

还[1]说不上中人意的仪表。

1　“还”沪三版作“并”。

来吧，（拉着霸礼）跟我来！

（对仆人拿出一张请帖）去，快去，把全城跑到，

请帖里写着的客人都要请着，

告诉他们，“请早！请早！”

说一切都为他们备好[1]。

〔凯布兴致很高和霸礼同下。

仆　人　（拿着那张请帖，无法处置）

把请帖上写着的客人都要请到。

这上面写着什么呢？（穷开心）

哦，上写着“鞋匠请你来耍叉，

裁缝请你来喂马，

小姐请你赶快来宰猪，

老爷请你来坐蜡！”

一句话，他认识我，我不认识他。

老天爷[2]，我真急得要发痧啦，

我得就找一个认字的去。

〔班浮柳与柔蜜欧上。

班浮柳　喂，表弟，火能攻火，

痛也能止痛，

这么转晕了，那么转

1　“备好”沪三版作“设好”。

2　“老天爷”沪三版作“天爷爷”。

就会清醒。

忧愁很了再加点痛苦

反而会见轻。

你不如把你的眼再染上病，

新病来了，旧毒自然会干净。

柔蜜欧 治病可需要车前草？

班浮柳 （不懂）治什么病？

柔蜜欧 （故意无中生有）比心病轻的，你的腿病，你的腿不是断了？

班浮柳 谁说我腿断了？你疯了？

柔蜜欧 没有疯，可比疯还要糟。

关我在狱里，饿我，打我，折磨我[1]，并且——

（忽见仆人）咦，你好哇，小伙子？

仆　人 好，好——（举起[2]请帖）先生，你认得[3]么？

柔蜜欧 认得，认得出我的命总是不幸。[4]

仆　人 哦，你学得算命啊，不过我请教，你见了字，认得不认得？

柔蜜欧 认得，可得要你先从字母教起。

仆　人 咦，我倒遇见一个老实人，少陪了，先生。（欲走）

柔蜜欧 回来，回来，我认得字。

---

1 “折磨我”沪三版作“磨我”。

2 “举起”沪三版作“举出”。

3 “认得”沪三版作“认得出”。

4 此句沪三版作“认得出，认得我的命总是不幸。”。

（接过请帖读）马丁先生，夫人跟小姐，安塞公爵和他的美丽的妹妹们，维楚太太，普腊先生跟他可爱的侄小姐们，墨故求和他的弟弟范兰丁，叔父凯布，他的夫人和小姐们，我可爱的侄女若瑟林，莉葳，万赖跟他的堂弟悌暴，鲁翘和活泼的海仑。

请的客人好漂亮啊。（还给他请帖）你请他们到哪里去？

仆　人　（顺手一指）那儿[1]。

柔蜜欧　（插嘴）哪儿？

仆　人　吃晚饭，到我们家里。

柔蜜欧　谁的家？

仆　人　我们老爷的家。

柔蜜欧　咦，我倒忘了早问你。

仆　人　不用问，我先告诉你。我们老爷是那顶有名的老凯布，只要你不是猛泰家里的，就请今儿晚上到我们那儿喝杯酒，再见[2]。

〔走下。

班浮柳　就在凯布家中这次的晚宴，

你所爱的若瑟林也会出现，

那里有的是城里的美人，

1　此句沪三版作“到上——”。

2　“再见”沪三版作“再见哪”。

到那里去，眼睛不要有偏见[1]。

[2]你只随我的手多望几下，

你的天鹅就变成了乌鸦。

柔蜜欧　我的眼睛里供着神，[3]

心中再不能[4]存一丝不敬，

让眼泪成火，火把我的眼睛烧瞎，

如果我有一天会相信[5]这样的假话。

比我的爱还美？哼，谁信？

开天辟地，太阳就没照见过有她一半美丽的人[6]。

班浮柳　算了，你见她美的时候，

没有人跟她比较，

左眼说“不差”，

右眼自然也说“好”。

今晚再用用

你这副水晶的天秤，

1　“眼睛不要有偏见”沪三版作“不过眼睛不要偏见”。

2　此处沪三版有“去，”。

3　此句沪三版作“我的眼供着了神”。

4　“不能”沪三版作“不会”。

5　“相信”沪三版作“说出”。

6　“太阳就没照见过有她一半美丽的人”沪三版作“太阳就没照过有她一半的美丽的人”。

这边[1]我为你嵌上，

宴会里最出色的小姐，

那边[2]再放进去你的美人。

现在你还说她最好，

那时你自己就觉得不成。

柔蜜欧 好，跟你去，可不是相信了你的话，

[3]只有她的光彩才真，别人的都假。

〔二人同下。

1 “这边”沪三版作“这面”。

2 “那边”沪三版作“那面”。

3 此处沪三版有“我夸下了口，”。

第三景　凯布家室内

〔凯布夫人和奶妈上。

凯布夫人 奶妈，我的女儿呢？她在哪儿？叫她来。

奶　妈　（絮絮叨叨）

是啊，我敢对你发誓，已经叫她了，——怎么，我的小绵羊[1]，喂，小姐，我的小鸟儿，天哪，这孩子到哪儿去了？喂，幽丽叶。

〔幽丽叶上。

幽丽叶　是谁，谁在叫我？

奶　妈　你的母亲。[2]

幽丽叶　太太，我来了，您有什么吩咐？[3]

凯布夫人（点头）

1 “小绵羊”沪三版作“小羊羊”。

2 此句沪三版作“太太，你的母亲。”。

3 此句沪三版作“妈，我来了，您有事么？”。

嗯，是这样，——奶妈，你先出去一会，我们母女俩[1]要谈谈——

不，你还是回来。我想[2]你来听听也好。（望奶妈）你知道我的女儿也到了年纪。

奶　妈　（利嘴快舌）

她有多少天，多少点钟我都说得出。

凯布夫人　她不满十四岁吧？[3]

奶　妈　我敢拿我十四颗牙打赌，——可说来造孽，我嘴里就剩下四颗了！——她没有到十四岁。现在离着八月[4]还有几天？

凯布夫人　也不过两个礼拜零个一两天。

奶　妈　零几天[5]都成，反正一进八月，第一天的夜晚，她就整整十四岁。苏姗我那女儿，她们两个[6]——（忽念女儿已死）上帝保佑吧！——不是同岁么？咳，现在苏姗升了天了，（唉声叹气）我没有福气有这么一个好女儿。——（又高起兴）是啊！我就是说啊，到了八月一号夜里，她就是足足满了十四岁，一定的，没有错，我记得才清楚呢。（谈上了道）自从那次大地震到现在就有十一年了，那时候她正断

---

1 “母女俩”沪三版作“母女俩个”。

2 “我想”沪三版作“想起来”。

3 此句沪三版作“（记不清楚）她不满十四岁吧？”。

4 “离着八月”沪三版作“离着进八月”。

5 “零几天”沪三版作“爱零几天”。

6 “两个”沪三版作“俩个”。

奶，——[1]哎呀，我再也忘不了——怪，偏偏单拣地震那一天断奶。我呀，刚刚把我那奶头上擦上苦苦的艾草面儿，在靠墙鸽笼下面坐着晒太阳。（又想起一件事）那时老爷跟太太正在曼陀没回来呢，您看，（得意）我有点记性吧。我不说么，她一尝着我奶头上那苦苦的艾草面儿，（笑指幽丽叶）这个小傻丫头啊，就哇哇地闹起来，发了脾气，再也[2]不要奶子了。可是说着说着，就哗啦，哗啦，鸽子笼就一个劲儿地摇起来了。我心想这一下子小命完了，再也用不着受罪了。[3]是啊，自从那天起，就糊里糊涂过了十一年。对啦，断奶那天她就会站着，不，都跑了，东歪西倒的一会儿都不消停。可不是，断奶头一天还摔了一跤，把眉毛（指着）这儿都摔破了，那时我的老头子——（想起他已死）上帝保佑他，那才是好人呢！——他就抱起孩子，他还说："咦呀，狗吃屎，趴下啦[4]，不哭，不哭，再大一点，就该仰把跤子躺下了[5]。幽丽，你是不是？"（对凯布夫人，非常认真）你看可怪，一听这话，这小可怜立刻不哭了[6]，还答应一

1 沪三版此处有"（突然一句）"。

2 "再也"沪三版作"就再也"。

3 沪三版此处有"（忽转）"。

4 "趴下啦"沪三版作"摔着脸啦"。

5 "就该仰把跤子躺下了"沪三版作"该两脚朝天仰着摔了"。

6 "不哭了"沪三版作"没哭"。

声“嗯”[1]。你看这笑话不是越来越像[2]啦？真是的，叫我再活一千年我也忘不了，（眤视幽丽叶）问她：“是不是，幽丽？”这个小傻丫头说不哭就不哭，还答应一声“嗯”呢。

凯布夫人（烦厌）够了，别说了，够了，请你别往下说了[3]。

奶　妈（津津有味）是啊，太太，——我简直忍不住地笑，想想她不哭了，还说声“嗯”[4]。（顾不得太太的吩咐）哎呀，那伤可摔得厉害，在额头上足足有小鸡那个“蛋儿”[5]那么大，哭啊，哭得好伤心，我那老头子就说“咦，狗吃屎，趴下了，再大一点就该仰把跤子躺下了[6]，是不是，幽丽？”她立刻停住嘴了[7]，还说声“嗯”呢。

幽丽叶　你也停住嘴吧，求求你[8]，别说吧，奶妈。

奶　妈　好，不说，不说，只求上帝日里夜里总是保佑你。我奶过的孩子数你好看，只盼我能活到眼看着你有了姑爷，我就死也甘心了。

---

1 “‘嗯’”沪三版作“‘是’呢”。

2 “越来越像”沪三版作“越过越真”。

3 “说了”沪三版作“说下去了”。

4 “嗯”沪三版作“是”。

5 睾丸的意思。——底本注。

6 “狗吃屎，趴下了，再大一点就该仰把跤子躺下了”沪三版作“扑在地上摔了个跤，再大一点就该两脚朝天仰着摔了”。

7 “停住嘴了”沪三版作“停嘴不哭”。

8 “你也停住嘴吧，求求你”沪三版作“求求您，您停住嘴”。

凯布夫人（才露出笑容）

对了，姑爷，哝，这就谈到题目上来了。幽丽叶，你说，给你找个好姑爷，你觉得好不好？

幽丽叶 [1]这一种[2]光荣，我梦都没有梦过呢。

奶　妈 （得意）

"一种光荣"！这说得多好啊。要不是我把你喂大的，我是得说你吃了我的奶才这样聪明[3]。

凯布夫人 好了，现在想想结婚这件大事吧，在梵萝那我们这城里，有身份的人家比你年纪还轻的小姐早就做了母亲了。我在你这么大，不就生下了你了么？所以我说——咳，就痛痛快快讲了吧，霸礼，就是那个顶漂亮的霸礼现在要求你做他的新人呢。

奶　妈 （立刻）

哎呀，小姐，这才是个漂亮人呢，真是呀，要多好有多好。——蜡做的似的，没挑剔[4]，简直找不出第二个呀。

凯布夫人（推崇）

这真是梵萝那的夏天开不出的花。

奶　妈 可不是，真是一朵花！是朵花呀，一点不假！

1　此处沪三版有"（娴静而天真）"。

2　"一种"沪三版作"种"。

3　"'一种光荣'"以下沪三版作"'光荣'！这两个字用得多好啊。要不是就我这一个奶妈把你喂大，我准得说你这聪明是吃了我的奶才有的"。

4　"蜡做的似的，没挑剔"沪三版作"像蜡做的那么没挑剔"。

凯布夫人 你心下怎么样？可喜欢？今晚筵席上就会看见。

先把他的脸当作一本书念，你会找出多少愉快多少美，

每一条纹路，每一根线

露出多少春天的明媚。

他脸上的文章如若看不清爽，

那一定在他眼神里写得明朗。

这本书虽好，可还缺少一个书套，

叫他更美，还得爱装进他的怀抱。

鱼活在海里，鸟儿在巢，

优美的内容就该嫁给优美的外表。

在年少人的眼里，这本书是黄金一样的贵重，

你就分享他的一切，

一切他的光荣。嫁了他，

你的福气只有增加，再不会差。

奶　妈 差，才不，我怕早晚要大，

女人总跟着男人们发。

凯布夫人 说爽快，你能喜欢霸礼么？

幽丽叶 我先试着去看，如果看一下，

也能动人的情感。

我暂把眼神当作一支箭[1]，

母亲许我射得多远我就射多远。

1　“我暂把眼神当作一支箭”沪三版作“不过我怕，我的眼神是只怕看人的箭”。

〔一仆人上。

仆　人　夫人，客都到齐了，晚饭也预备好。大人请您就去，小姐也有人等。厨房里人又在吵架，什么事都乱糟糟，小的还要出去侍候，就请夫人小姐立刻出去吧。

凯布夫人　好，我们就去。

〔仆人下。

幽丽叶，（笑着）你看霸礼已经来到。

奶　妈　（高兴）快去找，孩子，这一下快乐的
夜晚跟着快乐的白天跑。

〔同下。

第四景　梵萝那，街上

〔柔蜜欧，墨故求，班浮柳，五六个戴面具[1]的公子哥儿，执火炬[2]的人等上。

柔蜜欧　就用方才那段话做借口进门呢，

还是一句话不说就进去呢？

班浮柳　现在早不时行说废话[3]，

我们不用[4]装着爱神，

带着弯弓，蒙着眼睛[5]，

粗声粗气，吓着小姐们。

也无须念念有词地走进门[6]。

他们爱怎么看就怎么看，

---

1 “面具”沪三版作“假面具”。

2 “火炬”沪三版作“火把”。

3 “时行说废话”沪三版作“实行说费话”。

4 “不用”沪三版作“用不着”。

5 “蒙着眼睛”沪三版作“遮着围巾”。

6 “念念有词地走进门”沪三版作“背词道歉，好进门”。

我们跳够了就算。

柔蜜欧　给我火炬吧，

我现在没有心思跳舞，

这眼前只有黑暗，

让火光也照着我[1]行路。

墨故求　不，柔蜜欧，我们一定要你跳舞。

柔蜜欧　不，飞上天的，你的脚跟自然轻巧。

埋进土的，我的命根[2]怎么能跑？

墨故求　（揶揄）

你现在是情人哪，

靠着爱神的翅膀你不就飞上青天？

柔蜜欧　不，我是受了伤的，

中了爱神的箭。

爱情捆我捆得紧，

再也跳不出烦恼，

太沉重了，

爱早把我压倒。

墨故求　我怕不是爱情累赘你，

是你累赘了爱情，

爱是多么温柔娇小。

1　“火光也照着我”沪三版作“青光也照照我”。

2　“命根”沪三版作“命跟”。

柔蜜欧　爱真是温柔的么?

不，爱太粗糙，太急躁，又太吵，

（叹气）她满身都是刺啊。

墨故求　（生气勃勃）

如果爱对你粗野，

你也该对爱粗野，

爱刺了你，你为什么不去刺她，

那你不就一拳把她治好——给我一个面具!

（拿起面具，端相一下）

啊，这鬼脸!（戴上面具）

真是鬼脸上面加上鬼脸!

我才不在乎人来议论我这丑相，

你看我一说,（指着面具）它倒脸红啦。

班浮柳　别说啦，敲门进去吧，

进了门，谁都要跳舞啦。

柔蜜欧　还是给我火把，

让心情轻松的人[1]在地毯上舞得窈窕，

我情愿举着灯光在一旁瞧瞧。

因为现在我懂了一句老年人的话，

“不错！孩子们，玩得真好，可惜我已经太老。”

墨故求　（故意大惊小怪）哎呀，老人家可容易摔跤，

1　“心情轻松的人”沪三版作“心地轻松的”。

让我快快把您扶抱，

我看您，实在是——

对不起——被爱情迷得东歪西倒。

走吧，真是太阳下面点蜡[1]！

柔蜜欧　怎么？

墨故求　我说这么耽误，

简直是糟蹋我们的火，

不是白天点灯，白糟蹋么[2]？

相信我们的话吧，没有错，

我们说对的，一定想过又想过。

柔蜜欧　到跳舞会去是没有什么，不过总是不大对[3]。

墨故求　为什么？我倒要问一问。

柔蜜欧　我昨晚[4]做了一个梦。

墨故求　咦，我也做了。

柔蜜欧　你做什么？

墨故求　（俏皮）梦见做梦的就会做梦[5]。

柔蜜欧　不过在睡梦里[6]，

---

1 “真是太阳下面点蜡”沪三版作“我看我们点太阳呢”。

2 “白糟蹋么”沪三版作“糟蹋太阳么”。

3 “不大对”沪三版作“不大好”。

4 “昨晚”沪三版作“方才”。

5 “梦见做梦的就会做梦”沪三版作“做梦的就会做梦，没有真话”。

6 “在睡梦里”沪三版作“在床上睡着了的”。

梦有时也会真呢[1]。

墨故求 （触动灵感）啊，那么马太婆一定是跟上你了！

马太婆是神仙们的接生婆，她来了，

坐着的马车也不过像戒指上宝石那么点大，

一队蚂蚁大的小马

拖着她从凡人的鼻子头上过。

一条一条车轮上的辐棍是蜘蛛的腿，

车篷都是蚱蜢的翅膀做。

拉马的绳用的是顶细的蛛丝网，

马的套圈像水样的月光那么柔和。

马鞭看起来是秋天蟋蟀的骨头，

鞭丝细得像纱，是透明的亮膜。

赶车的是只灰蚊子，才小呢，

比懒婆娘指缝里挑出来的小虫儿还不若。

车身这么大！（手势）空空的榛子一样，

是几万年前松鼠做出来的活。

就这样，她一夜一夜不停地奔跑，

到了情人的脑子里，

情人就梦见他的亲亲好好；

到了朝臣的双膝，

他就梦见弯身行礼；

1 “梦有时也会真呢”沪三版作“做起梦来，有时会真呢”。

飞过律师的手指，

就梦着拿打官司人的钱出气。

飞上小姐们红红的嘴唇，

她就梦见了香香吻吻；

可马太婆要在小姐的唇角撒上水泡，

因为她不爱看小姐们吃着糖，还呼呼地睡觉。

是啊，她飞过官儿们的鼻梁，

他会梦见了肥缺。

把猪尾巴扤扤牧师的鼻尖，

他就梦见又有人来送钱。

马车赶过当兵的脖颈，

他就梦着冲锋陷阵，西班牙的钢锋，

一杯又一杯地庆祝旗开得胜。

可是耳旁忽然轰隆隆，金鼓齐鸣[1]，

他跳起来，他醒了，空空地吓了一阵，

就狠狠地祷告了两句，

又躺下闭上眼睛。

就是这个马太婆！

她半夜里没事儿，

把马鬃编成长辫子儿；

就是她！闹神闹鬼，

1 “齐鸣”沪三版作“雷鸣”。

把丑女人的头发团成圆饼子儿。
也就是她，当着大姑娘朝天仰在床上，
就要压在她们身上，
叫她们尝尝，先学一点名堂，
再也不怕重量。
也就是她——

柔蜜欧 够了够了，墨故求，够了，
你就说了一大堆废话。

墨故求 谁说不是?
我说的是梦嘿。
梦是闲人们的玩意儿，
一团空空的幻想。
像空气一样虚无缥缈，
比风还要轻薄浮躁，
方才它还爱着北方冰雪的胸，
一会儿生了气，
鼓起嘴就投到南边露水的怀里。

班浮柳 你说的这一阵风都把我们吹得要变主意了。
人家晚饭就要吃完，
我们再不去，就会太晚。

柔蜜欧 我怕还是太早，不该去呢。
我心里总是不自在，
今晚欢乐的结果料不定就坏，

也许这段恹气的生命轻轻地送了呢。

嗐，不管！上帝做了我的主宰，

随他降给我福还是降给我灾。

班浮柳　喂，去吧，朋友们。

打起鼓来！

〔欢乐的鼓声送了他们下场。

第五景　凯布邸中大厅

〔乐师们正等候着客人们到来。仆人们匆匆忙忙走进。

仆人一　（气不平）鲍班到哪儿去了？他是什么事都不管。这半天他拿过一个碟子？还是擦过一个碟子？

仆人二　（同情，愤愤）哼，什么事都交给一两个下人管，忙得连洗洗手的工夫都没有，这太难了。

仆人一　把这些凳子拿走。大碗柜也搬开，小心碟子！——喂，小子，给我留一块甜点心。你要够朋友，就叫看门的把秀姗姑娘放进来，她们想偷偷地见见世面。——安通！鲍班！

仆人二　成，你就放心吧。

仆人一　（喊）喂，有人叫你，有人找你，有人要你，有人喊你，来，就在大厅里。

仆人二　有什么法子，一个人不能劈成两块，做这个就不能做那个。干吧，小伙子们，伶俐点，有本事的，一个人干。

〔他们退后[1]。凯布及其家属，客人们和戴面具的朋友们上。

1　“退后”沪三版作“下场”。

凯　布　（豪放）欢迎啊，众位先生们，

这些位太太小姐脚下都没生鸡眼，

一定要跟你们跳舞的。

啊哈，小姐太太们，

你们哪一位现在拒绝不肯跳呢？

哪位小姐要是拿腔拿调不来跳，

那脚下一定有鸡眼。

你们看，我说得对不对？

欢迎啊，先生们，

我也有过年轻的时光，

戴上面罩，低低在小姐们的耳旁，

也会说两句动人的情话。

现在完了，不成了，老了。

欢迎啊，先生们，

来，把音乐奏起来。

请进吧，都请进吧，

把地方让出来。

跳舞吧，我们的小姑娘们！

〔随着音乐，大家起舞。

把灯再点亮一点，你们这些笨货，

桌子移在那一边，

快快熄了火，这屋子太热了。

啊，好啊，想不到这场玩意儿弄得还不错呢。

坐下，坐下，老宗兄，

我们俩跳舞的日子可过去了。

从上次我们跳舞的时候有多少年了？

凯布老人 算算有三十年了。

凯　布 什么，不会，不会，

卢森结婚，我们还跳了舞，

日子过得再快，也不过二十五年就是了，

喂，那时我们还化装跳舞呢。

凯布老人 不，不对，你想想，卢森的儿子都三十岁了。

凯　布 真的，我记得两年前他的儿子还没有成年嘤。

柔蜜欧 （向一仆人）[1]跟那边那位先生跳舞的小姐是谁呀？

仆　人 我不知道，先生。

柔蜜欧 哦，火把跟了她才会放出光辉，

她挂在深夜的脸上，

像黑人的耳环上[2]一只最美的宝翠。

太美了，简直不能碰，

为着人间，这太贵重。

像雪白的鸽子在乌鸦群里飞，

在女伴们当中她是这样的妩媚。

为着求福，碰碰她的手都好。

1　沪三版无“（向一仆人）”。

2　“耳环上”沪三版作“耳环”。

我曾经爱过么？没有，那是花了眼，

真美的我才见着，从今晚这一面。

悌　暴　（注视良久）听这个家伙的声音，

一定是猛泰家里的人。

喂，来，快把我的剑拿来，

这流氓居然敢戴上鬼脸，

到我们这庄严的宴会来开我们的心，

今天我[1]不杀死他，我就不是人。

凯　布　喂，怎么啦，为什么发起这么大的火？

悌　暴　舅舅，这是一个猛泰，我们的仇人，

这个混蛋，他故意到此地来羞辱我们。

凯　布　难道这是小柔蜜欧不成？

悌　暴　就是他，这个混蛋。

凯　布　算了吧，外甥，让他去。

他在这儿很规矩，

再说全城都说[2]他是懂事的孩子，很有品行，

我决不愿意在我家里对他有什么不敬。

所以你还是不要理他，多多忍耐；

这是我的意思，你听话，

就把眉头展开，

1　“我”沪三版作“若”。

2　“都说”沪三版作“说”。

露出笑脸来，

皱着眉头请客

无论如何也不应该。

悌　暴　怎么不应该，

看见了这样的祸害？

我容忍不住[1]。

凯　布　（也动了气）你得容忍！就是要容忍他。[2]

谁是家主？你吗？[3]

哼，你忍不住[4]，

难道你要在客人当中造反？

我知道你，你不闹得天翻地转，你不会心甘。

悌　暴　可是舅舅，这太丢人了。

凯　布　去，去，你这个孩子不可理喻，

这样就叫作丢人？

你这样闹下去早晚要吃大亏的。

你一定要反对我，那么现在就是时候！

——（转对客人）说得对，朋友们。——

（对悌暴）你是惯坏了的孩子，走，少胡闹，不然——

1　“容忍不住”沪三版作“受不了他”。

2　“你得容忍！就是要容忍他。”沪三版作“你得受！什么！孩子，我说你得受！”。

3　“谁是家主？你吗？”沪三版作“去，难道我不是家主？”。

4　“你忍不住”沪三版作“你受不了他”。

（转对仆人）再亮点，再亮点。

（对悌暴）别丢人，我要你安静！

（转对客人）好，尽性玩啊，朋友们！

悌　暴　一肚子暴火强压下去，气得肉都要跳，

我走，不过这样，[1]

现在看着好，日后这决非善兆。[2]

〔悌暴气愤愤下。

柔蜜欧　（已经和幽丽叶谈了一时，刚刚握过了她的手）

如果这双不洁净的粗手，

错把这圣洁的神龛[3]冒犯，

我的嘴唇是一对进香的朋友，

正红着脸等候，

等候着吻[4]手，

把我的粗莽赶走。

幽丽叶　不，进香的朋友原来用手来参拜，

你可把你的手也说得太坏；

神倒也有手能叫进香的人碰，

手贴着手就是香客们的吻。

1　此处沪三版有“现在还好，日后这决非善兆。”。

2　沪三版无此句。

3　指手。——底本注。

4　“吻”沪三版作“亲”。

柔蜜欧　神不也有嘴唇，香客也有？

幽丽叶　进香的朋友，嘴唇是用来祈祷。

柔蜜欧　哦，我的神，让嘴唇也学学握手，

答应了吧，不然，信念就化成苦恼[1]。

幽丽叶　不过神不肯动，

虽然应允一个人，

为着他的祈祷。

柔蜜欧　那么就不要动，

当着祈祷的果实

我就要得到。

这样沾上了你的唇，

我的罪过才从

我的嘴唇上洗净。（吻她）

幽丽叶　那么我的嘴唇岂不是

沾上你嘴唇上的罪过？

柔蜜欧　从我的嘴唇上沾上了"罪过"？

多么甜蜜的指摘！

那么再把"罪过"还给我。

幽丽叶　不，你还是亲《圣经》吧。

〔幽丽叶离开他们。[2]

---

1 "苦恼"沪三版作"飞鸟"。

2 沪三版无此句。

奶　妈　小姐，你母亲要找你说话。

柔蜜欧　谁是她的母亲？

奶　妈　你不知道，她的母亲就是这家的太太，

待人才好呢，又聪明，又贤慧，

跟你说话的小姐，就是我奶大的，

跟你讲吧，谁要娶了她，那才是福气呢。

柔蜜欧　她是凯布的小姐？

天哪，这一下我的命

就抓在我仇人的手心。

班浮柳　走吧，快走，这样玩得最好。

柔蜜欧　嗯，我怕更多是此后的烦恼。

凯　布　（劝客人）不要走，先生们，先不要想走，

我们还有一点点简陋的宵夜[1]。

（应客人话）啊，就这么晚了么？

那么谢谢诸位，我谢谢你们，

再见，掌灯，送客人们出门。

——来，睡去吧。啊哈，[2]

我要睡了，时间已经不早。

〔大家都陆续退场，就剩下幽丽叶和奶妈。

幽丽叶　快来，奶妈，那边那位先生是谁？

1　“宵夜”沪三版作“夜宵”。

2　沪三版此处有“（对凯布老人）”。

奶　妈　泰蒲流大人的少爷。

幽丽叶　不，我说那个正要出门的。

奶　妈　哦，他，我想那是小白珠先生。

幽丽叶　不，不，那个跟着他们出去，那个一直没有跳舞的。

奶　妈　我不知道。

幽丽叶　去，快去，问问他的名姓。

〔奶妈去问。

如果他已经结了婚，

那么我日后的归宿

就是我的坟墓。[1]

〔奶妈回来[2]。

奶　妈　他的名字叫柔蜜欧，是猛泰的少爷，你仇人家的独生子。

幽丽叶　（半晌，低声）唯一的爱恋偏偏是我唯一的世仇，

懵懵懂懂的相识，知道了已是太晚的时候。

这突然的钟情真是叫人担心，

我偏偏倾心[3]我应该恨的敌人。

奶　妈　你说什么？你说什么？

幽丽叶　一支歌，方才跟一位跳舞的先生学的。

〔内室叫“幽丽叶！幽丽叶！”

1　“那么我日后的归宿”“就是我的坟墓。”两句，沪三版作一句。

2　“回来”沪三版作“上”。

3　“倾心”沪三版作“倾爱”。

奶　妈　就来，就来！

走吧，客人们都送出门外。

〔二人下。

第二幕

〔致词人上。

致词人　如今旧情已经躺在死亡的床上，

新爱赶着跑来承继，

为着从前的美人他曾经唉叹发狂，

眼前比起温柔的幽丽叶，简直算不得美丽。

现在柔蜜欧又爱了一个人，也被那个人爱，

两个都被销魂的面貌迷醉；

这段相思啊，需要柔蜜欧在他的仇人面前告哀，

幽丽叶也是从杀人的钓钩上偷尝了爱情的甜味。

双方都是仇敌，柔蜜欧没有可能和她接近，

倾吐爱人们常说的誓言，

而她呢，一般深爱，更没有本领，

在任何地方和她的新欢相见。

然而热情付给他们勇气，时间给他们方法，

叫奇甜绝苦都调融在见面的刹那。

〔致词人下。

第一景　梵萝那，凯布花园，垣墙外一条小巷

〔柔蜜欧上。

柔蜜欧　（走到凯布花园墙侧，忐忑不止，四顾踌躇，担心后面朋友们跟来，望着花园。）

我的心明明在此地停留，我还能向前走么？

转过身来吧，失了魂的肉体，去把你的灵魂找到。

〔他爬上垣墙，跳进花园内。

〔班浮柳与墨故求追上。

班浮柳　（喊叫）柔蜜欧！柔蜜欧表弟！柔蜜欧！

墨故求　他聪明，我敢说他已经偷偷回家睡去了。

班浮柳　（指着墙）他从这边[1]跑来的，跳进了这个花园。

叫他，墨故求！

墨故求　（揶揄）不只是叫，我还得招魂。

（作势）柔蜜欧！怪物！疯子！热昏了头的！爱迷了窍的！

出来吧，像一声长叹，把你叹出来吧！

1　“从这边”沪三版作“这边”。

只要你肯哼出一句诗，我就不再叫你了，（一气说下去）
你只要喊一声“唳！天！”或者说“我的爱呀”，“我的小鸽子！”
对我那碎嘴的爱神妈妈说一句好听的话，
给她瞎了眼睛的儿子起个外号，
那小爱神，神弓手，他的箭射得这样准，
叫多情的皇帝哥菲爱上那要饭的女孩。[1]
（突停，听不着回音，对班浮柳）
他没有听见，不出声[2]，简直没有一点动静；
那猴儿大概是死了，我得招他的魂。
这次我用若瑟林的眼睛来招你的魂，
用她明亮的前额，用她红红的嘴唇，
用她纤小的双足，用她笔直的腿，
用她颤巍巍的两股，
再招引你，用那两股相近的田土！
你出来吧，显露你的真相吧！

班浮柳 如果他听见你这样开玩笑，你一定引起他的气来。

墨故求 这引不起他的气，引得起来他爱人圈圈里那一点火。
这火可来得怪，叫那个东西直挺挺！
直等到他的爱人圈够了它，才把它哄得低头。

---

1 指莎士比亚时代流行的一首歌谣中的故事。——底本注。

2 “出声”沪三版作“哼声”。

这真要费点劲！我的咒语老老实实，

我用他情人的名字招魂，也是为着唤出他的挺劲。

班浮柳 算了，他藏在这些树里面，要跟潮湿的夜晚睡在一道。

他的爱是盲目的，所以混在夜里最好。

墨故求 如果爱是盲目，爱人就射不中那箭靶。

现在他睡在那“桃”儿树下面，

想着他的情人就是一个桃，

桃儿是女儿们在一起玩笑指着什么才用的字眼，

哦，柔蜜欧，希望你的爱人是啊，

是一个开了口的桃儿，你是一个香蕉。

柔蜜欧，再见，我要到我的小床上睡，

这露天的大床太冷，我睡不了。

走吧，好不好？

班浮柳 走吧，因为不愿被[1]你找着的人

你再找也是找不着。

〔二人下。

---

1 “被”沪三版作“叫”。

第二景　凯布邸中花园

〔柔蜜欧走进。

柔蜜欧　（听见墙外墨故求的话）

没有受过创伤的，

就会嘲笑别人的伤痕。

〔幽丽叶出现在楼上的窗口。

但是静静，是什么光从那边的窗户透出来？

那是东方，幽丽叶就是太阳。

起来吧，美丽的阳光，射倒那嫉妒的月亮；

惨白的月亮都焦虑得病了，

她气你原是她的侍女，为什么比她还美？

别再陪伴着她吧，因为她嫉妒你。

她那修道的衣服都发了惨绿，

那是小丑们穿的，你就丢了[1]吧。

〔月光照见幽丽叶的脸。

1　“丢了”沪三版作“丢去”。

这是我的她，哦，是我的爱！——

哦，要她知道了多好！——

〔幽丽叶仿佛颤了一颤

她开口了，可她没有说什么。

这有什么？

她的眼在说话，我就去回答。

我太莽撞了，她不是对我说的。

天空中两颗最辉煌的星星要出门，

就请她的眼来代替他们闪耀，候着他们归来。

真的，如果她的一双眼睛悬在天空，

星星就替代她的眼睛，那会怎样？

那她脸上的明媚一定盖过星星的亮，

如同白日的光压倒了灯光，

在天上她的眼一定照耀满天的光明，

鸟儿乱叫，以为白昼已经降临。

看，她悄悄把手托着她的脸！

嗳，为什么我不是那手上的手套，

就轻轻靠着她的脸！

幽丽叶（低微）

唳，天！

柔蜜欧 她说了话，——

哦，再说一句，光明的天使！

今天夜里你是这样的辉煌，在我头上，

就像天堂里飞着的使者
跨过懒懒的白云在太空里飞，
凡人们一面惊愕，一面仰望，
睁着吃惊的眼后退。

幽丽叶　哦，柔蜜欧，柔蜜欧，你为什么是柔蜜欧？
不认你的父亲，也不要姓你的姓！
或者你不肯，你就起誓说你爱，
我可以再也不姓凯布。

柔蜜欧　（踌躇自语）
我再听一听，或者就去答应？

幽丽叶　不过是你的姓才成了我的仇人，
你是你，即便你不姓猛泰。
猛泰这两个字是什么呢？
它又不是手，不是脚，
不是胳臂，不是脸，不是你身上任何一部分。
哦，姓个别的姓吧！
姓名又算什么？我们叫作玫瑰的，
不叫它玫瑰闻着不也一样地甜么？
柔蜜欧也这样，就不叫他柔蜜欧，
还是保留着他天生的完美。
柔蜜欧，去掉你的姓吧，

不是为了那无关紧要[1]的姓，我就完全是你的。

柔蜜欧 我听你的话，只要叫我一声爱，

我就重新受了洗，从此以后再不叫柔蜜欧了。

幽丽叶 （惊恐）

是谁？在黑夜里藏着，偷听了我的话。

柔蜜欧 我不知怎么跟你说我是谁，

这名字，我的神！我自己都恨。

因为他恰巧是你的仇人，

如果能写在纸上，我一定把它撕了。

幽丽叶 这声音像酒，我的耳朵还没有喝进去一百个字，

就听得出是谁。

你不是柔蜜欧，并且又是个猛泰？

柔蜜欧 都不是，美丽的神，如果两个你都不爱。

幽丽叶 告诉我你怎么来的？你为什么？

花园的墙高，不容易过，

并且这里是死，想想你是谁，

万一我的亲族发现你在此地。

柔蜜欧 插上爱的轻轻的翅膀我就跳过了墙，

石头的围栏怎么阻得了情爱？

爱能做的，爱就敢做，

你的亲族也拦不住我。

---

1 “无关紧要”沪三版作“不关重要”。

幽丽叶　他们如果瞧见了你，他们会杀了你的。

柔蜜欧　在你眼里藏着的危险

比他们二十把刀还要厉害！

你只甜甜地看我一眼，

他们再凶我也不怕了。

幽丽叶　说什么我也不愿意他们见着你的。

柔蜜欧　黑夜隐蔽着我，他们看不见！

但如果不是你爱，就让他们在此地把我找到，

情愿我的命被他们的恨早早结束了，

总比没有你的爱又死不得的好。

幽丽叶　谁指点你找到了这个地方？

柔蜜欧　是“爱”，他先促动我去问；

他教给我主意，我借给他眼。

我不是领海的，并不认得路线，

不过你即便远，远在天外的海边，

为着这样的珍宝，我还怕什么危险？

幽丽叶　你知道黑夜的面罩，遮住了我，

不然，知道你听见我方才说的话，

女儿的羞赧早红了我的脸。

我真愿意守着礼法，愿意，愿意，

愿意把方才的话整个地否认。

但是不谈了，这些面子话！

你爱我不？我知道你会说爱，

并且我也相信；不过你要是再赌誓，
说不定你就会假。
情人们负心，他们说神都笑的。
哦，温良的柔蜜欧，如果你真爱，
你就诚诚恳恳地说，
或者你觉得我太容易得，
我就会皱眉，装乖，对你说“不”，
好叫你求我，不然，说什么也不。
老实说，好看的猛泰，我是太爱了，
所以你也许会想我的行为轻佻，
但是相信我，先生，我真的比那些人忠实，
比那些有本领，会装得冷冷的。
我应该冷冷的，我知道，但是我还没有觉得，
你已经听见了我心里的真话，
所以原谅我，千万不要以为这样容易相好是我的轻狂，
那是夜晚，一个人，才说出的呀。

柔蜜欧 小姐，我拿那幸福的月光起誓，
那照满了果园的树尖银色的月——

幽丽叶 哦，起誓可不要拿月亮，那没有常性的月亮，
在三十天里都变上几回圆缺，
免得你的爱也会一样地无常[1]。

---

1 “无常”沪三版作“不常”。

柔蜜欧　那么拿什么起誓呢？

幽丽叶　就不要起誓吧，

可如果你不肯，你就拿你优美的自身，

那是我所崇拜的上帝，我就相信你。

柔蜜欧　如果我心上的爱——

幽丽叶　不，不，还是不要赌誓，虽然我欢喜你，

我可不欢喜今夜这样的盟誓。

这太快，太急[1]，太没有想，

太像天空中的闪电，

还没有等人说完："看，这闪！"

闪已经过去了。甜，再见吧！

在夏天的风里万物都暗暗地滋长，

这枝爱的嫩芽等我们再次相见，

就会发出一朵美丽的花。

再见，再见，我心里满是甜蜜的安息，

我想它也会来在[2]你的心里。

柔蜜欧　就让我这样不满足地走么？

幽丽叶　你还要怎么满足呢？

柔蜜欧　把你的盟誓换了我的。

幽丽叶　没有等你要，我已经给过你了。

1　"太急"沪三版作"太促"。

2　"来在"沪三版作"送在"。

可是如果能再给，我还是情愿。

柔蜜欧 你会不会有一天收回？如果会，为什么？

幽丽叶 那就为了再多多地给！

我的恩情像海那样无边，

爱也像海那样深：我给得越多，

自己越有，因为两样都是取不尽的。

〔奶妈在内叫。

我听见有人叫，我的爱，再见！

（向内[1]）就来了，好奶妈！——

（对柔蜜欧）可爱的猛泰，真心哪！你等一下，我就来。

〔下场。

柔蜜欧 （沉醉）

哦，幸福，幸福的夜晚！我怕，

因为是夜晚，一切都是个梦，

太顺意，太甜蜜，不像是真的了。

〔幽丽叶又忙忙走出凉台上。

幽丽叶 只两句话，柔蜜欧，那就真的再见了。

如果你的爱是可靠的，

你的心思是结婚，明天就给我一个信，

我会叫一个人去找你，你告诉我，

什么地方，什么时候，婚礼可以举行。

---

1 “向内”沪三版作“朝内”。

我就把一切都交给了你，

随着你，我的主人，要到哪里，就到哪里。

奶　妈　（在内）

小姐！

幽丽叶　（回头）

我就来啦！（转对柔蜜欧）——

不过你若存心不是这样，我就求你，——

奶　妈　（又喊）

小姐！

幽丽叶　（回头）

等一下，就来！

（对柔蜜欧，低缓）不要再来找我，

让我一个人去苦！

明天我派人来。

柔蜜欧　从此我走上幸福的路。

幽丽叶　（目光依恋）

再见，再见，一千次再见。

〔幽丽叶下。

柔蜜欧　一千倍地心酸，看不见你的面。

（自语）

爱去找爱，就像逃学的孩子躲开书房，

两个分开，好比[1]垂头丧气赶回到学堂。

〔幽丽叶又出现在凉台上。

幽丽叶　（急促，低声地叫）

嘿！柔蜜欧！嘿！——

哦，哪里有一个调鹰的婉转的喉咙

把这只[2]小鹰儿叫着引回来！

四周的空气多么压人哪！

逼得人哑了声音，不敢高声喊，

不然，我会连声叫着我的柔蜜欧，

叫远远的“回声”也累得比我还粗哑。

柔蜜欧　（行了两步，听见呼声）

这一定是我的魂在叫我的名字啊！

多么清甜是爱人在夜里铃样的声音，

像最温柔的音乐送到留神细听的耳朵里。

幽丽叶　柔蜜欧！

柔蜜欧　我的爱？

幽丽叶　明天几点钟我派人来找你？

柔蜜欧　九点钟吧。

幽丽叶　我一定，可是挨到那个时候就有二十年哪，

（半晌，轻叹）

1　“好比”沪三版作“那是”。

2　“这只”沪三版作“这个”。

我都忘记了我为什么叫你转来。

柔蜜欧 那么让我站在这儿等你，

等你慢慢地想起。

幽丽叶 那我就老想不起来，

好叫你老站在这儿，

只想着我多么喜欢你在我面前。

柔蜜欧 那我就老不走，好叫你老忘，

忘记了一切，除了此地，我们的家。

幽丽叶 天快亮了，我是要你走。

可没有去多远，就像调皮的女孩

用线拴着鸟儿的脚，

还没有等鸟儿离开手跳了两步，

真是可怜的囚犯戴上脚镣！

她又把丝线一扯，把鸟儿又拉转，

真的，爱得这样厚。

简直嫉妒[1]他有自由。

柔蜜欧 我希望我是你的鸟。

幽丽叶 我也愿意我是你的。

但是如果再这样缠绵，我会害了你。

明天，明天，离别是这样甜蜜的忧愁，

我们也只好暂时分一分手。

---

1 “嫉妒”沪三版作“妒嫉”。

〔幽丽叶下。

柔蜜欧　睡意留在你的眼里，

平静停在你的心底，

我愿就是那“平静”和“睡意”，

得到这样甜美的地方去安息。

现在我就去找神父的圣堂，

告诉他我的遭遇，也求他帮忙。

〔柔蜜欧下。

第三景　劳莲思长老苦修的密室

〔劳莲思长老拿着一筐草药上。

劳莲思长老　清晨的光像灰色的眼

微笑地对着皱眉的夜晚，

他把东边的云映出一片片的亮，

黑暗才像糊涂的醉汉歪歪倒倒，

从白昼的大道上逃跑。

现在趁太阳还没有睁开烈火似的眼，

晒干昨夜的露水来迎接白天，

我先把毒草香花用柳篮装得满满。

大地生长万物，却也是万物的坟墓，

他把万物埋葬了，又来生长万物，

像婴孩从母胎里生降有各种各样，

在自然的怀抱中就酝酿出万类万相。

无论什么都各有妙用，而又各自不同，

在草木药石的真性中藏着天恩无穷。

因为世上没有一样东西是真坏，

用对了总会有些好，

再好的东西也会败，

如果背谬天生的功效。

善能变恶，因为应用失了正当，

措置得体，恶也会庄严辉煌。

莫看这小小的花朵，

毒性和药力都藏在她的嫩萼。

因为闻见她的香，你会通身愉快，

吃了她，五官心脏就会失去感觉。

这草性中两个敌对的君王，

到了人的心里就叫作“仁慈”和“横强”：

哪一时，那坏的像毒虫在心里生长，

哪一时，生命就会灭亡。

〔柔蜜欧上。

柔蜜欧　您早上好，神父。

劳莲思长老　是谁的声音这么愉快，这样早就来问好？

年轻的孩子，这时起了床，

多半是心中有了烦扰。

老年人的眼总被忧虑熬煎，

忧虑来了就逼走了睡眠。

不知愁的孩子心里从不装事，

黄金的酣睡[1]就轻轻地爬上四肢。
所以我相信你来得真早
是为在床上耐不住烦恼。
不然我这次猜得一定对，
一夜到现在你还没有睡。

柔蜜欧　您末一句猜得实在对，
可这比睡眠更香甜。

劳莲思长老　天，上帝饶恕你的罪，
难道你跟若瑟林偷偷见了面？

柔蜜欧　神父，若瑟林这名字我早已忘记，
我也把那痛苦一同抛弃。

劳莲思长老　那么，好孩子，你究竟到了哪里？

柔蜜欧　我来跟您讲，不用等您再提。
昨天夜晚我到仇人家中赴宴，
在那里我的心突然中了暗箭！
可那人也被我射着，要把二人治好，
就靠您的医治跟您的神药。
然而实在说我对她一点也不恨，
因为您看，我也是为她来求您施恩[2]。

---

1 “酣睡”沪三版作“好睡”。

2 “求您施恩”沪三版作“求您的恩”。

劳莲思长老　清楚点，我的孩子，说话不要绕弯[1]，

猜谜似的忏悔只有不着边际的赦免。

柔蜜欧　那就老老实实说，现在我满心

爱着凯布的美丽的小姐，

我如何爱她，她也同样地爱我。

心同心已经相合，就差您

用神圣的婚姻来结成一个。

至于什么地方，什么时候，又如何的相见，

见着了，我和她又如何地交换了誓言，

这些让我们一面走我一面对您谈，

只求您给我们结婚，就在今天。

劳莲思长老　上帝，这变化是多么大！[2]

以前[3]你爱若瑟林那样深，

现在就这样快地抛掉，

原来年轻人的爱不在真心，还在面貌。

为了若瑟林，这苍白的脸上流了多少眼泪，

如今这爱情无味，却当初多少咸水为它浪费。

日光还没有扫尽你叹息的乌云，——

你的唉声依然留连在我灰白的耳鬓。

---

1 “绕弯”沪三版作“绕圈”。

2 “这变化是多么大！”沪三版作“这是多么大的变化！”。

3 “以前”沪三版作“多早”。

看，这不是一颗眼泪的旧痕？

在你脸上[1]留着，还没有洗净。

如果过去那个人是你，那痛苦[2]也是你的感情，

想想吧，你和你那痛苦不是为着若瑟林？

好，你果真变了，我有一句格言你且听了[3]：

“如果男人不能倚靠，女人也就会歪倒。”

柔蜜欧 您平时常常责备我爱若瑟林。

劳莲思长老 我责备你疯癫，并不责备你爱恋。

柔蜜欧 您又吩咐我把这爱情埋葬。

劳莲思长老 但不是把一个送进了坟墓，

又把另一个挖出来[4]。

柔蜜欧 求您别责备我吧，现在我所爱的，

她能拿恩情报恩情，爱换爱。

但是过去的人可不。

劳莲思长老 哦，那是因为她看得清楚，

你的爱情就是那么一套，

什么是深情[5]你也并不知道。

---

1 “脸上”沪三版作“面上”。

2 “痛苦”沪三版作“苦痛”。

3 “你且听了”沪三版作“叫你明了”。

4 “挖出来”沪三版作“挖出”。

5 “深情”沪三版作“情深”。

不过，来，好变的孩子，走吧，跟我一同，

为着一个原故我也要帮你们成功！

因为说不定这联合会生出幸福的善果，

我把两家的深仇化成一片爱情的欢乐。

柔蜜欧 那么快去吧我们，我心里是真忙。

劳莲思长老 孩子，聪明的不急不慌，

跌倒了总因为东冲西撞。

〔二人同下。

第四景　梵萝那街上

〔班浮柳同墨故求上场。

墨故求　真见了鬼！这个柔蜜欧跑到哪里去了？

班浮柳　（笑着）

反正是没有回他父亲的家，我问了他的下人。

墨故求　哼，还不是若瑟林，白惨惨的脸，那个狠心的丫头，把他治得苦；我看他早晚就要发疯。

班浮柳　凯布的外甥悌暴，

写了一封给送到他父亲家里。

墨故求　那一定是挑战书喽。

班浮柳　你看柔蜜欧准会说话。

墨故求　咦，有嘴的人怎么不说话？

班浮柳　不，我说他会找悌暴说话，谁要惹了他，他也不会饶。

墨故求　（嘲弄）算了吧，可怜的柔蜜欧，他已经死了，叫那白脸丫头的黑眼睛刺死了，叫情歌的声音醉死了，连他的心尖都被那瞎眼的爱神射成两半，你看他还抵得住悌暴么？

班浮柳　喂，可是悌暴是什么样子的人？

墨故求　（胡扯，夸张）我告诉你，比书本里“猫太子”[1]还要厉害。哦，他可是个有胆子的内行人，他斗起剑像你看着谱唱歌那么容易，快慢，远近，尺寸[2]一点都不会错，他简直不怎么停，就听他，喊着一，二，到了第三下就一剑刺穿你的胸膛。才准呢，连你身上的铜扣子，他都可以刺得稀烂。斗剑的好手，好手，有传授！世家的子弟，知道什么时候动手才体面，才大方。啊，真比不了！（做刺状）向前那一刺，回身那一手！那一剑穿心在最后！

班浮柳　那什么？

墨故求　嗯，“一剑穿心”，他就是那些口齿不清，装模作样的怪物的对头。（鄙薄）这些自作聪明，咬着舌头学外国人说话的东西。哎呀，耶稣啊，好快的刀啊，多么高的人哪！好漂亮的姑娘啊！天，我的老大哥，这叫什么世界哟，到处都是这些怪物苍蝇，赶都赶不走，学时髦，说外国话，穿外国人的衣服，连自己家的板凳都不会坐。哦，你听听那股子上等劲儿，一见人就Bon！ Bonjour！ Bon！[3]

〔柔蜜欧上。

班浮柳　来了，柔蜜欧来了，柔蜜欧来了。

墨故求　（瞥见，忍不住对他嘻笑）只有公，没有母，柔蜜欧一个人

1　悌暴是寓言故事《列那狐》（*Reynard the Fox*）中一只猫的名字。——底本注。

2　“尺寸”沪三版作“比例”。

3　法语“好！今天好！好！”——底本注。

就像一条晒干了的咸鱼。哦，心肝哪，肉啊！你怎么干巴巴地变成一条咸鱼了呢！你看他现在要作诗了，比起他的若瑟林，大诗人彼得拉克[1]的爱人简直是厨房[2]的丫头，（俏皮）固然彼得拉克的诗要比柔蜜欧作得好一点点。有了他的若瑟林，多情的黛陀[3]不过是烂货，埃及的女王[4]是黑脸婆，希腊的美人[5]是一群做生意的臭姑娘，要问那天仙似的赛施[6]是灰眼珠还是黑眼珠，那就更提不上了[7]！——柔蜜欧先生，Bonjour！说一句外国话，跟一位穿外国裤子的人敬礼。好啊，昨天晚上你跟我们开心开得好啊！

柔蜜欧 你们两位好，昨天晚上我开了你们什么心？

墨故求 开，开，开了一个小差，溜了，难道你自己不明白？

柔蜜欧 原谅原谅，墨故求，那时候我实在紧急。在我那种情形之下也只好顾不得[8]礼节。

墨故求 那就是说在你那种情形下应该弯腰鞠躬。

---

1 彼得拉克（Petrarch 1304—1374年），意大利文艺复兴时期大诗人；他的诗很多是歌咏他的爱人萝拉（Laura）的。——底本注。

2 “厨房”沪三版作“灶房”。

3 黛陀（Dido），传说中古代迦泰基女王。——底本注。

4 指公元前一世纪埃及女王克莉奥佩屈拉（Cleopatra）。——底本注。

5 指传说中希腊的美人海伦（Helen）和希罗（Hero）。——底本注。

6 赛施（Thisbe）是古代恋爱故事《匹拉默斯（Pyramus）与赛施》中的女主角。——底本注。

7 “提不上了”沪三版作“不须提起”。

8 “顾不得”沪三版作“对不起”。

柔蜜欧　你意思说该赔礼，对不起。

墨故求　您猜个正对。

柔蜜欧　（开始讽刺）

你的答话最彬彬有礼。

墨故求　我是礼貌的花尖挑出来的。

柔蜜欧　挑出来的花！

墨故求　是的。

柔蜜欧　那你看我脚下鞋子上的花不也是挑出来的？

墨故求　这玩笑说得好。跟我来，说下去，说到那天你鞋子都穿破，就单单剩下个鞋底，这笑话也就秃头秃脑，没底没帮成了一个傻子光蛋。

柔蜜欧　（惹起兴会）啊[1]，光蛋笑话，傻子笑话，等你的笑话也成了光蛋，你就是没头没脑的傻笑话。

墨故求　快来吧，班浮柳，快来救命，我这点聪明要跑完了。

柔蜜欧　来，再加上几鞭子，再加上几鞭子，不然，就是我赢了。

墨故求　如果我们比机灵像跑马，跑在前面的，后面的只有死赶，那我就完了蛋。你的聪明是跑野马，我就五官并用也是追不上。咦！我跟你一块儿野过没有？

柔蜜欧　（更高兴）你要不是去野去，你会找到我么？

墨故求　说得妙，为这句话，我恨不得咬你一口。

柔蜜欧　马儿呀，乖乖的，好马不咬人喽。

1　“啊”沪三版作“啊呀”。

墨故求 这快嘴又甜又辣，倒是做菜的好作料。

柔蜜欧 这作料合你的口味吧？

墨故求 这点俏皮，越扯越长，越拉越多。

柔蜜欧 （紧接）越长越大，我看大笑话肚里快生下小笑话了。

墨故求 （兴奋）你看看，这不比为着爱情哭丧着脸要好得多么？现在你好说话了，现在你像柔蜜欧了，现在无论说脾气，说聪明，你才真正是你了。我跟你说，这愚蠢的爱情[1]就像一个小丑，跑来跳上跳下，只会把他那根棍插在洞洞里。

班浮柳 够了，够了，到此为止。

墨故求 你叫我只把话说一半？硬要我违背本性？

班浮柳 我如让你说下去，你会越说越粗。

墨故求 哦，这一下你弄错了，我本来就不预备多说了，我已经说完了我的话，不预备再占你们的工夫了。

柔蜜欧 这你倒知趣。

〔奶妈和比得上。

墨故求 （一眼望见奶妈，庞大的块头）船来了，船来了！

班浮柳 （渐渐也染上了墨的兴会）两个，一个有胡子的，一个没胡子的。

奶　妈 比得！

比　得 什么？

奶　妈 我的扇子，比得。

---

1 “这愚蠢的爱情”沪三版作“这‘爱情’像着两条青鼻涕，”。

墨故求　对，好孩子，让她遮住[1]她的脸，拿扇子跟脸比，还是扇子好看点。

奶　妈　您早晨好啊，先生。

墨故求　（嘲弄）您中午好啊，太太，漂亮的太太。

奶　妈　都中午啦？

墨故求　可不是，（粗野）我那长针正指着十二点。

奶　妈　（懂得他的玩笑，勃然）去你的，什么人哪你是！

柔蜜欧　上帝造了他，上帝都觉得奇怪。

奶　妈　（大笑）这句话可说得人称心。先生们，你们哪一位知道年轻的柔蜜欧在哪儿啊？

柔蜜欧　（见[2]她这样不得门径地乱问）我可以告诉你，不过柔蜜欧等你找到了的时候，也就老多了。同姓同名的人可多，怕你找着一个更坏的，我倒是你找的——那个顶年轻的柔蜜欧。

奶　妈　你说得好。

墨故求　（玩笑）啊，连这个顶坏的家伙（指柔蜜欧）你都觉得好，不错，有道理，有道理。

奶　妈　先生，您要真的是他，我就想跟您开个会。

班浮柳　（也活泼起来，见[3]奶妈滥用名词，不觉顺嘴挖苦她）那么晚上一定抓他吃腊味。

---

1 “遮住”沪三版作“盖上”。

2 “见”沪三版作“看”。

3 “见”沪三版作“看”。

墨故求　一个拉皮条的，拉皮条的！（忽然）哦嘿[1]，来了，来了。

柔蜜欧　来了什么？

墨故求　（挤挤眼）不是兔姑娘，是个兔婆婆！这是做斋用的母兔子，走了味的，上了霉的。（唱起来）

一个上了霉的兔婆婆！
一个上了霉的兔婆婆！
做斋吃她算不错。
可是上了霉的兔婆婆！
实在没有法吃得多，
我如何把她来消磨？
我如何把她来消磨？

柔蜜欧，你回家去么？我们到你那儿吃饭。

柔蜜欧　好，我就来。

墨故求　（手一举）再见，老姑娘，再见。（唱）

姑娘，姑娘，姑娘，
你心好，人好，漂亮，
姑娘，姑娘，姑娘——

---

1 “哦嘿”沪三版作“哦喝”。

〔墨故求与班浮柳欢愉地唱着下场。

奶　妈　（烦恶）嘿[1]，可走了，我问你，先生，这个坏东西是谁呀？这么没规没矩的。

柔蜜欧　奶妈，这是一个专门好听自己说话的人，他在一分钟说的话比他在一个月听的话还多。

奶　妈　（人走了，有了胆子）他要说了我什么话，我就给他下不来台，就是比他再凶的，十个这样的，我也不在乎。我要办不了他，我找人治他。这个不要脸的，我可不是那些下三滥，没羞没臊的。（反身对比得）你在旁边管都不管，让这些混蛋爱把我怎么样，就怎么样。

比　得　（翻翻眼）咦，我并没有看见人爱把你怎么样，就怎么样。要真看见了，我的家伙早拿出来了。我掏家伙跟别人一样快，只要我看着打得对，我们占着理。

奶　妈　天哪，我真气急了，气得浑身发抖，真是混蛋。——先生，我们说一句话，我方才说过，我的小姐叫我来问你，她叫我说什么，我留着等会儿讲。我先跟你说，你要就是会灌米汤，尽说她好看，没有一点真个的，那可是没有良心。我们小姐年轻，百事不懂，你要是尽拿张嘴骗她，那可是小人做的事。

柔蜜欧　（热诚）奶妈，请你替我对你们小姐说。我敢讲——

奶　妈　（立刻满心感动）哎呀，好人哪，你太好了，我就这么告诉小姐。天哪，天哪，这一下她可是世上最快活的人哪！

1　“嘿”沪三版作“喝”。

柔蜜欧　你对她说什么呢？奶妈，你听都没听我说呢[1]。

奶　妈　先生，我对她说你敢讲，——敢讲的，一定是好话，君子人要办的事情。

柔蜜欧　你叫她设法

在今天下午出门做忏悔，

就在劳莲思神父的圣堂[2]里，

我们做了忏悔偷偷地就结婚[3]。

（拿出钱袋）

这一点点酬劳你的辛苦。

奶　妈　（手伸出来）不，真的，先生，一个钱也不能要。

柔蜜欧　算了，我要你收下。

〔奶妈早就收下了。

奶　妈　（收着钱）今天下午，是吗？好，她一定到。

柔蜜欧　等等，好奶妈，在教堂墙后，

一点钟内我派一个下人来等你。

带给你一条绳子做的软梯，

到了黑黑的夜晚请你拴好，

把我带到快乐的顶。

再见，口紧一些，我会酬劳你。

1　“说呢”沪三版作“说吗”。

2　“圣堂”沪三版作“神圣”。

3　“就结婚”沪三版作“结了婚”。

再见，问你的小姐好。

奶　妈　上帝保佑你，（忽然）有一句话，先生。

柔蜜欧　什么，我的好奶妈。

奶　妈　你的人靠得住吗？你没听说过，

“二人守秘密，添一个就漏了气？”

柔蜜欧　不要紧，我那下人像钢一样地靠得住。

奶　妈　（没话讲）哦，先生，我的小姐是个最温良的小姐——（又想起从前的时候）天，多快，不点大的时候，一张嘴巴巴地才能说呢——哦，城里有个贵族，叫霸礼，就看上我们小姐，要娶她，可是她就像瞧见了癞蛤蟆，望都不望他。好，我几次，我说还是霸礼合适点，她就气了，气得脸白得像什么似的。喂，柔蜜欧跟结婚用的柔玛丽花是不是用一个样的字母起头？

柔蜜欧　是啊，奶妈，这——怎么？两个字都用R起头。

奶　妈　你真会开玩笑，那么这都是狗的名字啦，你听——R——儿，（打嘟噜）这不像狗叫？不，我知道一定用别的字母起头的。我们小姐把你呀跟柔玛丽花连上，还有一句什么诗，我说都说不上来，你一听就会高兴的。

柔蜜欧　好，多多问候你的小姐。

奶　妈　一定，一定，一千遍，一万遍，比得！

比　得　这儿啦！

奶　妈　领路，赶快走。

〔大家同下。

第五景　梵萝那，凯布的花园

〔幽丽叶上。

幽丽叶　（翘盼）

钟刚刚打了九点我就叫奶妈去找，
她答应我半点钟之内就赶着回来。
也许她没有找到[1]，不过那不会。
哦，她真是个瘸子啊！爱人的信差应该是思想，
那比日光赶着阴影溜下山坡还要快上十倍。
所以爱神的飞车是灵巧的鸽子在天上拉，
所以爱神就有比风还快的翅膀。
在这一天的路程中现在太阳已经走到最高的顶峰，
从九到十二已经是三个长长的钟点，——
然而，不见她回来。

1　“没有找到”沪三版作“碰他不见”。

只要她有一丝丝年青人的血气或者情感，[1]

她就会奔得快，像一个圆圆的球；[2]

我一句话就把她扔到我的爱那里，[3]

他一句话又把她扔到我这里。[4]

但是老人们哪！故意要装得半死了一样，

慢，重，推不动，灰溜溜[5]的像铅铁。——

（瞥见，急起）天，她来了。

〔奶妈与比得上。

哦，好奶妈，好奶妈，怎么样？

你看见他了么？先把这个人支开。

奶　妈　比得，在门口站着去。

〔比得下。

幽丽叶　（兴奋）好了，我的甜甜的奶妈，——

（看着奶妈的神色）天哪，你的样子为什么难看？

如果消息是不幸的，你还是该快快活活地说；

要是好的，这样好听的音乐，

你怎么忍心对我先哭丧着脸？

---

1 “只要她有一丝丝年青人的血气或者情感，”沪三版作“如果她有一丝年青人的热烈或者情感，”。

2 “她就会奔得快，像一个圆圆的球；”沪三版作“她会快得像圆球在转。”。

3 “我一句话就把她扔到我的爱那里，”沪三版作“我的话会把她转到我的爱，”。

4 “他一句话又把她扔到我这里。”沪三版作“我的爱的话又把她转到我。”。

5 “灰溜溜”沪三版作“惨灰灰”。

奶　妈　（一直在腰酸腿痛）

我累了，你先让我歇歇。

哟！我的骨头多痛，我走了多少路。

幽丽叶　（耐不住）

奶妈呀[1]，我恨不得把我的骨头换给了你，

你换给我你带来的消息。

得了，我求你快快地讲，好奶妈，快说吧。

奶　妈　（沉稳）

奇怪，为什么忙，你难道不能等等？

你难道没有瞧见我跑得都快没有气？

幽丽叶　（哭笑不能）

你怎么能说你没有气，

当你还有气说你没有气。

你找出个理由来耽误时候，

比你说了要用的时候还要多。

究竟那消息是好，是坏，你先告诉我。

好坏说一句，我就再等着听个仔细。

你先对我讲明白，是好，是坏。

奶　妈　先对你讲吧，你可没有好眼力，你就不懂怎么样挑男人！

（卖弄）柔蜜欧，他呀，他可不成。虽说他的脸可长得比别人好，他那一双腿才算出色。要说那手，那脚，那身子骨，

1　“奶妈呀”沪三版作“妈呀”。

固然是这都无须谈，可也是真不错，比不得。礼貌，文雅，
他可说不上，可是脾气好，我敢讲，简直像个小羊。去吧，
丫头，好好地侍候上帝，没有错。（忽然没头没脑地来一句）
怎么，你吃了饭没有？

幽丽叶　没有，没有，不过这些我都晓得。
他对那婚事怎么说，他是怎么说的？

奶　妈　上帝呀，我的头好痛，这头简直不是我的了。（手抚前额）
快要碎成二十瓣了，
哎呀，这面，（一手抚背）我的背，——我的背，我的背，
你多没有心哪，叫我去跑，
跑上跑下，我人都要跑死了。

幽丽叶　真，真对不起你，把你累病了。
好，好，好奶妈，告诉我，我的爱，他究竟怎么说的？

奶　妈　你的爱说得倒像个有身份的君子人，漂亮，和气，有礼貌，
并且我敢讲他很有德性——，
（忽然）咦，你的母亲到哪儿去啦？

幽丽叶　我的母亲？她在屋里；
她会到哪儿去呀？你回答得怪！
"你的爱说得倒像个有身份的君子人，——
你母亲到哪儿去啦？"

奶　妈　哦，天哪，我的乖！
你就这么急？来吧，你就发脾气吧。
我的骨头都为你跑痛了，

你就给我这一服止痛的药啊。

好了，以后要送消息你自己去吧。

幽丽叶 你看，你看，又扯上这么一大堆话。说吧，柔蜜欧说了什么？

奶　妈 （忽然）

喂，答应你[1]出门找神父做忏悔么？

幽丽叶 嗯，答应了。[2]

奶　妈 那就去吧[3]，去吧，快到神父那儿去吧，

那儿新郎官等着你来做新娘子呢。

你看，轻狂的血就向小脸上冲，

听见一点点儿消息，脸儿就红。

你先到教堂，我还得把软梯靠好了墙，

一到天黑，你的爱就可以爬进爱鸟儿的窠房。

咳，我总是吃苦，为着你的快乐跑路，

不过快了，今天晚上你也有一个很重的担负。

去吧，我先吃饭，你快去找你的神父。

幽丽叶 再见，最好的奶妈，我走上了幸福的前途。

〔同下。

---

1 “喂，答应你”沪三版作“太太许你”。

2 此句沪三版作“嗯。”。

3 “那就去吧”沪三版作“去吧”。

第六景　梵萝那，劳莲思长老苦修的密室

〔劳莲思长老与柔蜜欧上。

劳莲思长老　上天[1]会欢喜这次神圣的婚礼，

日后不会降下忧愁来责罚我们。

柔蜜欧　（接下去）

阿门，阿门！不过忧愁也罢，再多的忧愁也不能抵

我在她面前一分钟所得到的快乐。

求您用神力把我们撮合在一起，

死再猖狂，也不怕他来，

我够满足了，只要我能说她是我的。

劳莲思长老　狂暴的欢爱也会有狂暴的结束，

像炸药抱着火，在狂热的胜利中，

生命也就结果。

最甜的蜜时常甜得腻烦[2]，

1 “上天”沪三版作“天”。

2 “腻烦”沪三版作“厌烦”。

过甜的味道就把口味败坏。

所以爱得要平和[1]，才能爱得长远，

太快同太慢是同样地迟缓。

〔幽丽叶上。

小姐来了，哦，这样轻巧的脚步[2]

再也磨不烂[3]地上的砖石。

爱人这样轻，

踩着夏天空中飘荡的游丝，

也落不下来。

这样轻是尘世间的一切，

虚渺无凭。

幽丽叶　神父，您老人家好。

劳莲思长老　孩子，谢谢，柔蜜欧要替我和他自己一同谢谢你。[4]

幽丽叶　我心里也问了他的好，不然他再谢我就谢得太多了。

柔蜜欧　啊，幽丽叶，如果你的欢喜和我一样[5]多，

你比我更会把欢喜描画，[6]

---

1 “平和”沪三版作“和平”。

2 “脚步”沪三版作“步子”。

3 “磨不烂”沪三版作“磨不坏”。

4 “要替我和他自己一同谢谢你。”沪三版作“会替他替我一同谢谢你的。”。

5 此处沪三版有“堆的”。

6 “会把欢喜描画，”沪三版作“能把欢喜描画出来，”。

那么你张张口，四周的空气也就芬芳，[1]

你就吐出美妙的音乐[2]，

讲一讲[3]，因为这次见面，

我们日后幸福的想象[4]。

幽丽叶　可想的幸福如果用字都表示不尽的，

就该夸一夸那内容，不必再提那浮面。

能算清自己的价值的究竟还是穷人，

我的情爱已经满到无边[5]，

就一半我的财富我都无从去算[6]。

劳莲思长老　走，跟我去，我们就简简单单地行礼；

因为现在，听我说，[7]你们还不能在一处，

除非神圣的教堂把你们送到一路。

〔三人下。

---

1 “那么你张张口，四周的空气也就芬芳，”沪三版作“那么你就吹一口气把四周的空气也变成香甜。”。

2 “你就吐出美妙的音乐”沪三版作“让你的舌头像美满的音乐”。

3 “讲一讲”沪三版作“说一说”。

4 “我们日后幸福的想象。”沪三版作“我们想象日后能得的幸福。”。

5 “我的情爱已经满到无边”沪三版作“不过我的情爱已经长到无穷”。

6 “无从去算”沪三版作“算不清”。

7 “听我说”沪三版作“对不起”。

第三幕

第一景　梵萝那，公共场所

〔墨故求，班浮柳，小厮和仆人上。

班浮柳　求求你，墨故求，我们回去吧！

天气这样热，凯布的人又在街上逛。

碰着了面，这场架又逃不了；

因为天气热，人的火性就大，容易动起手的。

墨故求　你呀，就像那种人！（又分析起别人）一进了酒店先把剑[1]往桌上一拍，说“现在可用不着你了”。可还没有喝完了第二杯酒，酒性一发，就先跟酒店伙计[2]打起来，什么事也不为。

班浮柳　（望着他，微笑）我[3]像这样的人？

墨故求　你就会动肝火，跟全意大利任何傻瓜一样。很容易叫人惹得不高兴，一不高兴也很容易叫人惹上肝火闹出事。

班浮柳　闹出什么事？

1　“剑”沪三版作“刀”。

2　“伙计”沪三版作“堂倌”。

3　“我”沪三版作“是我”。

墨故求　哼，两个像你这样的人碰了面，一会儿都会见阎王，准是一个把一个宰了。（说得高兴）哼，你呀，你找人打架就因为人家的胡子不是比你的多一根就是少一根。你跟人打起来，就为着人家剥栗子，你眼珠子的颜色跟栗子一样，（指着）要不是你这种眼怎么会挑出这种错来呢？尽管你的脑袋叫人打得成烂鸡蛋，你还是见人就吵架。人家在大街上咳嗽，你跟人纠起来，因为你的狗在太阳下面睡觉被他一咳咳醒了。真的，你不是有一次跟一个裁缝打起来，就因为他没到过节就把新衣服穿上，你还跟一个人揍起来，因为他穿了新鞋还系着旧鞋带，你却看着不顺眼？就你，你还教训我不要打架！

班浮柳　（晓得他在胡扯，微笑望他）如果我像你那么样好打架，我早就叫人弄死了。

墨故求　自然喽！傻瓜嘿！

班浮柳　天哪，凯布的人来了。

墨故求　（嘲讽）地呀，我可不在乎。

〔悌暴与跟随人上。

悌　暴　（对身后的人们）喂，跟紧点，我要找他们说话。

（对墨故求和班浮柳）先生们，好啊，我要找你们一位说句话。

墨故求　就跟我们一位说一句话？（挑弄）再加上一点好不好？一句话再饶一拳。

悌　暴　（点头）那倒容易，只要你惹了我。

墨故求　不用我惹你，难道你就不能来惹我？

悌　暴　（严重）墨故求，你跟柔蜜欧总是一唱一和——

墨故求　（找着了争端）一唱一和，什么，你把我们当作唱曲子的么？你要把我们看成卖唱的，我就露两手武的给你瞧。这就是我拉琴的弓子；我要你跟着这弓子跳。哼，一唱一和！

班浮柳　（息事宁人）喂，此地是大家来往的街道！

找一个僻静的地方冷静[1]地谈，

要不分开就算，你看多少眼睛瞧着我们。

墨故求　眼睛原来为着看，让他们瞧好了，

我是不能为着别人高兴动一动，嗯，（瞪眼）我！[2]

〔柔蜜欧上。

悌　暴　（瞥见，回头对墨故求）

先生，我们两个打不上架，我的人来了。

墨故求　（还不罢休，知道他指柔蜜欧[3]）

你的人？他没穿你的衣服，你的人？

你要讲打，他会侍候你，

那么，大爷，你才可以叫他是“你的人”。

悌　暴　（不理他，对柔蜜欧）

---

1 “冷静”沪三版作“冷冷”。

2 “我！”沪三版作“就我！”。

3 “还不罢休，知道他指柔蜜欧”沪三版作“还是不休，晓得他指柔蜜欧”。

柔蜜欧，我没有再好的名字来叫你[1]，——你是个流氓。

柔蜜欧　悌暴，你这样称呼我，我真会动怒的！

不过我必须受你，有个[2]理由叫我发不得脾气。

我不是流氓；所以再见；你是不认识我。

悌　暴　小子，你再说得好听，我还是忘不了

你对我的损害，来吧，拔出剑来杀！

柔蜜欧　我再三声明我决没有损害过你，

我爱你，我爱得你想也想不明白，

这理由以后你会知道。

所以，好凯布，这个姓我觉得比自己的姓还亲，

你就别打了。

墨故求　（大怒）

哦，这种冷静，无耻，下流的屈服！

来，让剑来替我说话。

（拔出剑）

悌暴，你这猫崽子，你还不动？

悌　暴　（不知道为什么[3]他反而发怒）你要跟我怎么样？

墨故求　猫崽子，人说猫有九条命，我先宰你一条，剩下八条，你怎么来，我再怎么狠狠地收拾你。把剑抽出来，紧紧拿着

1　“名字来叫你”沪三版作“名词来称你”。

2　“有个”沪三版作“这”。

3　“不知道为什么”沪三版作“不晓得为何”。

剑把，快快，小心我的剑就刺穿了你的嘴巴。

悌　暴　好，我奉陪。

（拔剑）

柔蜜欧　墨故求，听话，把剑收起来。

悌　暴　来吧，领教你那一手。

〔他们刺起来。

柔蜜欧　班浮柳，拔出剑来，打下他们的剑，（拔剑）

先生们，丢人哪，别这样乱来。

（插身他们中间）

悌暴，墨故求，大公明令禁止在梵萝那街上动手的。

停手，悌暴！啊，墨故求！

〔转瞬间墨故求被刺伤，悌暴和他的党徒们避去。

墨故求　我伤了。（二人扶他）

你们这两个倒霉的世家！我完了。

他走了，没有受一点伤？

班浮柳　怎么，你真伤了？

墨故求　哏，哏，一点，一点破口，不过这就够了。

我的下人呢？快去，混蛋，找个大夫来！

〔小厮下。

柔蜜欧　（安慰）勇敢点，朋友，伤并不大[1]。

墨故求　（苦笑）哼，不大，没有井那么深，也没有教堂的门那么大，

1　“并不大”沪三版作“并不大的”。

不过这就够了，很够了。明天你要找我，你只有到坟里去找了。我知道在这个世上我的性情有点急躁，你们这两个倒霉的家！（恨恨）一个狗，老鼠，猫，耗子，居然把人治死了！这个流氓，土棍，胡吹牛，他懂得什么剑术！——可你们为什么要夹在当中，（望柔蜜欧）我就是在你的胳臂下面才中[1]了他的剑。

柔蜜欧 我原来是想叫你们不打。

墨故求 班浮柳，把我先抬到人家里，（低微）

我怕我要晕过去了，你们这两个倒霉的家！

为了你们我变成了泥土，

我受了害，受了害，为着你们！

〔班浮柳扶墨故求下。

柔蜜欧 这个人是大公的近亲，也是我的好友，

为着我，他受了致命的重伤[2]。

我的声名也被悌暴一场羞骂损坏，

悌暴，你仅仅做了我一小时的亲戚。[3]

哦，可爱的幽丽叶，为着你的美我变成柔弱无能，

为着你，我丧失我钢铁一般的性情！

---

1 “中”沪三版作“招上”。

2 “重伤”沪三版作“创伤”。

3 “悌暴，你仅仅做了我一小时的亲戚。”沪三版作“而悌暴只做了我一点钟的亲戚。”。

〔班浮柳再上。

班浮柳　哦，柔蜜欧，柔蜜欧，勇敢的墨故求死了，

这个仗义的魂灵升上了天，

过早了[1]，他离弃了人间。

柔蜜欧　黑暗的命运从今天起就主宰着将来，

这是祸害的开始，恐怕日后还有祸害。

〔悌暴再上。

班浮柳　疯狂的悌暴又回来了。

柔蜜欧　墨故求被他杀死，他倒活着，张牙舞爪！[2]

算了吧，好心的顾虑，

让眼睛喷出[3]怒火，让疯狂[4]做我的领导。

（转对悌暴，盛怒）

那么悌暴，你方才叫我流氓，

现在你再把那名字[5]收回去！

因为墨故求的魂灵就在我们头上，

他等着你陪他一同上天堂；

不是你就是我，要不就两个陪他一道。

1　“过早了”沪三版作“太促了”。

2　“墨故求被他杀死，他倒活着，张牙舞爪!”沪三版作“他活着，胜利!（阴郁）墨故求被他杀死。”。

3　“眼睛喷出”沪三版作“眼里冒着”。

4　此处沪三版有“现在”。

5　“名字”沪三版作“名词”。

悌　暴　哼，你们两个原是一唱一和的朋友，

陪他一道的自然是你。

柔蜜欧　（剑一举）

只有问它才能知道！

〔他们凶猛地斗起来，悌暴被柔蜜欧一剑刺伤倒下。

〔人声鼎沸，逐渐移近[1]。

班浮柳　（焦灼）

快走，柔蜜欧，走，走！

人都来了，悌暴死了。

别站在那儿发呆，你要是叫他们逮住，

大公会处你死刑的，走吧，快走，走！

柔蜜欧　哦，命运真把我玩弄得苦！

班浮柳　（猛地推他一下）你还站着干什么？

〔柔蜜欧觉醒，仓皇遁下。

〔市民等跑来。

第一市民（紧张）

杀墨故求的人跑到哪儿去了？

悌暴那凶手到什么地方去了？

班浮柳　（镇静，指着）

那里躺着的就是悌暴。

第一市民（望了一下死尸，走到班浮柳面前）

1　“逐渐移近”沪三版作“渐行渐近”。

走吧，先生，跟我去。

我用大公的名义控告你，走。

〔侍从们簇拥着大公上；猛泰，凯布和他们的夫人，仆役等慌慌张张上。

大　公　（盛怒）

这次械斗[1]是哪些混账东西开的头？

班浮柳　（肃敬）

哦，高贵的大公，我可以说出

这次不幸的恶斗里的前后种种。

躺着的人杀死了墨故求，

可他又被柔蜜欧杀死。

凯布夫人（看清面孔）

哦，悌暴，我的侄儿！我哥哥的好儿子！（呼号不止）

哦，大公！啊，侄儿啊！（对凯布）丈夫啊！

哦，血都流到我的亲骨肉身上了！

大公，您是公平的，我们流了血，猛泰的人也要抵偿。

哦，侄儿啊，侄儿啊！

大　公　班浮柳，这种杀人的勾当是谁开始的？

班浮柳　这里死了的悌暴是柔蜜欧亲手杀死的。

不过柔蜜欧对他是好言劝过，叫他想想

这争执是多么小，并且特别提醒他

1　“械斗”沪三版作“斗架”。

您一向的禁令：这些话都用温和的口气，
平静的神色说出，膝盖都弯下来，然而没有效，
悌暴的肝火来得旺，不听劝，不听一点平和[1]的话，
就一剑向墨故求的胸膛刺过去。
墨故求立刻动了气，你既来我也往，
满不在意地用一只手把他的剑推开，
另外一只手也拿起剑刺回来，
悌暴跟着又打个回手：这时柔蜜欧大叫，
“朋友们，放手，朋友们分开！”话没说完
他的胳膊好灵，先把他们两个的剑打下来，
然后就站在他们二人中间；想不到
悌暴顺着柔蜜欧的臂下暗地冷不防，
给墨故求狠狠地一剑，就立刻跑走；
谁知不久他又转回来又找柔蜜欧。
这时柔蜜欧满心愤恨，就想报仇，
闪电一样地两个人就动了手；
因为还没有等我拔出剑来分开他们，
悌暴已经死在地下；
柔蜜欧看见人倒了，才转身跑掉：
这都是真话，班浮柳敢拿性命担保。

凯布夫人 他是猛泰的亲戚，

1 “平和”沪三版作“和平”。

感情让他偏心，他说的都是假话！

这次杀人真黑了心，他们一边[1]有二三十个动手，

二十把剑杀死一个人。

我申冤请求公平，大公，你一定得准，

柔蜜欧杀了悌暴，他不能活着。

大　公　柔蜜欧杀了他，（指悌暴）他可杀了墨故求；

谁来替墨故求申冤呢？

猛　泰　大公，惩罚轮不到柔蜜欧，

他是墨故求的朋友，

他虽然有过，可他杀的人，悌暴

正是法律要办的对头。

大　公　为着他这样的罪过，我立刻要把他驱逐出境[2]；

你们结仇结恨，如今又惹到我的头上[3]，

你们残暴斗狠，我的骨肉却丧失了性命[4]。

但是我要给你们一次重重的惩戒，

让你们悔改，记着连我也受了损害[5]：

任何原宥说情我都不听；

1　“一边”沪三版作“一面”。

2　“驱逐出境”沪三版作“送到远处充军”。

3　“又惹到我的头上”沪三版作“也把我扯上”。

4　“你们残暴斗狠，我的骨肉却丧失了性命”沪三版作“我的骨肉为着你们粗暴的恶斗也丧失了性命”。

5　“损害”沪三版作“害”。

眼泪，请求，也搬不转做错的事情；
所以不要用这些，让柔蜜欧赶紧走，
不然，抓着了，那就是他死的时候。
把这尸体搬开，一切都遵照我的吩咐；
仁慈也能杀人，如果杀了人还得到饶恕。
〔全体下。

第二景　梵萝那，凯布的花园

〔幽丽叶上。

幽丽叶　飞奔吧，驾着太阳的火马

快快把太阳拉到他[1]西方的家，

因为赶车的神会一鞭一鞭地打你，

好叫你立刻带回云彩[2]的夜晚。

黑夜，你就展开你密密的帐幕吧，

你的帐幕下才是爱情的世界。

那时爱神会霎着眼笑，

没有人看，没有人说，

柔蜜欧就跳进了这怀抱。

爱人的美丽放着光，

他们就看见那条欢乐的路；

在深夜岂不更合适，

1　“快快把太阳拉到他”沪三版作“快快把他拉回”。

2　“云彩”沪三版作“有云光”。

爱情如果是盲目?

来吧，沉肃的夜晚，

你是女人，穿着黑色的衣服，

你懂得如何教我输去处女的天真，

在两个人的[1]可喜又可怕的大输赢里。

你的黑袍在我面前飘展，

笼罩着我跳动的心，

等待那说不出的情感唤醒我的勇气，

知道再无须害羞，真爱就得纯真。

来吧，夜晚，来吧，柔蜜欧，你是半夜的阳光，

因为你睡在夜色的翅膀上，

会比乌鸦背上的雪还要白。

来吧，温柔的夜晚，来吧，

温存的深夜，给我我的柔蜜欧，

真是，如果一天他死了，

把他碎成多少粒小小的星星，

他会使天空这样的明净，

叫全世界爱上了夜晚，

永远觉得日光刺眼。

哦，我买好爱情的房屋，

可还没有真得到。

---

1 “两个人的”沪三版作“这场”。

虽然我卖给了人，

也还没有给人享受着。

日子真长啊！像小孩子在过节的前一晚

看见了新衣服不能穿，是一样地不耐烦哪。

——哦，我的奶妈来了。

〔奶妈匆匆拿着绳子上。

她一定带来了消息，天上的音乐

会从人的口里奏出，只要提一提柔蜜欧这个名字。

那么，奶妈，有什么消息？你手里拿的是什么？

柔蜜欧叫你拿来的绳子，是不是？

奶　妈　嗐，嗐，是绳子！

〔痛苦万状，扔下绳子。

幽丽叶　怎么啦？出了什么事？你为什么扭着自己的手？

奶　妈　（大恸）

啊呀，不得了啦！他死了，他死了，他死了。

我们完了，小姐，我们完了。

不得了啦！他不在啦，杀了，死了！

幽丽叶　（不信）

天会这样残忍么？

奶　妈　（一味伤心）

天不会，可柔蜜欧会啊，

哦，柔蜜欧，柔蜜欧，谁会想得到？是柔蜜欧，你呀！

幽丽叶　（焦灼，无可奈何）

你存的什么心肠要这样折磨我?
这一句话就是在阴惨的[1]地狱里叫吼。
是柔蜜欧自杀了?你只要说一声“是”,
这一个字就会把我毒死,
比毒鸟的眼睛,那能制死人的目光还要凶恶。
我也离开人世,如果你说出这一声“是”!
不然让你说出“是”的人,她的眼睛也从此紧闭。
如果他真死了,你就答应,不然,就告诉我“没有”,
短短的回答就肯定我的幸福与否。

奶 妈 我看见那伤,亲眼瞧见那伤,
上帝可怜哪!——就在他那宽宽的胸口!
好伤心的尸首,好惨的尸首,
白呀,白得像灰一样,整个浸在血里,
整个是一块一块干结[2]的血,我看见都晕过去了。

幽丽叶 啊,碎了吧,我的心哪!还剩下什么?
如果他已经没有,就都毁掉吧,从此眼睛进了监牢,
再也不必想自由。(低头)
地也可恨,不如就在自己的土里死亡,
从此不要转动,跟柔蜜欧在一个棺木里埋葬。

奶 妈 哦,悌暴,悌暴,我最好的朋友!

---

1 “一句话就是在阴惨的”沪三版作“苦刑是该在悲惨的”。

2 “干结”沪三版作“结干”。

哦，温雅的悌暴，规矩的好人！

怎么会我还活着，看到你会死了呢！

幽丽叶 （更不相信）

哪里到来的暴雨狂风把天地都翻个颠倒！

怎么，柔蜜欧被人杀了，悌暴也死去，

我最爱的表哥，我更亲的好人，一个都没有留？

那么你这报丧的号声，吹吧，把世界都吹成黑暗，

如果这两个人都死去，这世上还有谁忍心肯活？

奶　妈 （才说出来）

悌暴死了，柔蜜欧也被赶了走[1]，

柔蜜欧杀了他，就被驱逐出境。

幽丽叶 （震骇）

哦，天！——是柔蜜欧的手，他亲手杀了悌暴？

奶　妈 是啊，是啊，天哪，就偏偏是啊！

幽丽叶 （感情奔涌）

哦，蛇一般的心肠，你怎么偏有花一般的面貌！

可怕的毒龙偏偏守着这么一个可爱的仙洞[2]？

美丽的暴君，是天使也是鬼魔！

乌鸦披着鸽子的羽毛！

看着是羊，心里是豺狼！

---

1 “被赶了走”沪三版作“充了军”。

2 “仙洞”沪三版作“洞”。

最神圣的皮表藏着可鄙的内容！

你装得像，心里却是两样！

是个横行的圣人，堂皇的恶棍！

哦，天哪，如果你把魔鬼的精神放进了肉体[1]，

造成人间这么甜美的一个乐园，

那么地狱里你还能放些什么才把地狱造成？

一本书装订得那样好，

谁想到里面会这么丑？

哦，金碧辉煌的宫殿里

居然藏着这么可怕的欺骗。

奶　妈　（毒骂）

不要相信吧，

没有真心[2]，才是男人！

个个说话不算话，个个虚假，个个会骗[3]。

（忽然）咦，我的人呢？我要晕，给我点水！

这些灾难，这些悲痛，这些苦都把我磨老了。

柔蜜欧，羞啊，你羞辱你自己啊！[4]

幽丽叶　（突转）

---

1 “放进了肉体”沪三版作“放在肉身上”。

2 “没有真心”沪三版作“不真不诚”。

3 “会骗”沪三版作“是骗”。

4 此句沪三版作“柔蜜欧啊，早晚你羞辱你的祖宗啊！”。

你舌根会烂的，这样咒我的柔蜜欧！

他生来就是高贵，怎么会羞辱？

在他眉上羞辱就会害羞，不能停留。

因为他的眉间是荣誉的宝座，

万方的人都来瞻仰。

我真是禽兽啊！方才，那样责骂，对他！

奶　妈　（不懂）

杀了你表哥的人你还说他好么？

幽丽叶　（满腔赤诚）

做了我丈夫的人我能说他坏吗？

啊，我的爱夫，谁还能说你好，

连我，刚做你三点钟的妻子就已经诽谤[1]了你的声名？

不过为什么，你这个坏人，你要杀死我的表哥？（转念）

哦，不然，说不定我那坏表哥，就会杀死了你！我的爱心。

那么就不要流了，这糊涂的眼泪，

泪水是为着不幸才流的，

如今却错用在喜事上去了。

现在我已经明白，我丈夫活着，悌暴原来要杀死他的；

但是悌暴死了，可原来是他，要杀死我的丈夫。

这都是安慰呀，我为什么还哭？

不过那一句话比悌暴的死还刺伤我的心，

1　“就已经诽谤”沪三版作“已经毁谤”。

我想忘掉，但是，唉[1]，忘也忘不了，
像罪人想他所犯的罪那样刺痛着心：
“悌暴死了，柔蜜欧也驱逐出境！”
“驱逐出境”，哦，这句话就等于杀死了十万个悌暴啊！
光是悌暴死了，这灾难也就罚我罚个够：
假若灾祸[2]的来到定要成双，
就这样不也好？叫她说，“悌暴死了，
你家里的人也跟着一块儿死亡。”
那么几年的悲恸也可以把这痛苦挨过。
但是如今悌暴死后还有更大的灾难！
“把柔蜜欧驱逐”，只这一句话
就是父亲，母亲，悌暴，柔蜜欧，幽丽叶，
一齐被害，一齐死掉。“把柔蜜欧驱逐”！
无限的灾难哪，这话里面的含意多沉重，
这死气沉沉的苦痛[3]，又哪是话能说得清？
奶妈，我的父亲，母亲在哪里，现在？

奶　妈　哭呢，守着悌暴的尸首伤心。
你找他们么？我带你去。

幽丽叶　让他们拿泪水来洗他的伤口，他们哭得够了，

---

1 “唉”沪三版作“咳”。

2 “灾祸”沪三版作“灾福”。

3 “苦痛”沪三版作“苦”。

我的泪要为柔蜜欧的事情流。

把这些绳子拿起来吧，可怜的绳儿你也受了骗，

你同我都是，因为柔蜜欧啊，再也不能见。

他原来把你用做走到新房的路，

如今我死了，还是处女，可又是寡妇。

（拿起绳子，伤恸）

绳儿，你来吧，奶妈，你也来，

我要躺在我结婚的新床，

但是，是死神[1]，不是柔蜜欧睡在新娘的身旁！

奶　妈　（着急，抚慰）

回到你的房间去，我去找柔蜜欧来安慰你，

我知道他的地方。

听着，今天夜晚柔蜜欧准来，

我去找他，他就藏在神父的神堂。

幽丽叶　（惊喜）

哦，把他找来，把这个戒指带给我的好爱，

叫他快点，来跟我做最后的见面。

〔二人同下。

---

1 “死神”沪三版作“死”。

第三景　梵萝那，劳莲思长老苦修的密室

〔劳莲思长老走进。

劳莲思长老　（对着柔蜜欧藏身的地方）

柔蜜欧，出来，出来，先不要怕，

“苦恼”爱上了你的才能，你如今跟“灾难”成了婚。

〔柔蜜欧出。

柔蜜欧　神父，有什么消息？大公定下我什么罪？

又有什么不幸等待我，我还没有知道？

劳莲思长老　（慈恺）

我的孩子，你已经尝得太多了横逆的遭遇，

我又带来大公对你判决的消息。

柔蜜欧　（绝望）

还用什么判决，还不是死。

劳莲思长老　他的判决真是宽厚，他不判你死，只把你驱逐。

柔蜜欧　（惊惧）

啊，驱逐！慈悲点说，你不如说“死”

因为放逐的颜色比“死”还吓人：可不要说“驱逐”。

劳莲思长老　（劝解）

从此以后把你从梵萝那驱逐出境。

不过忍耐一点，孩子，世界是大的，也自由。

柔蜜欧 （痛苦）

出了梵萝那的城墙还有什么世界？

有的就是痛苦，煎熬，炼火同地狱。

所以驱逐就是驱逐到世界之外，

赶到世界以外不就是死？

那么驱逐就是死换了一个名字。

把这种死叫作“驱逐”，说得好听，

这是用黄金的斧子砍掉我的头，

一斧子杀死了我，你还在笑。

劳莲思长老 哦，可怕的罪孽！好愚蠢！一点也不知恩！

你的过失，按照法律，应该是死，

但是仁慈的大公偏向你，撇开了法律，

硬把凶恶的死字改成了“驱逐”。

这是多深厚的仁慈，你还不能领会。

柔蜜欧 （狂热）

这是长期的苦刑，哪是仁慈？

幽丽叶在哪里，哪里就是天堂！

在此地是猫是狗，哪怕是老鼠，

任何什么轻贱的东西都能望得见她，

就等于在天堂里活着，而柔蜜欧不能。

苍蝇都比柔蜜欧活得高兴，

体体面面，可以跟她献着殷勤。
他们可以在幽丽叶雪白的手上温存，
并且在她的唇上偷到永远幸福的吻。
她会羞红了脸，她是这样纯洁和贞静，
连苍蝇沾着了她都以为是罪过。
但是柔蜜欧不能；他驱逐出境！
这个苍蝇做得到，而我偏要急急忙忙地逃奔。
他们才是自由人，我是放逐的罪犯！
那么你还能说“驱逐”不是死刑？
难道你没有调好的毒药，磨快了的刀，
任何立刻死去的方法，管它是多么卑鄙，
就必须用“驱逐”这两个字来杀掉我？驱逐出境？
哦，长老，是地狱里的冤鬼才用这几个字，
随着这几个字，就是一片哭号的声音。
你是圣徒，你是听一切苦痛忏悔的神父，
你是有罪便能赦免的长老[1]，你又说是我的朋友，
你怎么忍心用“驱逐”这两个字
一刀一刀地割下我的肉？

劳莲思长老　你这个疯了的人，听我说一句话。

柔蜜欧　哦，你还是会提到“驱逐出境”。

劳莲思长老　你怕听这几个字，我就传给你一副盔甲来防御，

---

1 “长老”沪三版作“先生”。

这是苦难中的甘露，它叫作哲学[1]，

它就会[2]安慰你，虽然你已经被[3]驱逐。

柔蜜欧　你还说“驱逐”？滚开吧哲学！

除非哲学会变出[4]一个幽丽叶，

改换了一个城，颠倒了大公的命令；

这帮不了忙，说不服我，谈也无用。

劳莲思长老　我看疯了的人是没有耳朵的。

柔蜜欧　你想怎么会有，如果聪明的人没有眼睛？

劳莲思长老　那么让我跟你谈谈你的处境。

柔蜜欧　你感觉不到的你就不能谈。

如果你像我一样地年轻，幽丽叶是你的爱人，

刚结婚一点钟，悌暴就杀死，

爱得像我一样地疯癫，也像我似地被人驱逐，

那你才配说话，那你也会扯掉[5]你的头发，

滚在地上像我一样，要钻进去

这还没有挖好的坟墓。

〔里面有人敲门

---

1 “它叫作哲学”沪三版作“是哲学”。

2 “它就会”沪三版作“也会”。

3 “被”沪三版作“是”。

4 “变出”沪三版作“变了”。

5 “扯掉”沪三版作“撕烂”。

劳莲思长老　起来吧，有人敲门；柔蜜欧，你先藏起来。

柔蜜欧　不，不藏，除非是伤心的叹息，

像雾一样包住我躲过了寻找的目光[1]。

〔叩门声。

劳莲思长老　你听，又在敲门，——是谁？

柔蜜欧，起来，快去！

你[2]会被逮去的。（对门喊）

等一下啊！（又对柔蜜欧）站起来。

〔叩门声

跑到我的书房里。——（应门）

就来了！（望着柔蜜欧不肯动）

天哪！你这是什么糊涂心思！

（又对门应声）

我来了，我来了！

〔叩门声。

谁敲门敲得这样凶？

（对门喊）你是哪儿来的？你干什么？

奶　妈　（在台内）

让我进来，你就会晓得我来干什么，

1 “像雾一样包住我躲过了寻找的目光”沪三版作“像雾色一样遮住了寻找我的眼光”。

2 “你”沪三版作“还这样”。

我是从幽丽叶小姐那儿来的。

劳莲思长老 （宽心）

好了，那么就进来吧。

〔奶妈上。

奶　妈 （匆匆）

哦，善心的长老！告诉我，善心的长老[1]，

我小姐的姑爷[2]在哪儿？柔蜜欧在哪儿？

劳莲思长老 就在那儿，地上，哭得都醉了。

奶　妈 哦，他就跟我们小姐一样，简直跟她一样！

劳莲思长老 哦，深沉的痛苦，可怜悯的情景！

奶　妈 她也是躺在地上，哭一阵，说一阵，又说一阵又哭一阵。

（对柔蜜欧）站起来，站起来，是个男人就站起来：

为着幽丽叶，为着她，起来站着；

你为什么叫得这样可怜哪？

柔蜜欧 奶妈！

奶　妈 啊，算了！算了！再怎么样也不过是一死。

柔蜜欧 （慢慢清醒）

是你刚才说过幽丽叶！她怎么样了？

她是不是把我当作老早就杀过人的罪犯？

我杀了她很近的骨血，

1　此句中两个“善心”沪三版均作“好心”。

2　“姑爷”沪三版作“丈夫”。

我们刚刚开始的幸福也沾上了[1]污点。

她在哪里？她怎么样？

我那秘密的妻子又怎么样提到这就要完结的爱情？

奶　妈　哦，她没有说什么，就是哭，哭；

一会儿扑在她的床上，一会儿又跳起来，

叫着悌暴，可一时又喊着柔蜜欧！

把自己摔在床上。

柔蜜欧　（点头）

是啊，仿佛我那名字就是杀人的弹火，

已经放射出来杀害了她，

因为叫那名字的人的手就杀死她的亲属。

哦，告诉我吧，长老，

在我身上是哪一块龌龊的地方

住着我的名字？告诉我，

我就一剑刺穿了[2]这可恨的房屋。（抽出剑[3]来）

劳莲思长老　（一把拦住）

住手！你这不顾一切的！

你是男子么？你的样子是像的，

你的眼泪可是女人气，你这粗野的行为

1 “沾上了”沪三版作“有了”。

2 “一剑刺穿了”沪三版作“一刀砍倒了”。

3 “剑”沪三版作“刀”。

像野兽的疯狂的冲动；

看来像男子，实际是个糊涂的女人。

你既是男又是女，更是个四不像的野兽。

你真叫我吃惊，老实讲，

我原来以为你的性情是温和的。

你不是已经杀死了悌暴么？为什么再杀你自己？

你这样把恨发泄在自己身上，

你也就杀死了跟你相依为命的爱人。

你为什么怨天恨地乱骂你的出生？

你生在天地之中，这天，地，生命在你身上成了一体，

你怎么能说丢就丢，说毁就毁？

啐！你真是空有了你这一付形状，爱情同聪明。

你像一个放高利贷的，不知正用你的财宝，

你原该用它们来装饰你的外表，你的情爱同聪明。

你这高贵的模样简直是蜡做的空壳。

里面缺乏男人的勇敢。

你为了爱也有过海誓山盟，但我看是一片假，

不然为什么你原想培植你的爱，如今却来杀害？

你的聪明原是你外表同爱情的装饰，

现在做不了装饰，自己也成了丑怪。

像火药放在新兵的枪筒里，

因为自己的糊涂点着了火，

原来为防御敌人的，现在却伤害了自己。

起来，汉子，你的幽丽叶还活着呢。
为着她，你才最近又有了生气！
这你不是幸福？悌暴原要杀死你的，
但是你把他刺死。这你不也是幸福？
法律原该判你死刑，现在偏爱你，
只把你驱逐，这你不更幸福？
一大堆幸福叫你遇到。[1]
幸运[2]穿上最美的衣服要来做你的朋友，
而你偏像一个不懂事，爱生气的女孩子，
噘着嘴要把你的爱情跟幸运赶走。
小心，小心，这样的性情会有很坏的结果的。
去，你应该去找你的爱，
爬进她的卧房，好好地给她安慰，
不过留神，不要等到守夜的都来了才走，
因为那样你就到不了曼陀。
在曼陀你就住下去，我们会找着机会
来宣布你们的婚姻，和解你们两家[3]，
请求大公赦免，再把你召回。

1　此句沪三版作“一堆一堆的幸福降在你的身上。”。

2　“幸运”沪三版作“快乐”。

3　“和解你们两家”沪三版作“劝解你们的朋友”。

那时你会十万倍二十万倍的快乐[1]，

比起今日你悲悲痛痛地出走。'

你先去，奶妈，替我问小姐好，

叫她催着全家早点上床，

哀痛自然也会叫他们早睡。

告诉她，柔蜜欧就来了。

奶　妈　哦，主啊，这样的好话我在这儿[2]

听个通宵都成[3]，哦，真是有学问哪！（对柔蜜欧）

姑爷[4]！我就告诉小姐，说你就来。

柔蜜欧　快去，千万！并且告诉她预备着如何骂我。

奶　妈　哦，姑爷[5]，这儿是她叫我交给你的一只戒指。

姑爷[6]，快点吧，快来，天色已经不早。

〔奶妈下。

柔蜜欧　这一下的变转给了多少安慰！

劳莲思长老　快去吧，再见，这就是你的情形，

要在守夜的没来以前就走，

不然就等到天亮变了装离开。

1　“那时你会十万倍二十万倍的快乐”沪三版作“那时你的快乐会十万倍二十万倍”。

2　此句沪三版作“哦天，我可以在这儿待一夜晚”。

3　“听个通宵都成”沪三版作“听这些道理”。

4　“姑爷”沪三版作“少爷”。

5　“姑爷”沪三版作“少爷”。

6　“姑爷”沪三版作“少爷”。

你暂时住在曼陀，我会找着你的下人，

让他随时报告你此地的情况，

把你的手给我，不早了，再见，珍重。

柔蜜欧 （握着劳莲思长老的手）

要不是无限的快乐引着我去，

那才悲痛，这样仓促就跟您分离。

再见！

〔二人同下。

第四景　梵萝那，凯布家中

〔凯布与其夫人偕霸礼上。

凯　布　公子，现在发生这样不幸的事情，

我们简直顾不得来劝我们的小女。

你晓得，她和她的表兄悌暴感情很好，

我也十分地爱他！

（感触）嗐，我们生下来早晚也是死。

现在很晚了，今夜小女不会再下楼，

真的，如果不是为着你来，

我也早早地就上了床。

霸　礼　（生涩）

是，我也知道这悲痛的时期不是来求婚的时候。

那么，晚安，夫人，请您为我向令嫒问好。

凯布夫人　一定，明天见早就可以知道她是什么心。

今夜她已经关上了门，

把自己锁在深沉的哀痛里。

凯　布　（忽来豪气）

霸礼先生，好，我就冒险把我孩子的爱情
从我手里呈送给你。
我想无论如何她会服从我的话，一定，没有问题。
夫人，你没睡以前先去找她，
告诉她，霸礼我们的半子，对她的爱慕；
叫她，你记住，在下星期三——
不过等等，今天是什么日子？

霸　礼　星期一，老伯。

凯　布　星期一！哈，哈！星期三可就太仓促。
那么就定了星期四，好了，星期四，你告诉她，
那一天她就跟这位勋贵的爵爷成婚。（对其妻）
你可来得及？这样快你喜欢么？
不要太铺张，就请几位朋友；
因为，想想，悌暴刚死了不久！
他是我们的近亲，如果我们欢乐过度，
别人会说我们太不把他放在心里。
所以我们就邀六七位朋友，
点缀点缀也就够了。（对霸礼）
那么你觉得星期四怎么样？

霸　礼　老伯，我恨不能星期四就是明天。

凯　布　好了，你先回去，就定在星期四吧。
没睡以前，夫人，你先找幽丽叶一谈，
叫她准备好，在结婚那一天。

再见了，爵爷！掌灯，送我到我的卧房。（对霸礼）

请先去吧，哦，真是很晚了，很晚了，

怕不到一会就该天亮了。

晚安，爵爷。

〔同下。

第五景　梵萝那，凯布的花园

〔昧爽，凉台上走出柔蜜欧和幽丽叶，立在窗口前，风吹来，鸟声喁喁。

幽丽叶　（依恋）

你就要走么？还没天亮呢！

这是夜莺叫，不是百灵鸟，

刺痛我爱的耳鼓，吓着了我的爱。

她每夜都在附近石榴树上唱，

相信我，爱，那是夜莺。

柔蜜欧　（微叹）

方才叫的是百灵鸟，叫醒了早晨，

不是夜莺；看，东面淡淡地散开了白云！

什么亮光这样恶，在云边上嵌镶？

夜晚的蜡烛已经烧干，欢乐的天明

提着脚尖在雾漫漫的山头上站。

我得走，为着活；或者死，留在此地。

幽丽叶　那亮不是天明，我知道，哦，

那是太阳吐出来的流星，

做你今夜的火把，

一路照你到了曼陀；

所以再待一阵，走——你还用不着！

柔蜜欧　（低沉）

就让他们把我逮去，我愿意去死，

我心甘情愿，为着你我愿意留。

我就说那淡淡的天光不是清晨的眼，

那是新月的眉毛，银灰色的亮。

也不是百灵鸟，尽管它歌唱

在天空里，高高地就在我们头上。

我口里说走，满怀的牵挂还是想留：

那么，死，欢迎你来！幽丽叶说好，那就能够。

怎么样，我的心？我们谈下去；这不是白天。

幽丽叶　（蓦地）

这是啊，是啊！走吧，不能再留恋！

这百灵鸟叫得这样不中听，

哑着喉咙，好刺耳的声音。

人说百灵鸟的声调最甜美，

哪里是？是他生生地把我们分开！

人说百灵鸟换过来癞蛤蟆的眼，

那么，你们为什么不把声音也换一换？

因为这声音从怀抱里惊起来我的爱，

像破晓的猎歌追着你离开。

哦，现在走吧，天空一点一点地亮！

柔蜜欧 （点头）

嗯，一点一点地亮，

一点一点地黑起来是我们的灾殃！

〔奶妈慌忙上。

奶　妈 小姐！

幽丽叶 奶妈？

奶　妈 太太，你的母亲就要来了，天亮了；小心，不要大意。

〔走出。

幽丽叶 那么，窗户，打开吧！

让白天进来，让生命出去。

柔蜜欧 再见，再见！再一次拥抱，我就下楼。

〔二人拥别后，柔蜜欧由凉台上跳下。

幽丽叶 （由楼上追望，急促）

你就这样走了？我的爱，我的丈夫，我的好朋友！

我要每一点钟都得到你的信息，

因为对我，一分钟就有多少天那样长久。

哦，天，照这样算法，等我再见我的柔蜜欧，

我的岁数该多大了！

柔蜜欧 （在凉台下）

再见！我一定，有机会就托人带信，带给你——（顿）我的心。

幽丽叶 （泪涌出）

哦，你想我们还能见面么？

柔蜜欧 自然能！目前这些灾难在快乐的将来

就是笑着谈的材料。

幽丽叶 （寒战）

哦，天！我的心为什么这样怕？

我仿佛看见你，或者因为你在下面，

像一个死人埋进深深的坟墓，

不是我的眼神花了，就是你的脸色惨白。

柔蜜欧 放心，爱，在我眼里，苍白也是你的面容；

伤人的忧虑吸干了我们的血。保重！保重！

〔柔蜜欧缓缓下。

幽丽叶 哦，命运，命运[1]，人们都说你善变无恒，

如果你是善变的，你为什么惹上了他，一个这样忠实[2]的人？

那么就变吧，善变的命运，

我希望你这样就不会留他太久，

你会快快地又把他送回。

凯布夫人（在里面）

喂，女儿，你起来了么？

---

1 “命运，命运”沪三版作“不幸，不幸的命运”。

2 “忠实”沪三版作“有信心”。

幽丽叶 （惊醒）

是谁在叫我，难道是我的母亲？

她这么晚还没有睡？还是起得这样早？

有什么意外的事情叫她到此地来？

〔凯布夫人上。

凯布夫人（望着她的面色）

幽丽叶，你怎么啦，现在？

幽丽叶 太太[1]，我不大好。

凯布夫人（不耐心地劝慰）

还为着你表哥的死在伤心么？

你真要用眼泪把他从坟墓里冲出来？

就是你做得到，你也不能叫他再生：

所以不要哭了，悲痛一阵就表示出你的爱，

但是悲痛太多，只是说你缺乏聪明。

幽丽叶 （无奈）

这损失这样痛心，你就让我哭哭吧。

凯布夫人 可你这样地哀悼，你哭的[2]，

你哀悼的[3]朋友并不知道。

幽丽叶 这损失在我感到这样深，

1 “太太”沪三版作“母亲”。

2 “你哭的”沪三版作“你所哭”。

3 “你哀悼的”沪三版作“你所哀悼的”。

我也只有为他，不断地为他流着眼泪。

凯布夫人 咳，孩子，你哭虽然说是为着他的死，

但是我看还是因为杀死他的那个流氓还在活着。

幽丽叶 （吃惊）

什么流氓，太太[1]？

凯布夫人 就是那个流氓柔蜜欧。[2]

幽丽叶 （旁白）

他跟流氓可是有天地的分别。

（佯为嘲弄）

上帝饶恕他吧！至少我先从心里饶恕他；

可是没有人像他叫我的心那样悲痛。

凯布夫人 那是因为万恶的凶手还在活着。

幽丽叶 （双关）

是啊，到不了我的手，

我希望是我，我自己，为表哥报仇。

凯布夫人 你不要担心，我们一定得报复。

你就不用再哭了，我要派一个人到曼陀。

这个逃犯就在那个地方[3]，

---

1 “太太”沪三版作“母亲”。

2 此句沪三版作“不是那个流氓柔蜜欧?”。

3 “这个逃犯就在那个地方”沪三版作“这个逃犯就发配在那个（地）方”。

我叫人给他下[1]一服凶恶的毒药，

他就会立刻陪着悌暴到了天上。

这样我想你就真的满了意。

幽丽叶　（冲出口）

真的，我永远不会满意柔蜜欧，

除非我看见了他——死了——

是我的心为着表哥这样难过。[2]

太太[3]，如果您能找着[4]这样下毒药的人，

那毒药让我来调，好叫柔蜜欧吃了

就能立刻静静地睡着。

哦，我的心多么恨，

听见了他的名字可不能把他找到，

好把我的爱，为着表哥悌暴的爱，

表白出来，在杀了他的人的身上复仇。

凯布夫人（哄她）

1　“给他下”沪三版作“下给他”。

2　此句故作模棱，根据但尼尔（Deniel）氏解释，可有下五种句读：

ⅰ我永远不会满意柔蜜欧。

ⅱ我永远不会满意柔蜜欧，除非我看见了他。

ⅲ我永远不会满意柔蜜欧，除非我看见他死了。

ⅳ除非我看见他，死了是我的心。

ⅴ死了是我的心，为着表哥，这样难过。——沪三版注。

3　“太太”沪三版作“母亲”。

4　“找着”沪三版作“找着了”。

好了，你快点去买毒药，我就去找人，

不过现在，孩子，我可要告诉你一件快乐的消息。

幽丽叶 真的，是什么？您快讲。

在悲痛[1]当中快乐来的正是时候。

凯布夫人 啊！孩子，你福气，他真心疼你呀，你的父亲。

他想排解你的忧愁，就看了一个喜气的日子，

梦都梦不见的喜事，真是你猜不着，我也想不到。

幽丽叶 （惊愕，微愠）

究竟是什么呀，太太[2]，什么日子？

凯布夫人（笑）

咳，我的孩子，就在星期四的大清早晨，

那个年轻，漂亮，华贵的先生，

霸礼爵爷，在圣比得教堂等你，

高高兴兴地等你做他快乐的新娘。

幽丽叶 （镇静）

可是教堂也罢，比得也罢，

说什么我也不能做他快乐的新娘。

我奇怪为什么这样忙，他还没有来求我，我就得嫁。

我求您，太太[3]，告诉他，我的父亲，我现在还不想结婚。

---

1 “悲痛”沪三版作“困穷”。

2 “太太”沪三版作“母亲”。

3 “太太”沪三版作“妈”。

果真要，我就嫁给柔蜜欧，他，您知道我恨，

——也不肯嫁给霸礼。

真，原来是这么个好消息！

凯布夫人（不悦）

你父亲来了，你自己对他说，

看看，你亲口说的，他怎样听你的话。

〔凯布与奶妈上。

凯　布　（兴高采烈）

太阳落了山，天空不过落下一点潮潮的露水，

可是我的侄儿[1]入了土，就落下来倾盆大雨。

怎么样，孩子，大雨还没有停？还在哭？

快哭成了河道啦。在这么一个小小的身体里，

你做了船，做了海，又做了风。

我把你的眼叫作海，眼泪是忽起忽落的海潮；

你的身体成了一只船，在这咸咸的海潮里浮漂；

你的叹息是阵阵的风，风激起来你的泪水，

泪水又惹起来风，如若再不立刻平静，

早晚打翻了船，把这小小的身体葬送在暴雨狂风。

怎么样？（对凯布夫人）你已经把我们的决定告诉了她么？

凯布夫人（悻悻）

说了，她说谢谢你，她不肯，

---

1 “侄儿”沪三版作“姨侄儿”。

恨不得把这傻丫头送到坟墓里。[1]

凯　布　（想不到）

什么？你再说明白点，说明白点。

啊？她不肯？还说谢谢我？

还不如意啊[2]！难道她不觉得她福气[3]？

像她这么个丫头[4]，我们居然为她找着了

这么一个体面人跟她结婚？

幽丽叶　您找着了，我并不觉得如意[5]，

我倒是感谢您为我找。

如果我恨这个人，我怎么能觉得如意[6]？

不过即便是恨，我也感谢，

因为您原来也是为着对女儿的情意[7]。

凯　布　（暴躁）

好啊，好啊，你这张会辩的快嘴！

什么？“如意[8]”？“我又谢谢你”，

1　“恨不得把这傻丫头送到坟墓里。”沪三版作“我恨不得这傻瓜嫁到她的坟里去。”。

2　“还不如意啊”沪三版作“好骄傲啊”。

3　“她福气”沪三版作“她的福气”。

4　“丫头”沪三版作“样子”。

5　“如意”沪三版作“骄傲”。

6　“如意”沪三版作“骄傲”。

7　“情意”沪三版作“慈爱”。

8　“如意”沪三版作“骄傲”。

“不谢谢”，“我也不如意[1]”？

你这个小东西，你也不必来那一套“谢谢”，[2]

你也不必对我说什么“如意[3]”“不如意[4]”。

在星期四那天你这贱东西就预备好[5]，

跟霸礼一同进圣比得教堂，

不然用囚车我也把你拉去[6]。

滚开，你这脸上都发了青的死肉，

走，这下流货！你这讨厌的东西[7]。

凯布夫人（对其夫）

去！去！你怎么？你是疯了？

幽丽叶（跪下）

好父亲，我跪着求您，

您只耐心听我一句话。

凯　布（狂怒）

你死去吧，你这小贱货，不听话的东西。

---

1 “如意”沪三版作“骄傲”。

2 “谢谢”沪三版作“谢谢我”。

3 “如意”沪三版作“骄傲”。

4 “如意”沪三版作“骄傲”。

5 “你这贱东西就预备好”沪三版作“你就把你这块贱肉预备好”。

6 “不然用囚车我也把你拉去”沪三版作“不然我用囚车也把你拉到那里”。

7 “东西”沪三版作“腊油脸”。

我告诉你这么样[1]：星期四到教堂，

不然，一辈子，就不用见我。

不要说，不用辩，你不必答复我，

我手有点痒！——夫人，我就没想过我们福气，

上帝还留下给我这一个[2]女儿，

现在我看清楚，就这一个已经是太多。

天罚我们才有这种孩子，

叫她滚，下流东西！

奶　妈　上帝保佑啊！（对凯布）

爵爷，您这样骂她，就是您不对啦。

凯　布　怎么，要你这个[3]聪明婆多嘴！少说，你就少生事，

去，这些话找那些好听闲话的东西们说。

奶　妈　我不是坏意[4]。

凯布夫人（对奶妈）

你就少说吧。

奶　妈　（对凯布夫人，不平）

人就不能讲话啦[5]？

---

1 “这么样”沪三版作“怎么样”。

2 “这一个”沪三版作“这一”。

3 “这个”沪三版作“这”。

4 “坏意”沪三版作“坏意思”。

5 “就不能讲话啦”沪三版作“不能讲一讲”。

凯　布　少讲，这个唠里唠叨的笨东西！

把你这些道理放在爱听闲话的碗边上去说[1]，

此地用不着！

凯布夫人　你也太大的气了。

凯　布　天哪！我简直要疯了。

白天，晚上，忙着，闲着[2]，有人，没人，

在家，出外，早晚我的心都在千方百计为她找人家。

现在难得找着了一个有身价的君子人，

年轻，貌美，受过高贵[3]的教育，

可以说是装满了优美的才能，

哪方面都能说是一个理想的男人；

偏偏遇见这么一个哭哭啼啼的糊涂东西，

不知事务，只晓得哭。人家把宝贝送到她面前，

她居然说，“我不能爱”，“我不结婚”，

“我还太小，我求求您，原谅吧”。

好了，你不结婚，我也原谅你！

你以后爱在哪里过就在哪里，

你别住在我的家里。

你想想，你想明白，我是向来不说笑话的。

---

1 “去说”沪三版作“说去”。

2 “忙着，闲着”沪三版作“醒着，睡着”。

3 “高贵”沪三版作“高超”。

星期四就在眼前，把手放在心上想想，
你要是我的孩子，我就把你许给我这个朋友。
要是不肯，那么你死也好，要饭也好，饿死，死在街上也好，
我跟你说明白，我决不认你。
我以后的财产种种，什么也不是你的。
你好好地想去，我决不说谎。
〔汹汹走下。

幽丽叶 坐在天上云光里的难道不是怜悯？
怎么就看不出我心里面最深的悲痛？
哦，我的好母亲，千万不要抛弃了我。
先把这个婚礼延迟一个月，一个星期；
如果您连这都不肯，那就不如把结婚的新床
放在悌暴躺着的那个黑暗的地方。

凯布夫人（冷淡）
你不要对我说[1]，我一句也不愿意讲。
我不管你，随你怎么样。
〔也走出。

幽丽叶 哦，上帝！——啊，奶妈，这怎么办？
我的丈夫活在人间，
我对他的盟誓都存放在天，

---

1 “说”沪三版作“谈”。

怎么样才能把那盟誓取得转，

除非他死了升天[1]，亲手取回来，对我交还。

安慰我吧，给我出个什么主意。

嗳，天哪，你怎么对我这么一个软弱的人

使出这么凶恶的毒计？

（见奶妈不作声）你怎么说？没有一句快乐的话？

总有一句安慰我，奶妈。

奶　妈　（蓦然）

老实说，这就是安慰你的话：

反正柔蜜欧已被赶了走，我看准了，[2]

他回来找你麻烦，那是绝对不成。[3]

就是他能来，他只能[4]偷偷摸摸。

现在事情既然闹到这样，

我看最好你就跟那个爵爷结婚。

（满脸的笑）哦，他才是可爱的君子人，

比起他来，柔蜜欧就是一块[5]洗碗布。

1　“升天”沪三版作“上天”。

2　“反正柔蜜欧已被赶了走，我看准了，”沪三版作“柔蜜欧充了军，他谁也不能认;”。

3　“他回来找你麻烦，那是绝对不成。”沪三版作“要说他找你麻烦，那是决对不成。”。

4　“他只能”沪三版作“那也是”。

5　“一块”沪三版作“块”。

小姐，要说霸礼那一对[1]眼，

鹰的眼也没有那样机灵，那么美，那么光彩。

我说错了就受罚，

你这第二次婚姻准幸福，

因为那比第一次的好！

咳，就说不好吧，

反正你第一个丈夫已经死了！

他不能来，你不能去，这不就是死？

幽丽叶　你从真心里说的？

奶　妈　也是从灵魂里说的，

说假，两样我都受上帝惩罚[2]。

幽丽叶　（画了个[3]十字，祈祷这誓言实现）阿门！

奶　妈　怎么？

幽丽叶　好了，你已经真正[4]是安慰了我。

进去吧，告诉母亲说，我出了门，

因为方才得罪了父亲，

才到神父的圣堂去做忏悔，

再求神的原谅。

---

1 “一对”沪三版作“一付”。

2 “受上帝惩罚”沪三版作“情愿受上帝责罚”。

3 “画了个”沪三版作“画了”。

4 “真正”沪三版作“真真”。

奶　妈　（高兴）

好，我就去，这才是个聪明的主意。

〔奶妈下。

幽丽叶　天会毒毒地罚她的呀，这个最坏的魔鬼。

还有比这个再深的罪恶？劝我变心，咒骂我的好人！

这一张嘴多少次把他夸得无踪无影。

去吧，你这个帮手，

从此分开，你跟我的心；

我去找神父，求他把大路明指；

都不成了，我还有办法去死。

〔幽丽叶下。

第四幕

第一景　梵萝那，劳莲思长老修道的密室

〔劳莲思长老与霸礼上。

劳莲思长老　星期四，先生，这时间很匆促了。

霸　礼　我的岳父他的意思要这样快，

而我倒也不是一个愿意慢的人。

劳莲思长老　你说你还不知道小姐是什么心肠？

这情形并不顺当，我看不算好。

霸　礼　为着悌暴的死她哀悼得太过分，

我简直没有机会谈谈我们的爱情，

在一个哀恸[1]的家庭

爱神也不肯微笑地停停脚。

现在她的父亲觉出来危险，

她不能再一味这样忧愁，

所以才想起赶紧给我们完婚。

这样有了人来陪伴，

1　“哀恸”沪三版作“有丧痛”。

免得她一人过于悲愁[1]，

泪自然也不会那样多地流。

现在你就知道这件婚事为什么要快办。

劳莲思长老 （旁白）

咳，希望我不知道这件婚事为什么该缓来。

（对霸礼）你看，小姐到我的圣堂来了。

〔幽丽叶面容惨淡走上。

霸　礼 （莽撞）

真是幸运，在此地遇见了我的小姐，我的爱妻。

幽丽叶 （微愠）

先生，到那天结婚的时候，你再这样叫我也不算晚。

霸　礼 （欣快）

是呀，爱，到了星期四，自然而然地就是。

幽丽叶 （含有深意）必需来的就让它来。[2]

劳莲思长老 [3]这倒也有道理。

霸　礼 （盘问）

你来此地是对神父做忏悔的么？

幽丽叶 （嫌厌，却委婉道出）

要答复你这种问话，我倒像先对您做一次忏悔了。

---

1 “免得她一人过于悲愁”沪三版作“免得独自寻愁”。

2 此句沪三版作“（望望他）你说的也许。”。

3 此处沪三版有“（对幽首肯）”。

霸　礼　[1]那就不要对他否认，你是爱我。

幽丽叶　（意在言外，像是玩笑）那我先对你忏悔，说我是爱他。

霸　礼　（以为指的是悌暴）所以我敢讲你也是一样地爱我。

幽丽叶　（莫奈何）

如果我是爱，我想在背后谈起

总比当面对你说的价值高。

霸　礼　可怜的人，你满脸都被眼泪摧残。

幽丽叶　眼泪也没有从我得到什么，

没哭以前我的容貌就够难看。

霸　礼　（殷勤）

这样的话比你的眼泪还糟蹋你的脸。[2]

幽丽叶　（[3]冷冷地）我的话并不过分，先生，我说的是真，

我说了的，正是我自己的脸。

霸　礼　（狂妄）

你的脸是我的，但是你轻轻就把它毁谤。

幽丽叶　（不耐，意有所指）

也许吧，因为它已经不是我的了。

（婉转，对劳莲思长老）

不知您现在有工夫不？

1　此处沪三版有“（简拙）”。

2　此句沪三版作“你这样说比你的眼泪还对不起你的脸。”。

3　此处沪三版有“嫌烦，”。

（望望霸礼，转对劳莲思长老）

要不，我在晚祷的时候再来？

劳莲思长老 （见霸礼正想答话）

我现在正有工夫，心事重重的女儿。——

（对霸礼）爵爷，我们求您暂时离开一下。

霸　礼 上帝晓得我不敢打搅人们的虔诚。

（转对幽丽叶）

幽丽叶，那么星期四见早我就来唤你起来，

到那时再见！（想去吻，见幽丽叶避开）

我们就保留这个神圣的接吻。

〔霸礼下。

幽丽叶 （看他出了门）

哦，快关上门！关了门您再跟我一道哭吧！

（失声）没有希望[1]，没有办法，没有一点路可走。

劳莲思长老 （关好门）

啊，幽丽叶，我已经知道了你的痛苦。

我现在简直看不出什么路。

我听说你一定要在星期四嫁给这个爵爷，

绝对不能延缓。

幽丽叶 长老，您先别说您只是晓得这件事，

除非您能告诉我怎么样才可以挽救。

---

1 “希望”沪三版作“望”。

如果连您的智慧都不能帮我的忙，
只要您觉得我的决心还聪明，
（突然抽出一把匕首）
这匕首现在就可以帮我解决一切。
上帝把我的心连上柔蜜欧的心，
是您连上我们的手。
这手有柔蜜欧的心盖上了印，
不能再做另外契约的印证。
如果这手会变，这心也背叛，
（举起匕首）
我就杀了他们，（断然）用它！
所以，可敬的长老，您阅历多，
就请教给我一点应急的方法吧！
不然，您看！在忧患跟我中间，
只有这杀人的匕首，做最后的裁判。
它会说您这样的年纪跟本领不能保护我，
不能[1]带我到真正光荣的路上。
别再沉吟了，我的长老，
如果您要说的还不是解救我的方法，
我只有死了。

劳莲思长老　不用说下去了，孩子！我忽然看出一线希望，

1　沪三版无“不能”。

不过实行了这件事也跟避免那件事的危险是一样。

现在为着不嫁霸礼你都肯去自杀，

那么，为着斥退羞辱

你也就能采用[1]这个跟死也仿佛的方法。

想避免羞辱，也只有跟死做一次往来；

你果若敢，我就给你这个药方。

幽丽叶 哦，只要不嫁给霸礼，

叫我从那面塔上的垛口跳下，都好；

叫我同偷盗的罪犯走在一起，

叫我藏在毒蛇居住的洞里，

把我跟狂叫的野熊锁在一处；

或者在夜晚把我幽禁在藏满死尸的房间，

那里面到处都是死人的尸骨响叫，

鼻孔里是死尸腿上的臭味道，

眼前也是掉了下巴，变了颜色的骷髅；

或者叫我走进新做的坟墓，跟死人藏在一件尸衣的下头[2]；

这些事我听起来都发抖[3]，

可我愿意做[4]，没有一点犹疑，也没有一点怕，

---

1 “采用”沪三版作“照做”。

2 “尸衣的下头”沪三版作“寿衣的下面”。

3 沪三版无“这些事我听起来都发抖”。

4 “可我愿意做”沪三版作“这些我做”。

只要我能为着我心爱的守着自己，

做他的纯洁的爱妻。

劳莲思长老　好了，不用再讲！你就回家，

高高兴兴地答应嫁给霸礼。

星期三就是明天：

明天夜晚你想法一个人睡在你的房间[1]，

千万不要你的奶妈躺在你的身旁。

（取出小瓶）

你睡在床上，拿出这个小瓶，

把这提炼的流汁喝下[2]。

立刻一种冷冷而又昏昏的感觉

窜到你周身的血管。

脉搏也停了，没有一点平时的跳动，

没有热，没有气，谁也看不出你是活着。

你嘴唇和脸上的玫瑰也枯萎，

化成惨白的土灰；

你的眼像窗户闭上，

就像“死”，当他关断了生命的时光。

你身上每一部分失去主宰，

僵直冰冷，完全跟死去一样。

1　“房间”沪三版作“房”。

2　“喝下”沪三版作“喝掉”。

就在这种假死的状态之下，
你就一直度过去四十二个钟点，
那才睁眼醒来，就像经过一场甜蜜的好睡。
这边，当着新郎清早来了，
唤你起来，你已经死在床上。
按照我们家乡的习惯，
他们会把你穿上最好看的衣裳，
并不遮盖，放在殡床，
把你抬到那个古老的洞里，
多少年你们凯布家的尸骨都在那洞里存放。
同时，在你未醒以前，我会写信
叫柔蜜欧知道了我们的办法，
让他立刻来，我跟他守着你醒转，
当时，就在那一夜，柔蜜欧把你带到曼陀。
这样，就会免掉你这一场羞辱，
只要你有勇敢去做，
不像一般女子那样怯弱，
也不是一阵的情感。

幽丽叶 （忘了一切，伸手）
给我，给我！哦，不要说什么怯弱。

劳莲思长老 （递给她小瓶）
拿住，你就走吧，希望你坚强，
在这次决断中，你一定会处处顺当。

我立刻派一位长老把我给柔蜜欧的信

赶紧送到曼陀。

幽丽叶 （凝神）

爱情会给我力量，

力量就能帮忙。

再见了，神父。

〔同下。

第二景　梵萝那，凯布家中的大厅

〔厅内布置十分辉煌，仆人们正听着凯布的吩咐，他身边立着他的夫人和奶妈，凯布兴致淋漓，[1]早已忘记自己说过为哀悼悌暴一切从简的话。

凯　布　（把一张请客单交给一个仆人）

在这上面写着的客人都给我请到。

〔那仆人接着请客单匆匆下。

（兴高采烈，对第二个仆人）

你给我找二十个[2]有手艺的厨子来。

仆人二　（也来凑趣）

大人，我找来的就不会错。我挑厨子就看他们会不会舐手指头。

凯　布　（笑着）

你怎么能看出他好坏呢？

1　此处沪三版有“最易激动，”。

2　“二十个”沪三版作“三十个”。

仆人二 嗳，大人，一个坏厨子[1]连自己的手指都不会舐，所以谁不会舐自己手指头，谁就别想跟我来。

凯　布 （笑出来）

算了，快去吧。

〔仆人二下。

这一回我怕我们预备得不算周到了。

怎么，我的女儿是到劳莲思长老那里去了么？

奶　妈 嗯，是的。

凯　布 （希望）

说不定这个长老会对她有些好处，

这才是一个糊涂，不听话的丫头呢。

〔幽丽叶上。

奶　妈 您看，小姐高高兴兴地做完了忏悔回来了。

凯　布 （望着幽丽叶）

怎么样了？你这个自以为是的，

这一阵子跑到哪儿去了？

幽丽叶 （柔顺）

我去教自己悔过，不该不顺从您跟您的命令，

劳莲思长老叫我在您面前跪倒，请求您饶恕。

（跪下）饶我吧，我求您，以后我永远听从您的话。

凯　布 （大喜）

---

1 “一个坏厨子”沪三版作“没有本事的厨子”。

快把霸礼爵爷请来，不，还是快去告诉他这个消息，

明天早晨我一定把他们俩[1]配在一起。

幽丽叶 （仰望）

我在劳莲思的圣堂里遇见了年轻的爵爷，

一点也没有越过礼防的界限，

我给了他我可以给的那点情感。

凯　布 好，我听见了很喜欢。这样才对，起来吧。

〔幽丽叶立起。

这才是女儿应该有的态度。

好，让我去找霸礼去。

（快乐得不知如何是好）

喂！我说，还是你去，把他叫到此地。

哦，这个可尊敬的长老，我敢说，

我们一城的人都领受[2]过他的恩德。

幽丽叶 奶妈，你同我一块到我的房里来，

为着明天用，你看看哪件合适，

帮我挑一挑我需用的穿戴。

凯布夫人[3]不用，星期四再说，还有的是时候。

---

1 “他们俩”沪三版作“他们俩个”。

2 “领受”沪三版作“很受”。

3 此处沪三版有“（粗简）”。

凯　布　去，奶奶，跟她一同去吧，我们明天就要[1]到教堂。

〔幽丽叶与奶妈下。

凯布夫人　招待客人的酒食我看准是不够，

现在已经到了傍晚。

凯　布　（兴奋）

这算什么，我来跑。

你放心，夫人，所有的事情准会弄得好。

你去找幽丽叶，把她好好地打扮，

我今夜通宵不睡，我一个人来，

为这一回我也做一次管家的太太！

（看仆人不见）

什么，嘿[2]！他们都跑了！好，我走着去找霸礼，

叫他准备一下，明天。

我的心是出奇的轻松，

因为这个任性的女孩子，

居然这样地顺从。

〔同下。

---

1 “明天就要”沪三版作“就明天还要”。

2 “嘿”沪三版作“喝”。

第三景　梵萝那，幽丽叶的寝室

〔幽丽叶和奶妈走进。[1]

幽丽叶　（并没有看见奶妈手里拿着的衣服，随口答应）

是呀，这些衣服是顶好的，不过，奶妈，

今天夜晚我请你让我一个人睡吧，

因为我需要多多地祈祷，

好叫上天来[2]保佑我这一生。

你知道得[3]清楚，这一生已经够不幸，充满多少罪恶。

〔凯布夫人进。

凯布夫人（奉凯布的吩咐来问一声）

干什么，你们在忙么？要不要我来帮？

幽丽叶　（忙忙避开）

1　沪三版无此句。

2　“来”沪三版作“再来”。

3　“你知道得”沪三版作“知道”。

不用了，太太[1]，明天所需要的东西，

今天我们已经预备停当：

所以请您，让我一个人歇息，

这一夜叫奶妈陪您一个通宵。

我想这件事来得这样突然，

你们手上一定占得满满的，没有一点空闲。

凯布夫人（简简单单）

好，到床上去休息，

你现在正需要好好睡一睡。

〔凯布夫人与奶妈下。

幽丽叶　（望她们走出房门，低低地）

永别了！——天知道我们什么时候才能见面。

我的血管里有一种冷冰冰的惧怕暗暗地战抖，

几乎完全冻灭了我生命里的火。

（忽然促急）我要把她们叫回来，来安慰我！

（大叫）奶妈！——（低声）她能在这儿做什么？

我这场凄惨的戏需要我独自去做。——

（慢慢拿出药瓶，低缓而沉重）

那么靠你啦，这瓶药[2]！（微顿，望着药瓶，突然疑惧）

可是如果这配的药一点也没有效，

1　“太太”沪三版作“母亲”。

2　“这瓶药”沪三版作“小瓶子”。

那么明天一见早我不是就要去做新娘？

（战栗）

不，不，（拿出匕首）这匕首不肯！就放你在我的身旁。

（寻思）可是如果这是毒药，是长老

暗暗地配成，有意要害死我，

不然在我这次结婚中，他会丧失了声名，

因为他以前已经把我跟柔蜜欧结成夫妻。

我怕是的。可是我想也不会，

他究竟是个公认的有德行[1]的人。

那么，如果我已经放在墓洞里，

在柔蜜欧没有来救我以前，

我醒过来，这才真是可怕呢！

我会不会就在那洞里闷死，

洞口是那样脏，从来没有透过[2]一点新鲜的空气，

就在那里，没等柔蜜欧来到，已经活活地憋坏。

要不，即便我依然活着，会不会这样？

（逐渐紧张）

这怕人的想象，又是黑夜又是死，

加上这可怕的地方。

在那洞里，古老的坟墓，

---

1 “德行”沪三版作“道行”。

2 “透过”沪三版作“经过”。

几百年来，我们世代祖先的尸骨都在那里葬埋；

那里，满身鲜血的悌暴不过是刚刚入土，

穿着死人的衣服渐渐地腐烂，

那里，人家说，到了半夜，无数的鬼们都跑来！

（压不住的恐怖，呼出）

哦呀！哦呀！会不会我老早就醒？

闻着那叫人吐的气味，像从地下拔出来那死人变成的怪草[1]，

那草自己会叫，人听见就可以疯，

在洞里到处都听见这叫声，我也会疯狂；（喘息）

哦，如果我醒了，我的心窍难道不会昏迷，

我四面都埋伏着这样可怕的东西？

我[2]发狂似地拾起我祖先的腿骨[3]乱耍；

或者从葬衣下面把四肢不全的悌暴也拖出来？

就这样颠颠倒倒，抓着我尊严的祖宗的骨头，

像拿着一根大的棒槌，就一槌打碎我这昏乱的脑子！

（低声，像是在远处黑暗中看见了什么）

哦，看！我像是看见了我表哥的鬼魂

出来要找柔蜜欧，

好报柔蜜欧一剑刺死他的仇！

---

1 “怪草”沪三版作“妖草”。

2 沪三版无“我”。

3 “腿骨”沪三版作“腿”。

（大叫）住手！悌暴！住手！

柔蜜欧，我来了！（昏沉沉）

这个我是为你干[1]的！

〔她举药一口喝下，倒在床上。

1 “干”沪三版作“喝”。

第四景　梵萝那，天尚未亮，凯布家中大厅，远远教堂钟声，鸡鸣

〔凯布夫人进，后随奶妈。

凯布夫人（拿着一串钥匙）

等等，奶妈，把这些钥匙拿去，多拿些香料来。

奶　妈　点心房的人要的是海枣同榅桲。

〔凯布上。

凯　布　（兴奋）

来，起来，起来！[1]鸡都叫了第二遍了，

教堂撞了钟，现在三点了；

（对奶妈）

安吉利卡，好好再看看那烤肉，别图省钱。

奶　妈　（自以为是老用人，见凯布高兴，随意乱说）

去吧，您这位管家的老太太去吧。

快到床上睡去吧！这一通宵没有睡，

1　“起来，起来!”沪三版作“动动，动动!”。

我看您明天会病了的。

凯　布　（太高兴就不在意）

不，不，可不会呢，从前为着比这小得多的事

就整夜整夜不睡，也没有病过。

凯布夫人（讽刺）

是，你年轻的时候，就专门好找女人；

可是你为这些整夜整夜不睡，我也会整夜整夜守着你的。

〔三四个仆人哄哄地手持烤叉，木柴和桶等上。

凯　布　这个醋瓶子，醋瓶子！——

〔凯布夫人，奶妈下。

喂，你们，这是些什么？

仆人一　（翻翻眼）

我也不知是什么，是厨子要用的东西，大人。

凯　布　快拿去，快拿去，

〔仆人一下，他又察看其他物事。

嗳嘿！再搬些干一点的柴来。

去找比得，他会指给你柴在什么地方。

仆人二　（笑嘻嘻）

用不着为这么个小事麻烦比得，

我的脑袋，大人，还找得着木头。[1]

1　此句沪三版作：
"我的脑袋，大人，还找得着木头，
用不着为这么个小事麻烦比得。"。

〔欢欢喜喜地走下。

凯　布　[1]说得对！这个坏种，

（指下去的仆人，开玩笑）

这一说你准是个[2]木头脑袋！

（望望）啊呀，天已经亮了！

我看爵爷就要吹吹打打地带着人来了。

他对我这么说好的。

〔远远乐声盈耳。

我听见他来了，快来了[3]。

（四面招喊）

奶妈！——太太！——怎么啦，嘿！——喂，奶妈，我说！

〔奶妈急急忙忙跑上

快去叫醒幽丽叶，快去，把她收拾好，

我就出去，陪霸礼谈一谈！

快去，快！快点！新郎已经来到了。

嘿，我说，快点去！

〔奶妈高兴应声，一面跑。

〔凯布和她同下。

1　此处沪三版有“好哇，”。

2　“你准是个”沪三版作“倒成了”。

3　“快来了”沪三版作“快来近”。

第五景　梵萝那，幽丽叶卧室。
窗帷未启，室内幽暗，幽丽叶死了一般躺在
帐幔低垂的深床上

〔奶妈匆匆进。

奶　妈　（欢天喜地）

小姐，怎么，小姐！幽丽叶！哼，准又睡死了！我敢说她！

怎么啦，我的小羊！小姑娘！你看你呀，这个睡懒觉的！

喂，心肝，我叫你呢，小姐！我的爱人！新娘子！

怎么，一声也不哼？你先多睡一点也好；

（笑骂）你就睡一个星期都好；反正今天夜里[1]，

霸礼爵爷准备好了[2]，叫你一会儿也睡不了的。

（看看还不见动静）

天哪！天保佑，她睡得多死啊，我可得叫醒她了。——小

1　“今天夜里”沪三版作“明天夜晚”。

2　“准备好了”沪三版作“准把什么都拿出来”。

姐，小姐，小姐！

好了，就请爵爷自己从床上把你弄醒，

那一下就吓着了你喽！那他才乐意呢。（渐看明了）

什么，穿好了？穿好了衣服又躺下去的？

我可得叫醒你。（推摇）

小姐！小姐！小姐！（忽然）

啊呀！啊呀！（大叫）救命哪！救命哪！我的小姐死了。

哦，我的天哪！我还活着干什么呀！

嘿，快拿水来哟，老爷，太太，来呀！

〔凯布夫人上。

凯布夫人 这儿闹些什么？

奶　妈 （哭嚎）

哦，伤心哪[1]！

凯布夫人 是怎么回事？

奶　妈 （指着）看吧，

看吧！要命哪[2]！

凯布夫人（走到床前张望，抚摸，忽然）

呀，命呀！命呀！我的孩子！我的命！

睁开眼，醒回来吧，不然我也会跟你一道死啊！

救人哪！救人哪！快叫人来救啊！

---

1 “伤心哪”沪三版作“伤心的日子啊”。

2 “要命哪”沪三版作“真是要命的日子啊”。

〔凯布匆匆上。

凯　布　乱喊什么？还不把幽丽叶带出来；

她的新郎都来到了。

奶　妈　（又哭嚎）

她死了，没有了，死了！天哪，怎么过呀！

凯布夫人（哭泣）

怎么得了啊！她死了，她死了，她死了！

凯　布　（不信）

啊？让我来看看。（摸着她的手，望着她的脸）

啊，完了，她都冷了；

血脉停了，腿也僵了。

在这嘴唇上生命早早跑开了。

死降临在她的身上像春天的寒霜，

冻伤了田野里最美[1]的花。

奶　妈　哦，伤心的日子啊。

凯布夫人　好凄惨的时光！

凯　布　死把她带去，我好悲恸，

拴紧了我的舌头，说不出一句话。

〔劳莲思长老和穿着婚服的霸礼上，后随乐师，乐声悠扬[2]。

劳莲思长老　来吧，新娘准备去教堂了吧？

---

1 “最美”沪三版作“最甜美”。

2 “悠扬”沪三版作“抑扬”。

凯　布　（哀伤）

准备去，但是再也回不来。

（对霸礼）

哦，我的孩子啊，你结婚的前一晚上

“死”已经跟你的妻子同床：

看，她躺在那里，

这么一朵美丽的花，已经被他摧残。

（激动）死神是我的女婿，死神是我的后人；

他娶走了我的女儿，我也跟着去，

把什么都留给他；生命，一切都交给“死”吧。

霸　礼　多久我就指望着看今天早晨的光辉[1]，

难道就给我这种景象看？

凯布夫人　好悲惨，可怜，恨人的日子啊！从来没有过的凄惨！

可怜，我就留下一个，这么一个可爱的孩子，

这个可爱的女儿，她给我快乐，给我安慰，

死神狠心，把她从我眼前抢去。

奶　妈[2]　哦，灾星哪！哦，苦啊，好苦的日子啊，

最伤心的日子，最痛，最苦的日子啊！

我，我，——怎么偏叫我看着了呢！

哦，什么日子啊，什么日子啊，

1　“早晨的光辉”沪三版作“早晨她的脸”。

2　“奶妈”沪三版无。

恨死人的日子，再也不会有这么悲惨的日子！

哦，伤心哪，伤心的日子啊！

霸　礼　（忍耐不下，望着幽丽叶）

受了骗了，离了婚了，上了当了，中了计了，被杀死了！

最可厌的死啊，我被你骗了，被你这残忍残忍的死整个推翻了。

哦，爱[1]！哦，生命！哪里有生？只有死里面的爱人[2]！

凯　布　（也和大家喊成一片）

完了，扔在后面了[3]，没有路了，被人恨了，就了义了，活活地害死了。

一味给人苦痛的运命，你为什么偏偏现在

要毁，毁了我们的大事啊！

哦，儿啊！儿啊！[4]我的心，你已经不是我的孩子！

你死了，天哪！我的孩子死了。

孩子死了！我什么快乐都完了。

劳莲思长老　（看见他们这样哭天号地）

喂，静一静，你们不想？这样乱喊也止不了[5]悲痛。

---

1 “爱”沪三版作“爱情”。

2 “只有死里面的爱人”沪三版作“这是死，死里面的爱啊”。

3 “扔在后面了”沪三版作“瞧不起了”。

4 “儿啊！儿啊！”沪三版作“孩子！孩子！”。

5 “也止不了”沪三版作“并治不了”。

造成这个美丽的女儿，上天跟你都有份；

如今上天整个地有了她，对她岂不更好？

在她身上你那一份，你没有法子保持不死，

但是上天的那一部分，天就给了她永生。

你所求的不过是让她一天一天地好，

因为你想，她该进的是天堂。

那么还哭什么？现在她已经

升上了云端，跟天一样高[1]！

哦，这样爱，你就不是爱你的孩子，

看她已经得到幸福，你们还哭哭啼啼像发疯。

一个女子活到老才结婚不一定嫁得好；

结婚，死去，都在青春才真是嫁得好。

把你们的眼泪擦干，把那柔玛丽花插上这貌美的尸体；

照着一向的习惯，为她穿上最好的衣装，抬到教堂。

因为尽管人性是傻的，叫我们怎么[2]不哀恸，

但是管不住的眼泪，理智会笑我们是发疯。

凯　布　所有为着喜事的准备，

现在只好用做丧事的点缀。

欢喜的音乐变成丧钟，

结婚的酒宴只好用在殡葬。

1　“一样高”沪三版作“一样地高”。

2　“怎么”沪三版作“哪得”。

和穆的礼赞成了无言的哀歌，

随着尸体的葬埋是新娘的花朵；

一切都变了，变得刚刚相反。

劳莲思长老　爵爷，你进去吧，——夫人，你也陪他进去，

走吧，霸礼爵爷！

大家都送这美丽的尸体到她的墓坟。

恼怒的上苍正想降临与你们不祥，

所以再莫把他的旨意冲撞。

〔凯布与其夫人，霸礼和长老同下。

乐师一　我看我们可以把乐器收起来走吧。

奶　妈　嗐，朋友们，收起来吧，你们看得出来，这情形是多惨！

〔奶妈下。

乐师一　（同情）

是啊！总希望这情形可以补救。

〔比得——那个小丑似的仆人上。

比　得　（夸张地）乐师们，哦，乐师们！来一段“宽宽你的心”[1]吧，“宽宽你的心”吧，哦，你们要叫我活着，就奏[2]一段“宽宽你的心”！

乐师一　为什么要奏[3]“宽宽你的心”？

1　曲名。——底本注。

2　“奏”沪三版作“吹”。

3　“奏”沪三版作“吹”。

比　得　（做出一副悲悲切切的样子）哦，乐师们，因为我的心正在唱“痛苦啊是我的感情[1]”。

哦，给我弹一点快活的曲子[2]来安慰安慰我。

乐师一　一个曲子[3]也不弹，现在不是弹曲子[4]玩乐的时候。

比　得　你不肯，那么？

乐师一　不肯[5]。

比　得　（斗嘴）那我就好好给你们一顿。

乐师一　给我们什么？

比　得　你放心，不是钱，是给你们一顿臭骂！我要叫你们一声卖唱的。

乐师一　那我就叫你一声打杂的。

比　得　那我就把我这个打杂的小刀子一刀插在你的头上。我可不爱你们这种玩笑，我要“吹”你，我要“打”你。你听见我没有？

乐师一　（俏皮）又吹又打我还听不见？

乐师二　（奚落）求求你放下你的刀，少拿出一点你的机灵。

比　得　（反误会人家要和他斗智）那你就好好招架一下我这点机灵。

1　曲名。——底本注。“痛苦啊是我的感情”沪三版作“好苦啊是我的情”。

2　“曲子”沪三版作“调子”。

3　“曲子”沪三版作“调子”。

4　“曲子”沪三版作“调子”。

5　“不肯”沪三版作“不”。

我的机灵像铁，可以重重打得你直叫，也用不着我的刀。我来考你，你来答：（背诵起来）

当着悲痛狠狠地伤了人的心，
凄惨的歌调沉沉地压着人，
于是音乐带着她的银子似的声音——（忽然）

为什么是“银子似的声音”？你说这怎么讲，弹竖琴的大哥？

乐师一 这还用问？自然是因为银子的声音最甜，最好听。

比　得 （自负地）好！——那么，你说呢？（对另外一个乐师）拉三弦的二哥？

乐师二 我说“银子似的声音”是因为音乐家们要的[1]是银子。

比　得 也好！那么你呢？你说，我的琴柱子三哥？

乐师三 （嗫嚅）我，我不知道怎么说。

比　得 （得意）哦，对不起，你只会唱，让我来替你说吧。“音乐带着银子似的声音”，那是因为音乐家都是穷光蛋，没有金子；——

于是音乐带着她的银子似的声音，
才把你欠的酒账饭账赶快来还清。

〔一阵风似地溜下。

乐师一 这个讨厌的东西！

乐师二 算了吧，别理他！——来，我们进去；为着吊丧的人多待一待！我们还可以弄一顿午饭。

〔三人同下。

---

1 “要的”沪三版作“探找的”。

第五幕

第一景　曼陀城一条街上

〔柔蜜欧上。

柔蜜欧　如果我能相信睡梦中也有动人的真情，

我的梦就是喜事来临的兆头。

我胸中轻松像君王坐定了宝座，

整天是从来没有的高兴，

我满心都是快乐的思想，

让我飞起，活在天堂。

我梦见我的爱来了，看我已经死去，——

多怪的梦，死人也能想！——

爱人在我唇上轻轻地吻，好温暖的春气！

我活了[1]，发见我当了皇帝。

啊，天[2]！沉醉在爱情里是多么甜蜜，

连爱的梦影都充满了这许多欢乐！

---

1 “我活了”沪三版作“我醒了”。

2 “天”沪三版作“舒服”。

〔贝儿穿着远行衣装上场。

（望见了贝儿）

啊，梵萝那来了消息，怎么样啊，贝儿？

你是不是从长老那里给我带来了信？

我的妻子好不好？我的父亲结实不？

我的幽丽叶怎么样了？我真再要问一问；

只要是她很好，世间就不会再有坏的消息。

贝　儿　（候他一串问完了才忍说出）

那么她算很好，世上不能再有坏的消息。

她的身体睡在凯布的祖坟里，

她的灵魂不死，已经跟天使们永生。

我亲眼瞧见她葬在她祖宗的坟茔里[1]，

就立刻赶来告诉你这件事；

哦，原谅我告诉你这个不幸的消息；

你是吩咐过我有什么就报告什么。

柔蜜欧　（当时相信了[2]，急如星火）

就这样了么？那么我还顾什么？你这恶毒的运命！

（对贝儿）

你晓得我的住处，把纸笔给我[3]拿来，

---

1 “坟茔里”沪三版作“坟洞”。

2 “当时相信了”沪三版作“立刻听信”。

3 “纸笔给我”沪三版作“纸墨为我”。

雇上最快的驿马！今夜我就动身。

贝　儿　小主人，我求你，你还是忍耐一下好，

你的脸惨白，气色也不正，

这是要出事的样子。

柔蜜欧　去，你看错了！

别管我，我叫你做什么你就赶快去做。

长老没有信叫你带给我么？

贝　儿　没有，小主人。

柔蜜欧　没有什么？你去吧，把马雇好，我立刻就来找你。

〔贝儿下

（毫无犹疑）

那么幽丽叶，今天夜晚，我要跟你睡在一道了。

让我先想想什么办法！

（寻思一下，豁然）

哦，祸害的念头啊，对于不顾一切的人你来得好快！

我记起一个卖药的人[1]，他就住在[2]附近，

我最近看见他穿着破烂的衣服深深地锁着眉头，

挑拣着许多药草，他的神色那样憔悴，

逼人的穷苦磨得他只剩下了骨头。

在他空空的药铺里挂着一个乌龟壳，

1　“卖药的人”沪三版作“药铺的穷伙计”。

2　“住在”沪三版作“住”。

一个填满了草的穿山甲，还有一些风干了的奇怪的鱼的皮，
在药架上七零八散有几个盒子，
绿色的土罐，上了霉的草种，同猪尿泡，
几根捆扎药草的烂麻绳，焙干了的玫瑰，
就这样稀稀落落地凑成了[1]一个门面。
看到这样的贫苦，我当时就对自己说：
如果有人现在需要毒药，
尽管在曼陀的法律上说：
谁要卖出毒药就立刻是死，
但是在此地有个可怜的狗，就肯把毒药出卖[2]。
当时我并不需要；[3]可怪，这种思想先就来到我的心头。[4]
就是他，这个穷人，会把毒药卖给我。
（四面望一望，仿佛在寻找）我记得，这里[5]就是那所房子，
今天是假期，这个穷家伙的铺子关着门，
喂，嘿，卖药的人[6]！
〔卖药人上。

---

1 “稀稀落落地凑成了”沪三版作“散乱的免〔勉〕强成了”。

2 “就肯把毒药出卖”沪三版作“肯把毒药卖给他”。

3 此处沪三版无“当时我并不需要；”。

4 此句沪三版作“奇怪，在我还不需要之前这种思想就来在我的心头。”。

5 “这里”沪三版作“大概”。

6 “卖药的人”沪三版作“开药铺的伙计”。

卖药人　谁这样高声叫喊[1]？

柔蜜欧　过来[2]，伙计！我看你很穷，

拿着，这四十块钱，给我一点毒药[3]。

药性要这样快，一下子[4]就散布到周身，

厌倦了生命的人吃下去就会立刻死。

人就停止了呼吸，那样猛，

像最快的火药，从危险的炮口里轰出来。

卖药人　这种厉害的毒药我有，

但是曼陀的法律订下了谁卖谁就死。

柔蜜欧　你穷到这样还怕死吗？[5]

饥饿露[6]在你的脸上，

你的眼神透出贫苦和压迫[7]，

到处向人乞讨，到处受人轻蔑，

重重的负担[8]，压弯了你的背。

---

1 “高声叫喊”沪三版作“高声地叫”。

2 “过来”沪三版作“到这里来”。

3 “这四十块钱，给我一点毒药”沪三版作“这里有四十块钱，卖给我一点毒药”。

4 “一下子”沪三版作“一会儿”。

5 此句沪三版作“你贫苦得这样可怜还怕死？”。

6 “露”沪三版作“现”。

7 “你的眼神透出贫苦和压迫”沪三版作“在你的眼里活生生露出贫穷和压迫”。

8 “重重的负担，”沪三版作“一点点”。

这个世界不是你的朋友，[1]

它的法律并不关心你[2]，

没有一条法律是会叫你富的[3]，

所以不要穷，管它什么法律[4]，把钱拿去。

卖药人 （嗫嚅）

我答应你，并不是我心愿，是因为我穷。

柔蜜欧 我也只能买了[5]你的穷，并不想买你心愿。

卖药人 （取出一包毒药，递给[6]柔蜜欧）

你把它放在任何的流汁[7]里喝下去，

即便你有二十个人的力气，它也会把你送到天堂里[8]。

柔蜜欧 （取出一袋金子交给他）

这是你的钱，在这个可厌的世界里，

这才是毒药[9]。它杀人的灵魂，比你不能卖的毒药还凶。

是我卖给你毒药，你并没有卖给我。

---

1 此处沪三版有“法律也不是，”。

2 沪三版无“它的法律并不关心你”。

3 “没有一条法律是会叫你富的”沪三版作“这个世界造的法律并不能叫你富”。

4 “管它什么法律”沪三版作“打破了它”。

5 “买了”沪三版作“买”。

6 “递给”沪三版作“递”。

7 “流汁”沪三版作“流质”。

8 “天堂里”沪三版作“天堂里去”。

9 指钱。——底本注。

再见了，拿去买吃的吧，好叫你长[1]点肉。

来吧，宝贝[2]，你不是毒药，

到幽丽叶的坟墓去，跟我一同[3]，

在那里你就会得到重用[4]。

〔二人同下。

1 “长”沪三版作“添”。

2 指毒药。——底本注。

3 “到幽丽叶的坟墓去，跟我一同”沪三版作“跟我一同到幽丽叶的墓坟”。

4 “得到重用”沪三版作“给我使用”。

第二景　梵萝那，劳莲思长老苦修的密室

〔约翰长老上。

约翰长老 神圣的长老！弟兄，喂！

〔劳莲思长老走进。

劳莲思长老 （喜欢）

这声音一定是约翰长老的声音。——

欢迎从曼陀来的人！柔蜜欧说些什么？

或者他已经写下来他的意思，就把他的信给我。

约翰长老 我找了一个光脚的弟兄，

我们同派的教徒，同我一道，

在这个城里看一个病人。

谁知城里的巡逻也到病人那里，

说我们两个来到的是[1]瘟疫传染的地方，

就锁上了门，不让我们出去，

于是我没有法子再到曼陀。

1 “来到的是”沪三版作“来到这”。

劳莲思长老　那么谁送了我的信给柔蜜欧？

约翰长老 我自己不能送，——（拿出信来）

这就是那信。——

也找不着人把信还给你，

他们都这样怕传染。

劳莲思长老　真不幸，天，这信不是平常的信，

里面有很重要的事情；

没有寄到就许惹出危险。

约翰长老，快去，

给我找一根铁锹[1]，一直拿到我的房间来。

约翰长老 嗯，弟兄，我就去给你拿来。

〔走下。

劳莲思长老　现在我要一个人到坟洞那里去，

就在这三点钟之内美丽的幽丽叶就会醒来，

她一定狠狠责怪[2]我，

怪我没有能把这情形告诉给柔蜜欧。

不过我一定再写信送到曼陀，

把她藏在我的房里等柔蜜欧回来。

可怜你只好关在死人的坟墓里，你这活着的尸骸。

〔劳莲思长老下。

1　“铁锹”沪三版作“铁棒”。

2　“责怪”沪三版作“责备”。

第三景　梵萝那，夜深，教堂坟场

隐约见凯布家[1]的墓穴，幽丽叶在里面静静地躺着[2]

〔霸礼和小斯拿着鲜花掌着火把上。[3]

霸　礼　（对小斯）

把你手里的火把给我，走开，远远地站着。——

不，还是吹熄了好，[4]我不愿意被人看见。

〔小斯弄灭了火把。[5]

你就在那边紫杉树下面躺下来，

把耳朵紧贴在洼地[6]上；

坟场的土是松的，常常有人挖坑，

地上有了脚步的声音你一定听得见，

---

1 “家”沪三版作“私人”。

2 此处沪三版有“，霸礼和小斯拿着鲜花掌着火把上”。

3 沪三版无此句。

4 此处沪三版有“(小斯弄灭了火把)”。

5 沪三版无此句。

6 “洼地”沪三版作“洼洼的地”。

那你就吹一声口哨，就是说你听见有什么人来了。

把那花给我，走，照我吩咐你的去做。

小　厮　（旁白）

在坟场当中一个人真有点怕，

可我也只好咬着牙闯一闯。

〔小厮下

霸　礼　（走到墓穴前，供上花[1]）

美丽的花[2]啊，在你

这新娘的床上我来散满了花朵，

痛心啊！你现在的帐幕只有冰冷的石头和尘土。[3]

我要夜夜把你的床[4]洒上香花浸过的水，

要不就洒上叹息筛过[5]的眼泪。

为你，我在半夜再来一次葬礼，

在你坟上布满了鲜花，再一次深深地[6]哭泣。

〔小厮在外面吹口哨。

这口哨报告我说有人来了。

谁这么讨厌，半夜要从这里走？

---

1 “走到墓穴前，供上花”沪三版作“把花理好，走到凯布的墓穴前”。

2 指幽丽叶。——底本注。

3 “痛心啊”以下沪三版作“——哦，可怜，你现在的帐幕是尘土和石头——”。

4 “夜夜把你的床”沪三版作“每夜把你的床上”。

5 “筛过”沪三版作“滤过”。

6 “再一次深深地”沪三版作“再深深地一次”。

阻碍我的吊礼，同真实爱情的表示。

怎么，（望见，惊讶）拿着火把！黑夜啊，

你先把我藏一藏。

〔霸礼隐退一旁。

〔柔蜜欧和贝儿持火把，拿着铁锄等上。

柔蜜欧 （对贝儿）

把那铁锄和开门的钳子给我，

你把这封信拿着，天亮，一见早，

你亲手交给我的父亲。

把火把给我，你小心，好好记着，

无论你听见什么，看见什么，你就站在一边，

我做的事情不要你来干涉。

我下坟里面去，

固然要看一下我的妻的遗貌，

但是主要是为着从她的僵死的手上

取下一个珍重的戒指。

这戒指对我将来会有很重大的用处的。

所以没有别的事，你就走吧。

如果你多心，非要回来

查探我想做些什么。

告诉你，我一定把你撕成两半，

把你的四肢扔在坟场上喂狗。

这时候我的心情又暴躁又猛烈，

比饿虎还要凶狠，比怒海还压服不住。

贝　儿　我一定走，小主人，我不来麻烦你。

柔蜜欧　那你才真是待我好。（拿出一袋钱）把这点拿去，

快快活活地活下去吧！再见，朋友。

贝　儿　（旁白）

我看他脸色不对，我怕他要做什么。[1]

不管他怎么样，我先找个地方藏起来[2]。

〔贝儿退下。

柔蜜欧　（走近那墓门口凝望）

坟墓啊，你真是野兽一样的胃口！

人间最宝贵的，你已经吞吃了，

我要掰开你的龌龊的下巴；

（他把墓门打开）

我恨，我也要变成你的食物来噎死你！

霸　礼　（隐匿着）

这不是那驱逐出境的[3]柔蜜欧，

那骄横的小猛泰？他杀死我的爱人的表哥，

听说就因为这种悲恸这美丽的人儿才痛死。

现在他又来到死尸旁边，

1　沪三版无此句。

2　此处沪三版有“，看他弄些什么？”。

3　“驱逐出境的”沪三版作“充了军的”。

一定是要对死尸有什么不正当的行为。

我要来教训教训他。

（走出）

站住，可恶的[1]猛泰，不要再想那种无法无天的心思！

人死了，你难道还想报复到死人的头上么？

流氓，罪犯，这次我要好好地教训你；

走，乖乖地跟我走，你该死了。

柔蜜欧 是的，是该死了，所以我才到此地来。

你是世家的好子弟，不要挑惹[2]一个一切都绝了望的人；

离开我，快快走吧，想想这些已经死了的，

他们会做你的警戒。我求你，不要逼我发了疯，

不要在我头上又加上一次罪过。

哦，快去吧，我敢说，我现在爱你比爱我自己还深，

因为我来此地是要害我自己。

不要停留，快走，活下去，以后对人讲，

一个疯子也有慈悲心才叫你逃掉。

霸　礼 你不要再向我哀恳，

你再说得好听也不值一个钱。[3]（拔剑冲出。）

柔蜜欧 （立刻用剑暂时挡住）

---

1 “可恶的”沪三版作“小”。

2 “挑惹”沪三版作“挑弄”。

3 此处沪三版有“万恶的罪犯，就在此地我要教训你。”。

你真的要惹我？那么来吧，（一剑刺过去）朋友！

〔二人开始狠狠地[1]恶斗。

〔小断上。

小　断　（望见）哦，天，他们打起来了，我得赶快叫守夜的来。

〔小断跑下。

霸　礼　（突被柔蜜欧刺个正着）

哦，杀死我了！（踉跄跌倒，望着持剑愕视的柔蜜欧）

如果你真是慈悲的，打开墓门，把我放在幽丽叶旁边。

（死去）

柔蜜欧　（昏惑）

好，我一定。——（忽然）让我细看看这个脸！（惊愕）

什么，墨故求的亲戚，霸礼伯爵[2]！（寻思）

方才我们骑着马跑，我昏昏沉沉仿佛听见

我那下人对我说了些什么，我没有留心。

我想他是告诉我霸礼要跟幽丽叶成婚。

他不是这么说的么？还是我做着梦？

还是我已经疯了，听见他提到幽丽叶，

就以为有这样的事情？——（忽然抓着霸礼的手）

哦，让我们拉一拉手，你跟我都是一样地不幸！

我要把你埋在一个欢乐的坟里。

1　“狠狠地”沪三版作“凶险地”。

2　“霸礼伯爵”沪三版作“伯爵霸礼”。

这是坟么？哦，不，这是光明的天窗；
因为幽丽叶睡在里面，她的光彩
如同华美的筵席把这个坟洞照耀得金碧辉煌[1]。
死，你就躺在这里吧，现在你是被死人埋葬。
（把霸礼放在坟墓里，
脸上显着一种恬静的决断）
时常有这种情形，人快死的时候，反而感到突然的快乐，
像电光一闪，叫做回光返照，（走近幽丽叶的殡床）
哦，我这是不是最后的电光一闪？——
（对着幽丽叶）哦，我的爱！我的爱妻！
死，吸去了你像蜜似的气息，
却不能毁灭一丝你的美丽。
死征服不了你，美的旗帜依然
在你红红的嘴唇和[2]脸上招展，
死亡在你那里还没有打起惨白的标旗。（回头望见悌暴）
悌暴，是你在那血淋淋的尸衣[3]中躺着么？
哦，我还能对你怎么好？当初这只手断送你的青春，
如今就用这只手也把你仇人的青春断送。
饶恕我吧，表哥！——啊，亲爱的幽丽叶，

1 “照耀得金碧辉煌”沪三版作“照耀成通明的大厅”。

2 “和”沪三版作“跟”。

3 “尸衣”沪三版作“寿衣”。

你为什么依然这样美？难道死神对你有了爱情？
莫非那怪人，那可怕的骷髅，要把你藏在暗处做他的爱人？
怕的是这样，我才决心跟你住在一起，
永远不离开这昏暗的夜宫。
此地，就在此地，我情愿跟蛆虫们
守在一道，为着他们今后是你的侍女。
哦，我要在此地长眠，长远地休息，
这肉体对这世界真够厌倦，
不幸的命运从此也可以脱离。
——眼睛啊，你最后再看一眼！（扑在幽丽叶胸前）
手臂啊，你最后再拥抱一次[1]！
这嘴唇，呼吸的双门，
要你正正当当接一次吻，就算盖了印，（吻幽丽叶）
从此我跟死订下了天长地久的契约[2]。
（举起药汁）来吧，好苦啊，你这领路的！
真不是滋味呀，是你这指路的人。
你是一个凶邪[3]的领海的，
如今带着这早已厌倦风浪的木船，
笔直地撞上险恶的山岩。

1 “你最后再拥抱一次”沪三版作“你也最后一次拥抱”。

2 “天长地久的契约”沪三版作“无期的合同”。

3 “凶邪”沪三版作“凶险”。

这里（举起药）为着我的爱!（一饮而尽）

哦，卖药的人，你没有骗我，

你的药性好快！——我就这样吻了一吻死去。

〔柔蜜欧死在幽丽叶旁边。

〔昏黑中，从墓场的那一端劳莲思长老提着灯，带着铁铲和铁锹[1]急匆匆上。

劳莲思长老　上天帮我快一点走路吧。（忽然又跌了一跤，感到不祥的兆头）

真是怪，今天夜晚我总在坟上跌跤!（瞥见一个人）谁在那里?

贝　儿　（从黑暗中走出来）

是一个朋友，一个十分认识你的人。

劳莲思长老　（看明白）

你呀，上帝保佑!（心慌意乱）

告诉我，好朋友,（指墓中微弱的火光）

那里是什么，浪费了光明，

照着无知的小虫同没有眼睛的骷髅?

我看在凯布家的坟里有了火光。

贝　儿　是啊，圣洁的长老，在那里是你所爱的，

我的小主人。

劳莲思长老　（惊恐）是谁?

1　“铁锹”沪三版作“起东西的铁梃”。

贝　儿　柔蜜欧。

劳莲思长老　他来了有多久？

贝　儿　足有半个钟头。

劳莲思长老　（心里慌惧）你跟我一同到坟里去。

贝　儿　（想去却又胆怯）

我不敢，神父。

我的小主人只当我已经走了，

他吓唬我，说如果我回来

看他做什么，他会杀死我。

劳莲思长老　那你就在这儿吧，我自己去。（踟蹰）

恐惧忽然传布到我周身，

哦，我真怕要出什么不幸的事情。

贝　儿　（怯弱，闪烁其词）

我方才睡在这紫杉树的下面，

我梦见小主人跟另外一个人相打。

我的主人一剑把那个人刺杀。

劳莲思长老　（低声）柔蜜欧！（探索前进）

哎呀，哎呀，这是什么血沾染了

坟墓上石头的进口？

在这静静长眠的地方，这是什么意义？

血污的利剑[1]都变了颜色，丢在地下，没有主人？[2]

（战栗走入坟内，一眼望见）

柔蜜欧，哦，好惨白的脸！——

（暗淡中又模糊地看见一个人）

还有谁？什么，霸礼（语不成声）也周身浸在血里？

——啊，多么残酷啊，发生这种不凑巧的事情，好伤心！——

（床上微动，回头）啊，小姐有点转动了。

幽丽叶 （缓缓醒来，望着劳莲思，感激地）

哦，维护我的长老！我的爱夫在哪里？

我记得很清楚我应该在什么地方醒。

（欢欣）我果然来在这个地方，柔蜜欧在哪里？

〔外面人声喧嚣。

劳莲思长老 （急忙）

我听见有人声。——快，小姐，

赶快离开这死亡，传染，不祥的长眠的地方，

一种更大的力量，我们无法对抗，

把我们原来的计划打个粉碎。

走吧，赶快走，你的丈夫躺在你的胸口上已经死去，

霸礼也死了，来，我把你放在修道院做尼姑吧。

（人声更近，更慌张）

---

1 “利剑”沪三版作“钢刀”。

2 “丢在地下，没有主人？”沪三版作“被人死弃在地下。”。

你不要再问，因为守夜的就要来了。

来，快跟我来，可怜的幽丽叶，我不能再在此地久留。

〔劳莲思长老匆匆下场。

幽丽叶　（坐起，闪电一般的决定）

走，你去吧，因为我是不走的。——

这是什么？我的爱的手里紧紧拿着一个瓶子？

那么毒药，我看是他绝命[1]的原故。

（审视）哦，你好吝啬啊，喝得干干净净，

不留下一点温情帮着我，好紧紧[2]跟着你？

我要亲一亲你的嘴唇，

或者那毒药在你唇上还留下一点点，

叫我也能吃了这仙药死去。

（亲吻柔蜜欧）

你的嘴唇好温暖！

守夜人　（在外面）领路，快点，哪一条路？

幽丽叶　怎么，就要来人？那我就爽快一点。

（瞥见）哦，匕首，你来得正好！

（攫取柔蜜欧身上的匕首）

这才是你藏身的地方！

（刺入心坎）

1　“绝命”沪三版作“短命”。

2　“紧紧”沪三版作“紧”。

让你[1]休息，让我死！

（倒在柔蜜欧身上死去）

〔守夜的人们跟着霸礼的小断急上。

小　断　（指着）就是这个地方，就在这个地方点着火把。

守夜人一　地上鲜血淋淋，快去搜察坟场的四周，

你们去几个人，遇见了谁，就把他抓住。

〔有几个守夜的走下。

好凄惨的景象！伯爵被人杀了，躺在地上；

幽丽叶流着血，（用手探一探）人还是温的，刚刚死。

（诧异）可两天以前我们已经把她埋葬——

（对其余的守夜人）去，赶快报告大公，

（对另外一个）你跑去找凯布，

（又对一人）你快把猛泰他们叫醒；

（对其余的）此外的人继续搜！

〔又走下一批守夜的人。

出事的地方我们都看见，

但是查不出详细的情形，

我们还是辨不清这种灾祸的真正的原因。

〔一两个守夜的押着贝儿走进。

守夜人二　这是柔蜜欧的下人；我们在坟场上把他找着。

守夜人一　把他扣住，等大公来到此地发落。

1　指匕首。——底本注。

〔另有守夜人领着劳莲思长老上。

守夜人三 我们遇见这个僧人[1]的时候，

他正在哭，唉声叹气，周身发抖。

我们看见他从坟场这面走过来，

就把这锄子、铲子从他手里拿走。

守夜人一 这是很大的嫌疑犯；把这个僧人也押住。

〔大公和他的侍从们上。

大　公 这样大早出了什么不幸的事，

把我从清晨的安眠中叫醒？

〔街头人声嘈杂。凯布，凯布夫人和其他人等上。

凯　布 有了什么事？他们在外面这样地叫喊？

凯布夫人 满街的人喊着“柔蜜欧”，

有的喊“幽丽叶”，有的叫“霸礼”，

大家高声喊叫，向着我们的祖坟这边跑。

大　公 （谛听）

这是什么声音，喊得这样可怕？出了什么事情？

守夜人一 大公，躺在地下被人害了的是霸礼爵爷。

柔蜜欧死了，幽丽叶早已死去的，

身上还是暖暖的，像刚刚杀死。

大　公 派人找，到处搜，查查到底这凶恶的谋杀是怎么来的。

1 “僧人”沪三版作“和尚”。

守夜人一 我们抓了一个僧人[1]同死了的柔蜜欧的下人，

他们手里有家伙，打得开死人的坟墓。

凯　布 （巡视）

哦，天！——哦，夫人，快来看，我们的女儿流了多少血！

这匕首插错了地方，怎么猛泰的背上还是好好的，

偏偏错放在我女儿的胸里！

凯布夫人 哦，天！死的死，亡的亡，这景象是我的丧钟，

警告我已经衰老，离坟墓不远。

〔猛泰和其他人等急上。

大　公 来，猛泰，你起来得早，

正看见你的儿子同承继人更早地跌倒。

猛　泰 （痛苦）

哎！我的主公[2]，我的妻子昨天夜里已经死了，

自从我的儿子被驱逐[3]，悲痛活活地把她磨得断了气。

还有什么更大的灾难来苦我，

看我已经到了衰老的年纪。

大　公 （指）

看一看，你就知道。

猛　泰 （惊视，半晌，才哭出声来）

---

1 “僧人”沪三版作“和尚”。

2 “主公”沪三版作“主君”。

3 “被驱逐”沪三版作“充了军”。

哦，你这不孝的孩子！这怎么讲，

你怎么走在父亲前面，先进了坟墓[1]？

大　公　你们暂时先不要哭号，

等我把这个糊涂的案情查明，

弄清楚这源源本本，如何才闹成这样的不幸。

那么我再做你们这灾难的裁判，

甚至于判下你们死刑。

目前先忍一忍，在噩运当中只有让[2]忍耐

做一做你们的主人。——

好，先把那些嫌疑犯传来。

劳莲思长老　（站出来）

我嫌疑最大，却也最不能够把这惨案解救；

这可怕杀死人的地点同时间，都对我不利，

我也最该受人怀疑，

我站在这里[3]控告我自己，

请求定罪，一面洗刷这点嫌疑，宽恕我自己。

大　公　那么就快说这件事情，你究竟知道了多少。

劳莲思长老　让我简简单单讲，我这短短的生命，

恐怕连一个冗长的故事都不许我说尽。

1　“坟墓”沪三版作“墓坟”。

2　“让”沪三版作“叫”。

3　“这里”沪三版作“此地面”。

那里死了的柔蜜欧是幽丽叶的丈夫，
在一旁死了的是柔蜜欧忠诚的爱妻，
我把他们结合在一道，他们私自结婚的那一天，
悌暴也就在那一天死去，这样才把
刚刚结婚的新郎从这城里驱逐。
为了她的丈夫，幽丽叶才真哀恸，并不是为了悌暴。
（对凯布）你想减少她的悲哀，要她结婚[1]，硬逼她嫁给霸礼，
于是她才找到我，那时的神色简直要疯狂，
求我设法避免这第二次的结婚，
不然她在我的房里杀死自己。
我平素的工作叫我想起给她一种睡眠的奇药，
那药果然生了我所想的功效。
因为这药发散了就使她看着像死去一样，
同时我写信给柔蜜欧，叫他赶快在昨天夜晚来到此地，
把她从暂时借住的坟墓中领走，
我算着到了那时，那药性刚刚散完。
但是给我送信的约翰长老为着一种意外，
被人扣留，昨天夜里才把我的信退回。
于是我只好一个人等到她快醒的时候，
到了凯布的祖坟里想把她带走，
原想把她藏在我的房里，

1 “要她结婚”沪三版作“给她订婚”。

等到方便的时候好把她送交柔蜜欧。

但是待我来时，在她还没有清醒的前几分钟，

霸礼同柔蜜欧已经在此地死掉。

她醒了，我就劝她出来，耐心忍受上天的旨意。

可想不到人声嘈嘈，把我从坟墓中吓跑。

而她真是不顾一切简直不肯跟我同走，

（缓缓）以后看起来像她自己杀了自己。

这是我所知道的。这件婚事她的奶妈知晓，

如果在这次事情是因为我的过失出了什么大错，

让我这条老命在未终天年之前先去牺牲，

我情愿受最严厉的法律的处分。

大　公　我们始终把你看成一个圣洁的好人。——

柔蜜欧的下人呢？看他对这件事怎样说？

贝　儿　（站出来）

我带给小主人幽丽叶死了的消息。

于是我们就骑着快马从曼陀来到这个地方，

到这个坟墓。（拿出一封信）

这封信他叫我一见早就交给他的父亲，

他自己就走进墓洞，并且恐吓我，

如果我不放下他走开，他就把我弄死。

大　公　把信交给我！（接信[1]）我要看一看——

---

1 “接信”沪三版作“接下信”。

那个伯爵的下人，那个把守夜的叫来了的，他在哪里？

〔小厮走出来。

啊，为什么你的主人来到这个地方？

小　斯　他来是为着给他的小姐坟上献花；

吩咐我站开，我就站开。

立刻来了一个人提着灯打开坟洞，

一会儿我的主人就跟这个人斗起了剑，

我就赶紧跑去把守夜的叫来。

大　公　（看完了信）

这封信证明了这位长老说的话，

这一双情人如何爱，同幽丽叶死了的消息

如何传到他的耳里。

在这里，他写着他是从一个穷苦的卖药人[1]

买了毒药，就带着到这个坟洞里去死，

预备跟幽丽叶永远睡在一起。

（寻找）这两个对头在哪里？

（望见凯布）凯布！（猛泰站在一旁）猛泰！

看看上天为着你们的仇恨[2]怎么责罚你们，

他用你们儿女的情爱[3]来杀死你们的儿女；

1　“卖药人”沪三版作“药剂师”。

2　“仇恨”沪三版作“恨”。

3　“情爱”沪三版作“爱”。

而我，只为了我在你们的仇恨中偷看了一眼，

我也死了两个亲人！大家都受了惩罚了。

凯　布　（痛切，伸出手）

哦，猛泰，我的弟兄，给我你的手吧！

和好才是我女儿嫁过门应得的产业，

我不能再向你要别的。

猛　泰　（不觉也握着他的手）

但是我还能多给你一点！

因为我要用黄金铸成她的像[1]，

当着世界还知道我们的城叫作梵萝那，

万方都来赞扬，再美的人儿也比不上

忠诚真实的幽丽叶的金像。

凯　布　哦，柔蜜欧也要金装，

要他一样的富丽，睡在幽丽叶的身旁。

（凄恻）哦，可怜的牺牲！

猛　泰　（低头）

只为着我们两个人的仇恨。

〔天色大明。

大　公　这清晨带来了阴郁的和平，

太阳也难过，不肯露出他的脸。

走吧，再回去谈谈这悲哀的事情，

---

1 “像”沪三版作“立像”。

有的可以得到宽免，有的就要究办。

人间的故事不能比这个更悲惨，

像幽丽叶和她的柔蜜欧所受的灾难[1]。

〔全体下。

1 “灾难”沪三版作“灾患”。

日出

【题注】据《收获》1984年第3期初刊本排印。署“曹禺 万方”。

乡村的黎明，田野灰蒙蒙的，雾像水纹般波动着，飘荡着。两个人的身影在雾中若隐若现。

陈白露，还是少女的模样，站在一座小小的坟前。她的身旁站着诗人。他曾经是她的伴侣，但是现在，两个人的脚边都放着各自的简单的行李。

坟上竖了一块木牌——爱儿小露之墓。

诗人沉浸在哀伤的遐想之中，然而，这并不能抑制住他对生命的渴念和热情，这是从他那仰视远天的双眸中能够看得出的。

如同石像般一动不动的陈白露。在她那母亲的眼睛里，泪水已经干枯了。此刻，这双眼睛凝神地望着坟上的一株小草，一颗露珠儿压得它微微摇摆着……像泪水一样沉重的露珠反射着东方白色的天光；终于，它悄悄地滚落了，消失在黝黑的泥土之中。

诗人垂下头。

诗人内心的声音："够了，白露，够了，不要再缠在一起了。"

陈白露慢慢地抬起眼睛。

陈白露的声音："是啊，小露已经死了，也没什么可留恋的了。"

她颤抖了一下，从口袋里摸出一双周岁孩子穿的小鞋，用一只手举着，送到诗人面前。

诗人挥了挥手。

诗人的声音:“不,过去的,忘记吧,不要再想了。”

陈白露的双眼刹时蒙上了一层泪翳。

诗人移开视线。他弯下腰,拿起了手提箱。

陈白露:(不由地)不,别走……

诗人转过身,痛苦地对她看着。

诗人:你,还想干什么呢?

陈白露:(嘴角弯起一丝苦笑)你不要误会,我只想要一本你写的诗。

诗人很快地从怀中掏出一本小书,递给陈白露,那本小书的封面上印着——《日出》。

日出之前,诗人在一望无际的田野上走着。天边云峰峥嵘。一线朝霞划破一道云隙,那金色的长箭般的光辉,射中了诗人的眼睛。

诗人惊喜地站住了。紧接着,他像孩子一样,撒开腿跑起来。太阳!太阳升起来了!

他那自由自在的奔跑的身影,融进了炫目的霞光。

远处,隐约传来一声火车汽笛的鸣叫。

在铅灰色的云层低压的远方,一列火车吃力地开过来。陈白露提着箱子朝着那个方向走着,她孤零零的身影越来越小,逐渐消失了。

一个个像炮口一样粗大的聚光灯,耀得人睁不开眼,头戴贝雷帽的导演脖子上挂着哨子,紧张地指挥着。

导演:左边5号灯! 5号灯再向当中照!

高高的竹梯上,照明工人用力地扭转着灯架:一束强烈的光,对准了一个婀娜多姿的少女的背影。她衣饰华丽、乌发垂散着，低头坐在“花园”的石凳上。

这是在摄影棚里。灯光圈外围着一堆黑幢幢的人影。“嘟”的一声，导演吹响了哨子，所有的声音都停止了。

导演:（大喊一声）卡姆拉!

机器哒哒地响起来。少女的身旁斜站着一个穿了西装的中年人，此刻，他热情膨胀得似要爆炸。

中年人:（用那颤抖的嗓音）妹妹，我爱你。

少女回眸一笑，慢慢地转过身来，面对着摄影机，刹那间，那张美丽而娇媚的脸庞变得这样近，这样清晰。这正是陈白露。

她不再是那个忧伤无助的少女了，她是一个决定了自己命运的女人，同时，又是一个焕发着迷人光彩的女人。

陈白露:（半痴半醉的眼神望着那中年的求爱者）你爱我？你爱我什么？爱我哪一点儿？

中年人:（愣头愣脑地）我爱！我爱，我就是爱!

陈白露停顿。她的眼神觑向导演，导演给她做了个手势，叫她打求爱者的耳光；不料陈白露忽然冲着那求爱者的脸蛋上，十分俏皮地拧了一下，笑起来。

导演:（跳起来大喊）卡特!（他跑到陈白露面前）陈小姐，灵感，伟大的灵感，烟士披里纯[1]！这一拧，一笑，就值一千美金，我服帖。

---

1 “烟士披里纯”是英语inspiration的译音，意谓“灵感”。梁启超译为“烟士披里纯”。——底本注。

陈白露：该什么了？

导演正兴高采烈地准备往下说戏，李石清拨开人群，急匆匆地走到导演身边。他很瘦很小，一对小眼睛十分有神。

李石清：（凑近导演，低声地）潘四爷潘经理，在等她义演，陈小姐的节目早就该上场了。

导演显出有些尴尬，他与李石清对视了一眼，然后转向陈白露。

导演：陈小姐，你今天的戏不拍了。

陈白露神气地走出光圈，一群崇拜者们围了上来。

李石清：（赶上前一步）在下李石清，潘四爷的秘书。潘四爷叫我接您来了，二三百人都在等着您。

陈白露：（不介意）知道，你忙什么。

李石清：（更郑重地）您不明白，连金八爷都来了。

这句话使那群吵吵嚷嚷的崇拜者们突然沉默了。不知是震惊，是羡慕，还是害怕，他们让开一条路。

陈白露径自走出人群。

会贤俱乐部的大厅里。台上，一个魔术师变着乏味的把戏，支撑着场面。几乎没有人在看他。

台下闹哄哄地挤满了人，互相交谈着，不时地回头向门口张望。

门口过道里，潘经理笑着迎接陈白露。他头发已经斑白，肚子也挺出来了，然而毕竟，气派是有的。尤其在陈白露面前，更是既气派又年轻。

潘月亭：你呀，可真难请。再不要拍什么电影啦，快，都等着你哪。

陈白露微笑着，向潘月亭伸出手。

她走进大厅，一眼望过满厅的男男女女，所有的目光都转向她。有人鼓起掌来，有人向她叫好，她姿势优美地扬起手，招呼着，带着迷人的梦一般的神态，走向大厅中的一桌荣誉座。

坐在这里的都是些显要的人，洋行买办，银行巨头，公司经理……其中还有金八的秘书丁先生。他是个小胖子，一副冷冰冰的面孔，正稳稳地坐在圈椅里。

潘月亭红光满面，向这桌客人介绍陈白露。忽然，他看到一张奇大的圈椅是空的。

潘月亭:(疑惑地望着丁秘书)金八先生呢?

丁秘书显然赏识陈白露的光彩，抬眼瞄着她。

丁秘书:(慢吞吞地从鼻子里“哼”出一声)陈小姐，我们金八先生还有要事，不能恭候，走了。

潘月亭:(向陈白露)这位是鼎鼎大名的丁先生，金八爷出色的军师。

陈白露睃望他一眼，就大模大样地坐在金八的那张空了的圈椅上。

陈白露:(对丁秘书一笑)有您这样一位白白胖胖的金财神,(伸出手，轻轻拍着丁秘书的肩膀)大家看，看我这一摇，就哗哗地滚出金镑、美钞、大洋钱!

丁胖子冰冷的面孔，顿时融化成滚圆滚圆的汤团笑脸。

这时，从另一张桌边站起来张乔治，美国留学生，博士，财政部的科长。

张乔治：露露，快上台唱吧！

许许多多的声音都跟着喊起来："露露，露露，唱啊！"

轰然奏起响亮急促的鼓声，随后是琴声、弦音，伴着人们的呼喊，仿佛有一阵风吹着她，陈白露像只蝴蝶似的，飘上台去。

她唱起了一支流行歌曲。她的嗓音很低，那样浓郁，使人心醉。歌声开始时是感伤的、多情的，逐渐变得欢悦、热烈，越唱越响亮。突然，如急雨落下的鼓点，随着加了弱音器的小号，高昂快速地奏起来，陈白露跳起了"踢跶"舞。

她那令人眼花缭乱的舞步，使人们疯狂了。空气炽热到极点。

重鼓猛停，陈白露向着台下微微弯腰。她的额上沁出几粒细小的快意的汗珠儿。

欢叫声四起："露露，好！""Encore！""再来一个！"……

陈白露：（撩起遮住脸庞的长发）不唱了，不想唱了。

不肯罢休的人们更加声嘶力竭地喊着。

陈白露：（忽然举起手）静一下，……先生们，女士们，太太老爷们，少爷小姐们，请为河南受苦的灾民慷慨解囊捐款，请你们慈悲慈悲吧。

话音未落，几位花枝招展的名门贵户的小姐，端着四周插满花朵的大花篮，托着一盘盘香烟、香水、别针，各色讲究的手帕……从台口走了出来。一个个脸上露出得意与娇气，随着陈白露从台上走下。

后面，跟着一位西装笔挺的青年办事员，拿着小本和笔。

乐声大作。陈白露一路微笑："谢谢您！""您费心！""破费了！"

一张张的钞票投进了花篮中。

人群中有人高喊：“白露小姐，请您过来，我们少爷要买您的东西！”

陈白露走过去，一位衣着讲究的翩翩少年摇晃着三百元钞票，贪婪地盯视着陈白露。

翩翩少年：白露，送我一瓶你的香水吧。

陈白露从铺着金纸的盘里，取出一瓶装潢精美的香水，放在他手中，把钞票接过来，放进花篮。

翩翩少年：（凑近一步）白露，把香水洒在我身上行么？

陈白露：回家找你太太去洒。

大家哄笑。陈白露又向前走去。

忽然那个青年办事员高呼一声：“齐家大公子，义捐八百元！”随手记下数字。

那位瘦而高的齐大公子，目光在众人头顶上炫耀地扫过。在他的身边站着富豪的孤孀，丰腴的顾八奶奶。

只见她笑眼一眯，走到陈白露面前，从小皮包里掏出一块漂亮的手帕，打开，里面是一叠钞票。

顾八奶奶：（十分爱昵地望着陈白露）我最亲爱的露露，亲亲热热地叫我一声姐姐，说，姐姐！

陈白露笑着，娇滴滴地连叫了两声。立刻，顾八奶奶气魄地把手绢一抖，钞票纷纷地落在花篮里。

办事员：（高声）顾八奶奶义捐一千元，陈小姐代表河南灾民，向热心慈善事业的顾八奶奶致谢啦！

顾八奶奶：等等！

她摘下耳朵上的钻石耳环，又投到篮子里，然后，用得意而睥睨的目光瞥了齐家大公子一眼。

一个年轻的学生模样的人从人群里挤出来，他喝醉了，嘴角上挂着嘲讽的笑。

年轻人：（直直地望着陈白露的眼睛）白露小姐，亲我一下，你能不能“义捐”？

所有的人都哗然了。

陈白露望着离得这样近的那张脸，他的眼睛里布满血丝，然而却是冰冷的。

忽然她笑了，微微点点头。

陈白露：（突兀而又响亮地）行，可以。

有人大喊起来：“那好，亲一下，五百！”又一些人：“六百！七百！八百！”……此起彼落。

年轻人的苍白的脸上显出迷惘的神情。

头发斑白的六十多岁的刘善人，色眯眯地把食指一翘：一千银元！

人们被镇住了，大厅里静下来。

陈白露：（大大方方地走过去）谢谢你，刘善人，您好慷慨！

刘善人掏出皮夹，数出十张一百元的钞票。有人接了过去，然后，他掏出手绢擦了擦嘴。

刘善人：一亲香泽，死而无憾！（刚要向陈白露探身。）

潘月亭：（突然喊出）一千五！是我的！

大厅里爆发出一阵喧嚣。潘月亭走到陈白露面前，拿起她的一只手，弯下身，轻轻地一吻。

掌声、笑声、叫声，一张张狂热的面孔。

不知出于什么原因，陈白露回过头张望了一下，像是在寻找什么——那年轻人的脸在人群里一闪，看不见了。

在大厅的一角，丁秘书坐在那儿，呷着酒。青年办事员走到他身边，毕恭毕敬地弯下身。

办事员:（压低声音）给金八爷留多少?

丁秘书:（伸出厚实的手掌，食指、拇指分开）八成。

陈白露回到了属于她的房间——亨德大饭店最舒适豪华的一套。

她的嘴角仍挂着笑容，由于兴奋，她在房间里随意地走来走去。她听见了自己轻柔的纱裙发出的窸窸窣窣的响声，这是多么叫人快意的声音。

她洗完了澡，她那年轻的脸更加新鲜了。她坐到宽大的梳妆台前，一下下地梳理着自己的头发，她爱这瀑布般的黑色的长发，她爱镜子里这张吐露着花一样芬芳的脸，她爱她自己——她默默地欣赏着。

忽然，她想起什么，走到电话机前，拿起话筒向餐厅要了一杯加冰的苏格兰威斯忌。然后，她悠闲地点起一支烟，靠在沙发上。她吐出一口烟，眯起眼睛，细细地注视着那变幻无穷的烟雾。她哼起了一支歌——

天上飘着些微云，

地上吹着些微风，

低沉的声音充满了一种牵动人心的难言的情感。

微风吹动了我的头发，

叫我如何不想她……[1]

烟雾遮住了她的眼睛，一切都暗淡了。

陈白露的歌声戛然而止。她垂下头，在一瞬间，似乎又看到了那个哀伤的少女的影子。

这时，房门轻轻地推开了，茶房王福升端着酒走进来。他有点奇怪地看了看默然不动的陈白露。

王福升：小姐，您的酒。

陈白露仍然没有动，王福升走近两步。

王福升：小姐，潘经理来了，在四号等您呢，陈小姐……

陈白露惊醒似的，抬起头，目光茫然地望着。

繁华的街道。路边的法国梧桐树的枝叶已经开始变黄。风吹过，一两片干枯的叶子飘然落下。

崭新的雪弗莱汽车在街上飞驰。人力车、有轨电车、排子车、卡车都被甩在后面。

坐在司机旁边的是陈白露，穿着淡雅却质地极贵重的衣裳。她把车窗打开，秋风吹起她蓬松的长发和围巾。长长的白绸巾呼啦啦地在

---

1 刘半农词，赵元任曲，歌名《叫我如何不想她》。——底本注。

坐在后座上的顾八奶奶与胡四眼前飞舞。

顾八奶奶：受不了，露露，关上吧。

陈白露：吹吹，痛快！活着要点空气。

顾八奶奶：没法子，白露，一个胡四，一个你，我爱不是，恨不是的。

她说着瞟了一眼胡四。胡四带着一副从容不迫的神气坐在那儿，高鼻梁，削薄的嘴唇，头发梳得光光的，嘴边两条极细的小胡子。此刻，他用他那一对经常做着“黯然消魂”之态的眼睛，回看了一下顾八奶奶，顾八奶奶没有原由的，然而又不由地噗哧笑了。

陈白露：（对司机）停车。

汽车猛然在路边刹住。

顾八奶奶：（忙问）干什么？

陈白露：下去到公园走走。

顾八奶奶：我的小白露，刚才好好地你答应我一块儿到照像馆的。

陈白露：我不想去了。

顾八奶奶：我的小婆婆秧子！您就将就点儿吧，咱们送完胡四，就去照像，下一段该唱哪段就唱哪段，都由你。（对司机）到大丰银行。

汽车停在大丰银行门口。陈白露下车。她拾起一片落叶，向着太阳举起来，树叶发出金黄色的光，她笑了。

顾八奶奶：（一把拉住她的手）走呀，露露。

叶子落在地上，被顾八奶奶的皮鞋碾碎。

大丰银行的办公厅里，办事员们忙碌着，许多户头在柜台等候。

顾八奶奶拉着陈白露，后面跟着胡四走进来。大厅里的人目光都被他们所吸引。一些职员站起来向顾八奶奶点头、鞠躬。由一个办事员引路，推开一间办公室的门：李石清正坐在桌前，研究裁减人员的名单，算着账。

顾八奶奶：李秘书！

李石清：（连忙站起身）八奶奶，稀客，哎呀，连陈小姐都光临了。快请坐，可惜潘经理出门拜客去了。

顾八奶奶从皮包里取出一张便条，“啪”的一下放在桌上。

顾八奶奶：四爷不在也一样。

李石清：（拿起一看，满面笑容）潘经理早就吩咐下来了。八奶奶您真周到，还来个便条。（转向陈白露）陈小姐您请坐，您这一来，这办公室像点了十万支电灯，闪的我都睁不开眼，您满身都是——

陈白露：电力、魔力。

李石清：（笑得更厉害）白露小姐就会找我的口头语。

胡四突然开口了。

胡四：你把我搁在哪儿呀？

李石清立刻又朝向胡四，依然是一脸的笑。

李石清：您在银行的事儿早安排好了，先坐，歇歇。

这时，录事黄省三穿着一件褪了色的布罩袍走进屋。

黄省三：（低着头，局促地）李秘书，这是您要的紧急抄件。

李石清：好，放这儿吧。

黄省三放下抄件，他微微抬起眼睑，碰上了胡四漠然的直瞪着他的目光，他赶忙垂下头，向门口走去。突然，在他身后响起李石清的声音。

李石清：黄省三。

黄省三站住。

李石清：下了班，你来一下，我有话跟你说。

黄省三急骤地回过身，脸色惶恐，他怔怔地望着李石清冷冰冰的面孔，想说什么，但终于没敢开口。

陈白露注视着黄省三，注视着他的嘴唇无声地哆嗦了一下，注视着他慢慢地转过身，消瘦的身影在门口消失了。她的目光移向桌子，在桌上摆着的裁减人员名单上，她看见了黄省三的名字。

胡四突然笑起来，他拉了拉李石清的袖子。

胡四：嘿，前两天在牌桌上看见你媳妇啦！长得真不赖。

下午四五点钟，在旅馆陈白露的客厅里，光线暗淡，由窗外高楼的缝隙间，射进一道微弱的夕阳。

一盏亮得耀眼的立灯，纱罩下，一桌“麻将”稀里哗啦搓得正响。

牌桌边顺序坐着精明阔绰的刘小姐，张乔治，顾八奶奶和一位面容秀气，温良的妇人，李石清的太太。她脸上薄薄地敷了一层粉，几乎没有怎么修饰，眉宇间透着一丝忧戚与不安。

牌桌的四角，都放着红木茶几。上面摆着刚端上来的热腾腾的小笼汤包、细瓷小碗的鸡丝面、清香翠绿的龙井茶，以及专为张乔治与刘小姐喝的咖啡、牛奶、苏格兰威斯忌酒和苏打水。

灯光照着四个人不同的神色。刘小姐伸出雪白的手，摸了一张牌，看也不看地打出去，一张“八万”。

张乔治一边摸牌，一边意味深长地盯着这位富翁的女儿刘安妮。

张乔治:（意在言外）安妮，你呀，真紧哪，我一点都吃不着你。

刘安妮:（眼一翻）你说什么?

张乔治：我说你手真紧，麻将打得真精。

他打出一张“一万”，顺势用手拉住刘安妮的手臂。

张乔治：你的手真比“白板”还白，比奶油还嫩。（伸着头颈，笑着要吻她的手。）

刘安妮:（缩回手，似怒非怒地）讨厌，打牌!

坐在顾八奶奶身后的胡四，凑在顾八奶奶耳边唧唧哝哝，不知说了些什么。

顾八奶奶:（美在心里）你也讨厌，就你没规矩。瞧瞧人家,（睃了一眼刘小姐和张乔治）人家多有情份，多么文明。

胡四一副不以为意的样子。他掏出粉盒，对着小镜子，用粉扑脸，又把粉盒搁进衣袋，朝着李太太一笑。李太太赶紧低下头。

隔壁的卧室里，陈白露从一堆照片中拿起一张顾八奶奶的戏装像，是“游龙戏凤”的李凤姐，叉着腰，举着一个盘子，戏装紧紧地裹着她那小鲸鱼似的身躯。那扮正德皇帝的正是陈白露。又是一张：陈白露微微蹙着眉坐着，身后站着顾八奶奶，打扮成西装革履的男人，手持文明杖，扶着陈白露的肩，神气活现。

陈白露:(吐了口气)这叫什么东西!

正想把照片撕了，坐在她身边的潘月亭一把抓住她的手。

潘月亭：可别撕，别再任性了，我的小丫头。这位八奶奶，你替我要好好敷衍。

陈白露:(淡淡一笑，扭过头来)你用她存的钱干什么啦?

潘月亭:(拍了拍她的手)咳，有了我的，不就有你的了!

他拉陈白露站起来。

潘月亭：我的小露露，你去看看他们，谢谢你啦!

陈白露走进客厅，窗外天已黑了，壁灯映着嵌镶着绯红缎子的墙板。

她慢慢踱到牌桌旁。这圈牌已剩下不多的几摞，正是紧张的时刻。屋里没有一点声音。

陈白露转了一圈，在李太太身后站住。

陈白露:(轻声)李太太，小心点儿。

顾八奶奶:(十分兴奋)白露，你可不兴插嘴，叫李太太自己打。李太太，你抓牌呀。

李太太伸手摸了一张牌，是“二饼”，她愣愣地看着。

顾八奶奶:(催促)李太太，打呀!

胡四：是个母鸡总得下蛋，别磨烦了。

张乔治:(抑扬顿挫，像朗诵诗一般)李夫人，请不要浪费这黄金一般的时间。

刘安妮用冷冷的而又神秘的眼神斜望着李太太。

李太太盯着手里的牌一动不动。

顾八奶奶的声音：打呀，李太太，你倒是打呀！

“叭”的一声，李太太手里的那张“二饼”落在桌面上。

李太太恍惚地四下看了看。

顾八奶奶：（拍手大叫）谢天谢地，我可开胡了！

她把牌往桌上一亮，抓过那张“二饼”嵌在自己的牌里。

顾八奶奶：（乐不可支地）平胡！

这时，刘安妮的脸上露出尖刻而又得意的笑容。

刘安妮：（十分冷静）慢着。

她把自己手中的牌亮出来，接着伸手取过顾八奶奶牌中的“二饼”和自己手上的一张“二饼”摆在一起。

刘安妮：单调二饼。

张乔治：（大叫起来）满贯，清一色，满了！

忽然，只见顾八奶奶把牌一推。

顾八奶奶：李太太，哪有这种打牌法！人家饼子落地两副了，你，你怎么还打“饼子”！

李太太：（怯生生地）对，对不起，我原不会打……

顾八奶奶“哼”了一声，白眼狠狠乜斜着惶惶然、不知所措的李太太。

陈白露：（忽然变了颜色，冷笑了两声）八奶奶，你有钱，可李太太还有气呢！李太太，我来替你打。

大家一下僵住了。李太太急忙站起来，从皮包里取出一小卷钞票，陈白露拦住她，把钱又塞回皮包里。

陈白露：李太太，李石清先生来了，请你说句话，这儿你就不用管了。

她不顾牌桌上另外三个人的脸色，扶着李太太向门口走了两步。

陈白露：问李先生好。

李太太感激地点点头，走出门去。

陈白露猛地回过身，灿然一笑。

陈白露：对不起，耽误了你们黄金一般的时间。（兴致十足的样子）看我的！

门外的走廊里，李太太四面环顾，并没有李石清的影子。她似乎明白了，回头望了望刚刚走出的那扇门，然后低着头，匆匆走去。

当铺里，昏暗、清冷。那黑黢黢高高的柜台上，一双手递上来一个包袱，李石清仰着脸，望着柜台后面一张发青的面孔，两只镜片闪着白光。

包袱打开了，里边是一件八成新的皮大氅。

李石清：（低声地）掌柜的，没穿过几回。

对方的脸上看不出任何表情，连声音也是冰一般的。

掌柜的：当多少？

李石清：（望着那双镜片后的无神的眼珠）一百五吧。

没有回答，一双青筋毕露的手立刻把包袱皮重又包起来，推到柜台边上。

李石清：（愣了一下）那您给个数。

掌柜的：八十。

说完扭过头去。镜片不再向李石清闪烁了。一阵使人感到喘不出气来的沉寂。

李石清默默地把包袱拿下来，向着门口走了几步……苍白的阳光猛地照到他脸上，他用手遮住额头。远远的，一个十岁左右的男孩向这边走来，手里拿着的一个铜盘，在阳光下反射着刺目的光。小孩儿的脸那样瘦，那样蜡黄。

李石清忽然回过身，重又走向柜台。

李石清:（阴沉地）您写吧。

大衣被抖开了。

掌柜的:（高声地）写！貉绒筒，水獭领，礼服呢大氅一件。虫蛀鼠咬，光板无毛。八十元。

柜台后面，看不见的地方，响起了算盘辟啪的声音和撕纸的声音，接着，一叠钱和一张当票摆在柜台上。

李石清伸手拿了钱和当票，他没有数，也不想去数，转身就走。

掌柜的：慢走，您的东西。

李石清回过头，掌柜的用手指头挑起那张包袱皮，晃了晃。李石清一把抓过来，塞进口袋里。

在当铺门口，李石清和那个抱着铜盘的男孩迎面碰上。小孩急忙把自己瘦小的身体贴在门上，李石清匆匆地走了出去。

李石清走在街上。在一个小铺门口，他站住买了一包香烟。他点起一根，狠狠地吸了一口，由于太猛，甚至呛得咳嗽起来。

这时，马路对面的一个门洞里，忽然闪出一个人，黄省三。他那一直穿在身上的长衫已经破了，脸色愈发地灰黄。但是，由于看见了李石清，那双本来暗淡、呆滞的眼睛里，似乎闪出一线光亮。他愣了一下，接着，不顾一切地跑过马路。

黄省三喘着，在李石清身后站住了。

黄省三：（胆小地）李，李先生。

李石清倏地回过身，当他看见站在他面前的是黄省三，心中刚才积蓄起的无处发泄的怨气，像是忽然找到了一个出口。

李石清：（狠狠地）你，又是你！

黄省三：（简直不知怎样开口）是，是我。我，我又要，求您啦。

李石清：我跟你是亲戚？是朋友？还是我欠你的？

黄省三：（苦笑，很凄凉地）您说哪儿的话，我都配不上。

李石清：那你给我走！愿意上哪儿就上哪儿去！

李石清说完就径自走开了。黄省三急急地追着。

黄省三：李先生，李先生，我在银行里一个月才用您十三块来钱。您知道，左扣右扣，一个月，我实际领下的才十块二毛五。现在您辞了我，不要我干了，您叫我到哪儿去？我能到哪儿去？！

李石清：（斜了他一眼）银行又不是给你保了险，你一辈子就吃上银行啦，笑话。

黄省三：我，我知道银行待我不错，我不是不领情，（他喘了口气）可是……您是没瞅见我家里那一堆活蹦乱跳的孩子，……我实在，实在是没路走啦，李先生。

李石清：（连头也没回）那怨谁？

黄省三的眼睛突然间盈满了泪水。他默默地跟在后面。

黄省三：（自语般地）怨谁呢？怨谁呢？我整天写，从早到晚地写，我抬不起头，喘不出一口气地写。五年哪，五年的工夫，我不是白白拿你们的钱，我是拿命换的呀！

他忽然跑了两步，抓住李石清的袖子。

黄省三：（悲声）李先生，我为着我的可怜的孩子，我跪下求你！

说着，他的双腿弯曲了，就要跪倒在地上。李石清一把拉住他。

李石清：（压低嗓音，厉声地）你疯了！你这个疯子！

黄省三被吓住了，呆呆地望着李石清凶狠的面孔。

路上，一些行人停下来，表情各异地观望着。在不远的地方，出现那个怀抱铜盘的男孩，他睁着一双成人似的痛苦的眼睛，望着父亲的背影。一滴泪水沿着面颊滚落下来。

李石清悻悻地四下扫了一眼，转身穿过马路。

像是冥冥之中，有什么东西在瞅着黄省三，扯着他，压迫着他。隔着一条马路，黄省三继续跟着李石清走着，走着。他并没有看见，在他身后隔了一段距离，他那小小的儿子，抹着眼泪尾随着他。

马路渐渐热闹起来。路边，首饰店、肉食店、玩具店栉比鳞次，李石清大步地走着，黄省三几乎跟不上了，他逐渐跑起来，越跑越快。在一个路口，他突然地穿过马路，一辆飞奔的人力车差点撞上他。

男孩儿：（尖声地）爸爸！

车夫大声地骂起来。然而黄省三没有听见，他什么也听不见了，他只有一个念头，只有一条路。终于，他又追上了李石清。

黄省三：李先生。

李石清回过头，他看见黄省三淌着冷汗的脸。

李石清：（可怜他，但又厌恶地）你老跟着我有什么用！

黄省三：李先生，您行行好，求您再跟潘经理说说，只求他老人家再让我回去，就是再累，累死我，也心甘情愿。

李石清：经理！经理会管你这样的事儿。

他冷冷地盯着黄省三，黄省三低下头。

黄省三：（嗫嚅）可你们，你们要那十块二毛五，干什么呀！

李石清没有说话，两个人沉默地站立在熙熙攘攘的街头，过了一会儿。

李石清：（目光看着别处）其实，事情很多，就看你愿意不愿意做。

黄省三：（燃着了一线希望）真的？

李石清用手指着路上的一辆人力车，拉车的小伙子啪哒啪哒地跑着。

黄省三：（明白了，但失望地）我，我拉不动。（咳嗽起来）您知道我有病，医生说，我这边的肺已经……不行了。

李石清：（转过身，慢慢走着）那，你可以到街上要。

黄省三：（脸红，不安）李先生，我也是个念过书的人，我实在有点……

李石清：有点叫不出口，是么？那还有一条路，这条路最容易、最痛快。

黄省三紧跟在他身边，瞪大了眼睛。

李石清：（脸上掠过一丝冷笑，一字一句地）你可以到人家家里去——

他盯住黄省三，看见黄省三的嘴喃喃地动了动。

李石清：对，你猜得对。

黄省三：您说，您说，要我去——

他站住了，只见唇动，听不见声音。

李石清：你大声说出来，怕什么！偷！偷！这有什么做不得，有钱的人可以从人家手里大把地抢，你怎么不能偷！

黄省三：（惧怕地）李先生，您小点儿声，小点儿声。

李石清：（爆发出一股怒气）好啦！我知道你了，叫你要饭，你要顾脸；叫你拉洋车，你没气力；叫你偷，你又胆小。你满肚子的天地良心、仁义道德，你这个废物，根本不配养一堆孩子！我告诉你，你只有一条路可走！

黄省三：怎么走？李先生。

李石清猛地伸出手臂向上一指。

他们正站在一座摩天大楼下面。笔直的楼顶直插青天。

黄省三仰头望着，他的眼睛有些发花，那巨大的建筑仿佛立刻就要倒下来。他听见了李石清凑在他耳边的语声。

李石清：（声音）你一层一层地爬上去，爬到顶高的一层，你迈过栏杆，站在边上，然后你只要再向外多走一步……

突然，一切都静止了、模糊了，以至消失了。只剩下黄省三，他那双懦弱的恐惧的、像千千万万和他一样走投无路的人的惨然的眼睛。

后来，他伸出手掩住了双目。

一个孩子的声音：爸爸！爸爸！

黄省三惊醒过来，他低下头，看见了自己的儿子。

儿子：（拼命忍住眼泪）爸爸，回家吧，妈妈还等着你呢。

黄省三像是没有听懂似的，直愣愣地望着。

儿子：（害怕了）爸爸，你说话呀！

黄省三慢慢地抬起手，抹掉儿子眼里的泪水。他看见了那个一直抱在儿子怀里的铜盘。

黄省三：怎么？

儿子：（垂下头，悄声地）他们不当。

李石清家里，李太太坐在床边，她的怀里搂着四儿，其他三个孩子也围着她趴在一张大床上。应该说这是一间陋室，屋里的一切都显出主人好体面，但又掩饰不住寒酸的味道，连孩子身上穿的衣服也都显得太小太紧了。然而，此刻的李太太脸上闪着一种慈爱的光辉。她不再是牌桌上的那个压抑而张惶的女人了。她是一位母亲，四个可爱孩子的母亲。

李太太掰着小儿子的手指，仔细地看着。

李太太：看，这是斗，这是簸箕。

孩子们的头都围拢起来："妈妈，给我看看，给我看看。"

李太太：（逐个看着孩子的小手，喃喃地）一个，两个，三个……（她笑了）哟，我的小四子有六个斗哪。

小儿子兴奋的目光闪闪。女儿连忙举伸出自己的手。

女儿：（把手举到妈妈面前）妈，你看我有几个斗？

李太太：（拿着女儿的手，一边看一边念叨起来）一斗穷，二斗富，三斗四斗开当铺。

孩子们嘻嘻地笑开了。

这时，李石清推开门，走进来。他的神色疲惫、阴郁，但是孩子们看见了他，一齐扑上来："爸爸，爸爸！"李石清答应着，举起手中拿着的四根糖葫芦。

夜晚，孩子都睡着了。李太太坐在桌边缝着小四的衣服，李石清捧着一杯热茶，坐在她对面发呆。他微微打了一个寒战。

李太太：（抬起头，轻声地）冷么？

李石清没有动。

李太太：（忽然想起）你的皮大氅呢？

李石清看了她一眼。李太太盯视着他，急切地。

李太太：怎么，你是不是又把皮大衣当了，啊？

李石清：（突然地）你嚷嚷什么！

面对丈夫阴沉的脸，李太太委屈地低下头。

李石清：（咳了一声，缓和地）今天你牌打的怎么样？

李太太听见这话，头埋得更低了。

李石清：你怎么不说话，输了？赢了？

李太太仍然没有回答。

李石清：你哑巴了吗？我问你话呢！

李太太：（终于抬起头）石清，我不想再去了。

李石清：你又输了？

李太太望着他。

李石清：我给你的一百块钱都输了吗？

李太太还是望着他。

李石清：（气了）你怎么能输这么些！

李太太：（实在受不了这样的委屈，落下眼泪）我不去打牌，你偏要我去打，我听你的话，陪着那帮有钱的人打大牌，我心里急，我怕输……

李石清：急，都是一样地打牌。你着什么急，你真，真不见世面。

李太太抽泣了。

李石清：（更加气）哭！你就会哭！哭顶什么！顶个屁！

他从怀里掏出皮夹，取出一叠钱。

李太太：（害怕地）不，你别再给我钱了，我不要钱。

李石清：你说什么？

李太太：石清，我实在受不了，那不是我们玩的地方，那些人……

她不想说下去，但是李石清已经明白她要说什么了。

李石清：你用不着说，我比你清楚，那帮东西！

李太太：那你干吗还非要我去呢？拿着这样造孽的钱陪他们打牌。你想想，小英儿要上学，小四身体又弱，芳儿连件像样的过冬的衣服都没有……

李石清：不要再说了，我难道不知道咱们穷，我心里就不难过。我恨，我恨自己为什么没有一个好爹，生来有钱，叫我少低头，少受气！现在，我四十多的人，成天的弯腰、鞠躬，一个个地奉承，一个个地拉拢，一个个地巴结，我，李石清，一个男子汉！

李太太：（心疼地）石清，你不要难过，不要丧气。我明白你，你在外面受了许多委屈……

李石清：（打断她）我不难过。（他猛地站起来，困兽似的在屋里走了几步，睁着一双满是红丝的眼睛）我才不难过！我要破釜沉舟地跟他们拼，我要狠狠地出口气，我要硬得成一块石头，决不讲一点人情，决不可怜人，决不……

他突然停住了，对着床上的孩子望去。

床上，四个孩子睡的正香，发出均匀的无忧无虑小小的鼾声。李石清深深地透了一口气，目光变得柔和了，他坐下来，一动不动地和李太太两个人，默默地长久地望着。

响起了舞厅的音乐声。

在昏暗中，挤集着许多人。起先除了人们闪烁的眼睛，因为笑而露出的发亮的牙齿和一张张白的异样的脸，什么也看不清楚；接着逐渐看清了周围的一切；这是各色各样的人在舞厅里如痴如狂地跳着。

乐队一曲接着一曲。女人的衣裙在幽暗中飘荡，旋转，整个舞厅仿佛就是一个巨大的旋涡。

在人群中，一束强烈的光突然照在一个人身上，那是陈白露。她的头发正扬起来，像一个光环，罩着她那亢奋的忘却一切的脸。她的眼睛时而烁烁发光，时而充满了迷离的神色。她消失在阴暗处，一会又舞进了虹光中，多少双眼睛在跟随着她。

她意识到这一切，她笑了，头微微昂起。潘月亭更加紧地搂住她的腰肢，凑到她的耳边悄声说了句什么，她放声大笑起来。

在一个角落里，默默地坐着一个男人，一个青年，他也在注视着陈白露，目不转睛地凝望着。然而，他的目光是那样的与众不同，混杂着震惊、痛苦、失望、同情，像看着一个陌生人，然而又像是……

晃动着的肩、背、头颈，在他眼前飘过去。

……那是一个十分稚气的小姑娘，坐在一棵大树下。绿色的浓荫，绿色的田野，绿色的雾一般的空气。一缕笛声仿佛从遥远的地方传来。少年的方达生坐在她的对面，闭着眼睛，轻轻地吹着。

阳光透过树叶的空隙照在竹均——还是小女孩时的陈白露的脸上，就像是她的眼睛在调皮地一明一暗地闪着。

挂在树枝上的两个书包，微微地摇来摇去……

掌声。音乐停止了。舞厅里灯光通亮，如若白昼。

陈白露脸色绯红，笑着向这边走来。一路上，有人请她喝酒；有的女人抱住她亲吻；她随意地拍了拍一个老头的脸蛋儿，向远一些的桌子递着飞吻。

她终于走到方达生面前。方达生慢慢地站起来。

陈白露：（依然笑着）你好客气呀，坐吧。

方达生没有坐。

陈白露：我让你坐下。

方达生坐下来。他不说话，只是久久地仔细地看着她的脸。

陈白露瞟了他一眼，慢慢地拿起一杯酒，向着方达生举起。

陈白露：你还要这样细细地看我很久吗？

说着她把酒一饮而尽。

陈白露：（有心难为他，自然也因为他的态度使她不愉快）这地方怎么样？好玩吗？

方达生：（闷声地）好，好玩。

陈白露：那你为什么不玩玩。

方达生：你知道，我不会跳舞。

陈白露：（“叭”地打了一个响亮的“榧子”，站起身，走到方达生面前）我来教你跳，我可是这地方跳得最好的一个。

方达生：（忙不迭地摆手）不，不，千万不能。

望着他那副尴尬的样子，陈白露忍不住笑出声。

张乔治端着一杯酒走了过来。

张乔治：哟，露露，这么亲热，让我想想，我们见过面。

陈白露：（好笑地）见过？

张乔治：当然见过。

他费力地思索着。方达生莫名其妙地瞪着他。

张乔治：（恍然大悟的样子，高声地）啊！我想起来了，两年前，我们同船一块从欧洲回来的。（用力握着方达生的手，非常热烈）啊，好极了，好极了，请坐。

方达生：（无可奈何地看了看陈白露）竹均，这是……

张乔治：竹均？不，不不，老朋友，你弄错了，她叫白露，她是这儿顶红顶红的人，她是我的——（他亲昵地把手搭在陈白露的肩上）嗯，是我所最崇拜的红人！

方达生忽然站起来，望着陈白露。

方达生：（断然地）竹均，我想出去透透空气。

已经很晚了。家家户户门户紧闭。黑憧憧的大楼，只有很少几扇窗户里透出灯光，像一只只孤独的眼睛。咖啡馆的老板娘关掉了一盏盏灯，唱机也停了。但街头，生意仍然在进行。

两个女人站在一条巷子口拉着一个高大的男人说话。卖乌豆、肥卤鸡和糖墩的小贩，各自拖着粗哑了的声音，悠悠地喊着。一个卖辣萝卜的，嗓音清脆，叫声："小刘庄的萝卜，不辣管换！……"

陈白露和方达生从昏暗的马路上走了过来，此刻，陈白露的心情似乎是欢悦的。她大口地吞咽着冰凉的空气，不时地抬起头望着黑漆漆的闪烁着星光的深秋的夜空。

陈白露：（情不自禁地）多美啊，你看，你看见了吗？

方达生：什么？

陈白露：星星！好久没有看到过星星啦，多有意思！（忽然地）你记得我小的时候就喜欢星星。

方达生：记得。（回忆起来）那时候，晚上，常常是……

陈白露：（并没有在听方达生，她的眼里显出一种梦幻的神色，耳语一般地）夜，并不，并不可怕，因为，在你的眼睛里，我看到了两颗美丽的星……

方达生：你在说什么？

陈白露：（仿佛被惊醒）哦，没什么，一个人曾经对我这么说。（略微停顿了一下）他是个诗人。

方达生沉默了，悄悄地注视着陈白露若有所思的侧影。像是要摆脱掉什么，陈白露将长发一甩。

陈白露：（转向方达生）你饿吗？

方达生：（诧异）饿？干什么？

陈白露：（带着突如其来的兴致，拉住方达生的胳膊）走，咱们吃碗馄饨去。

他们已经坐在一个简陋的小店里。看得出，这里绝不是陈白露该来的地方。又挤又脏的屋里，那些车夫、小贩，穿着寒酸的人，因为她的到来都显出隐隐的不安。

陈白露满不在乎地坐在一条木板凳上，伙计有些紧张地站在她面前。

伙计：您，您想吃点什么？我们这儿，只有馄饨，煎饼果子。

陈白露：就来两碗馄饨吧。

馄饨端上来了，陈白露也不怕烫，立刻就吃起来。

方达生默默地看着她。陈白露抬起头，向他笑了笑。

陈白露：吃呀，好吃极了。

方达生依然看着她。陈白露吃完了自己的一碗。

陈白露：你为什么不吃。

方达生：我不饿。

陈白露：（认真地）真的？

方达生笑了。

陈白露：那我替你吃吧，我可饿了。（她调皮地一笑）小时候，我记得有一次我一连吃了四碗哪。

陈白露端起方达生的那碗馄饨。

方达生：是么？（脸上露出愉快的颜色）今天，我看了你一夜晚，就这会儿，还像从前的你。

陈白露愣愣地对着方达生看了一会儿，垂下眼睛，默默地吃着。

他们走在一条狭窄的街上。四周更加昏暗了。两个人的脚步声在石头的路面上清晰孤寂地响着。

陈白露：（轻轻叹了一口气）达生，我从前真的有过那么一个时期，是一个快活的孩子吗？

她并不期待回答，一个人继续向前走。

方达生看着她的背影，他的面孔因紧张而变得僵硬了；然而，他终于鼓足了勇气，他跑了几步，追上她，一把抓住她的胳膊。

陈白露被拉得扭过身来。

方达生：（激动地）竹均，跟我走吧，只要你肯跟我走，就可以像从前一样快活、自由……

陈白露直直地盯视着他，有一瞬间，她的眼里似乎闪过一层泪光，但转瞬即逝了。她微微地笑了笑，那微笑流露出无言的悲哀。

陈白露：自由？哪里有自由！（望着他）你在说什么呀。

方达生：（看着她的眼睛，随后低下了头）我说的是真心话。

陈白露：你那么老远跑到这儿来，难道是为了这个吗？

方达生：（喃喃）学校来了一个新老师，我请他替我代一段课，我……（他猛地抬起头）我就是为了来看你，来找你的。

陈白露：（停顿片刻）现在，你认为这值得么？

方达生：不，竹均，我看你这两年的生活已经叫你死了一半，不过我来了，我不能看你这样下去，我一定要感化你，我要——

陈白露：（忍不住笑）什么，你要感化我？

方达生：我现在不愿跟你多辩，我知道你觉得我很傻，不过我还是要做一次请求，我希望你跟我走。请你慎重地考虑一下，最好在二十四小时以内给我一个满意的答复。

陈白露：（做出惊吓的样子）二十四小时！天哪，要是到了你的期限，我的答复是不满意的，那么——怎么样？

方达生：那——那我就离开你。我要走得远远的。

微笑从陈白露唇边隐去——她看见了方达生的脸上那真挚的苦闷的神情，她被他的这种神情感动了，自然而然地伸出手，想去抚摸一下他的脸颊。但是，突然她的手在半空中停住了，她意识到了这个习惯的动作意味了些什么，意识到了自己现在是一个什么样的女人……她的脸色变了。

陈白露：（恢复了她那玩世不恭的语气）那么，好，你先等我问你一句话。

方达生：（怀着希望）什么？

陈白露：（满不在乎的样子）你有多少钱？

方达生：（没有想到）我不懂你的意思。

陈白露：不懂？我问你养得活我么？

方达生惊愕得说不出话来。

陈白露：（索性更彻底地）咦，你不要这样看我！我要人养活我，你难道不明白？我要舒服，你不明白？我出门要坐汽车，应酬要穿好衣服，我要玩，我要花钱，要花很多很多的钱，你难道不明白？！

方达生：（冷酷地）竹均，你已经忘了你自己是个读过书的人，还是个书香门第的小姐！

陈白露：你知道么？我还是个社交明星，演过电影，当过红舞女呢。

方达生：（望着她，不知说什么）你变了，你简直叫我失望，失望极了！

陈白露：失望？

方达生：（痛苦地）失望，嗯，失望，我没有想到你已经变成这么随便的女人。我在几千里外听见关于你种种的事情，我不相信，我不信我心里最喜欢的人会叫人说得一钱不值。我来了，看见你一个单身的女人，住在旅馆里，交些不三不四的朋友，这种行为简直是放荡、堕落——你要我怎么说！

最后一句话，他几乎是喊出来的。陈白露也突然火了。

陈白露：（咄咄逼人地）你怎么敢说我堕落！你怎么敢当面说对我失望！你跟我有什么关系，你这么教训我。

方达生：（顿住了，片刻）自然，现在我跟你没有什么关系。

陈白露：（不放松）难道从前我们有什么关系？

方达生：（嗫嚅）自然也不能说有。（低头）不过，你应该记得你是很爱我，我也是。现在……现在我看你这个样子，你真不知我心里头……

他不想再说下去。

陈白露：（略带嘲讽地）你心里头？

方达生：对了，“心里头”，我就是这么一个人，永远在心里活着。可是你，（他看了看陈白露）你倒像是很得意的？

陈白露：（冲口而出）为什么不呢！我一个人闯出来，不靠亲戚，不靠朋友，能活就活，不能活就算。到了现在，我不是好好活着，我为什么不得意！

方达生：你以为你弄来的钱是名誉的么？

陈白露：（吃吃一笑）可怜，你这个书呆子，你知道什么叫名誉！我这儿很有几个场面上的人，银行家、实业家，假若你认为他们的职业是名誉的，那我弄来的钱要比他们还名誉得多。

方达生：可你这样的做法——

陈白露：我怎么样！我爱钱，我想法子弄钱，可我没有把人家吃的饭硬抢到自己的碗里，我没有挖空心思骗过人，害过人，我的生活是别人甘心情愿维持的。因为我牺牲过我自己，我对男人尽过女人最可怜的义务，我享受着女人应该享受的权利。

方达生：（望着陈白露明灼灼的眼睛）难道你就不需要一点真正的感情，真正的爱？！

陈白露：（略带酸辛）爱，什么是爱情？（她看了方达生一眼，疲倦地微微笑了笑）你真是个孩子。

她向前走去，他们不再说话了，各自沉浸在翻腾的思绪之中。陈白露把皮大衣更紧地裹在身上。忽然，她站住了。

方达生抬起头。

在他们前面不远的地方，一些披着报纸麻袋的人，瑟瑟地紧靠着墙根，挤在一起。在黑暗中，如同一片鬼影。

一张张惨白的脸，一双双空洞的眼睛里，生命正渐渐让位给死亡。

方达生呆住了，他向前走了两步。陈白露突然厌恶地扭转身，要走开。这时，响起了一个声音："陈小姐！"

陈白露不由回过头，茫然地四下看着，就从那群"鬼影"中，走出了一个人，或者说一个还有一口气的人。他摇晃着，在陈白露面前站住了。

那个人：（嘴唇微微地动了动）陈、陈小姐。

陈白露惊愕地看着这张可怕的脸，她终于认出了，这，就是那个曾经在募捐会上，走到她面前，说"亲你一下"的年轻人。现在，在这张脸上已经难以分辨年龄了。

那个人：（索性无赖地）白露，给点儿吧，我这儿给你跪下了。

他"扑咚"跪在地上。

陈白露向后退了一步，她感到恶心，慌张地打开皮包，掏出两张票子，扔在地上。

那人一把抓过钱，连一句话也没说，站起身，头也不回地跑开了。几乎就在路边，一个小铺子还亮着灯，他冲了进去。

在小铺里，颤抖的手把钱递过去，于是，一个人往那几乎已是透明的胳膊上扎了一针。一针劣等的吗啡。立刻，一切的一切都可以忘记了。

马路上，那些身上披着报纸与麻袋，一刻也忍受不下去的人，把陈白露围住了，伸出一只只瘦得叫人害怕的手，疯子般地："小姐，太太！给点儿，给两个吧！"

陈白露眼睛里充满了恐惧，她下意识地死死抓住方达生。

正在这时，一辆汽车揿着喇叭，风驰电掣地开过来，在很近的地方猛然刹住。车轮发出刺耳的尖叫。

刹那间,“鬼影”消失了。就像从来也没有出现过一样。大街空荡黑暗,只有陈白露和方达生孤零零地站立在马路中间。

车灯照在他们身上。车夫打开车门走下来。

车夫:陈小姐,潘经理让我来接您回去。

陈白露走上旅馆的楼梯,方达生跟在后面。她走在门廊里,向自己的房间走去。

茶房王福升在她身后出现,紧追了两步。

王福升:(手里拿着一叠账单)陈小姐!

陈白露:(站住)干什么?

王福升:您的账单。

陈白露:(蹙起眉毛)你没看见我有客么?

王福升瞟了一眼方达生,躬了躬身子。

王福升:是,小姐。是潘四爷让我把账条交给你,他老人家已经把账都还了。

陈白露深深地吸了一口气,她没有说话,伸手接过那叠账条。

王福升:小姐。

陈白露:还有什么事?

王福升:您屋里来了不少客,呆了一晚上了。

陈白露:谁?

王福升:顾八奶奶、刘小姐、胡四爷……

陈白露:(一摆手)行了,知道了。

她疲倦地合上眼睛，又慢慢地睁开。

陈白露：现在几点？

王福升：已经两点来钟了。

陈白露：（自语地）他们为什么还不走？

王福升：（向陈白露的房间溜了一眼）在这儿，又是吃，又是喝，有的是玩的，谁肯走？

陈白露：（突然笑了笑）是哇，这儿是他们玩的地方。

她扭身向房间走去，在快到门口时。

方达生：竹均，我不想进去了。

陈白露站住，缓缓回过头。

陈白露：怎么，你要走么？

方达生没有回答，从口袋里掏出车票。

陈白露：（拿过车票，原来是两张）你真的买了两张——哦，连卧铺都有了。（笑了一下）你想的真周到。

她把车票撕成两半，扔在地下。

方达生：你，这是什么意思？

陈白露默默地看着散落在地上的车票。片刻，她抬起头——一个盛装的美丽的女人，孤单地站在旅馆的走廊上，目光中含着恳求。

陈白露：（轻声地）别走，住两天，陪陪我。

房间的门突然敞开了。满屋的人大声嬉笑着，站在门口的顾八奶奶一眼看见了陈白露。

顾八奶奶：（乐得声音都走调了）露露，宝贝儿，乐死我了，我受、受不了了，哎哟……

刘小姐:（也看见了陈白露）白露，快，快来。顾八奶奶要和胡四唱《坐楼杀惜》呢!

胡四:（烟容满面，一脸油光，拿着一块手绢，扭扭捏捏地走了两步）台步要轻，眼神要活泛，出台口一亮相，吃的是劲儿足，就这样……

一阵哄笑，喝彩。

大丰银行的走廊里，经理室的门打开了。潘月亭彬彬有礼地陪着一个高鼻子蓝眼睛的外国人，走出来，向大门口走去。

李石清趁机溜进了经理室。

他紧张地在一张钢制的大办公桌上略翻了一下，瞥见当中的抽屉上挂着钥匙。他立刻拉开了抽屉。里面放着一份机密的房产抵押的合同。他飞快地读着，额头上青筋突突。

传来脚步声，已经很近了。他“砰”地关上抽屉，呆立在那儿。

潘月亭走了进来。他先是诧异，接着，立刻发现抽屉上的钥匙在晃动着。他的眼睛顿时喷出火来。

面对潘月亭残忍的目光，李石清本能地想躲避，想逃走，但，他咬住牙，没有动，正视着潘月亭的眼睛。

突然，潘月亭的脸色不可思议地平和了。他走到桌前，拿起一支雪茄，李石清掏出火柴为他点烟；接连两根火柴，划亮即灭了。潘月亭拿出打火机自己把烟点燃。

他悠悠地吐出一口浓烟，指着一张沙发。

潘月亭：请坐。

李石清不动。

潘月亭：（平静地）你很关心银行的大事。

李石清：（硬逼出话来）我是真心实意地为经理效劳。

潘月亭：哦？

李石清：（索性）现在银行把最后一大片房地产抵押给友华公司，有了现款，又立刻宣布盖大丰大楼。

潘月亭：怎么样？

李石清：石清打心眼儿里佩服经理的气魄。前几天市面上风传银行的准备金不足，现在过去了，很少有人提款了。

潘月亭：石清，你聪明，也能干，真有点儿天不怕地不怕的劲头儿。

李石清：（紧接）石清还有一张嘴，对不该说的事，就是哑巴。

潘月亭：（眉毛一挑）好！痛快。银行刘襄理要调动，你立刻补上，做我的襄理。

李石清突然向潘月亭蹲身请安。

李石清：士为知己者死。经理，您放心吧。

银行的大门里。李石清从里面走出来。一个职员忙从衣架上取下皮大衣为他穿上。

李石清：有事儿，打电话到交易所。

职员点头，然后打开大门。

外面正下着雨。石阶上，司机撑着伞迎上来，扶他上车。

车门“砰”地关上，汽车疾驶而去，消失在雨雾里。

像眼泪一般凄冷的秋雨，滴落在朦胧的玻璃窗上。

从窗子里透进来的昏暗的街灯，照着黄省三瘦削的面颊。他在睡梦中痛苦地叹息了一声。

门轻轻地响了一下，被人打开，又关上了。黄省三猛地惊醒。他坐起来，看着那扇破旧不堪的屋门，又望望墙上挂着的那副对联——“明月松间照，清泉石上流”，字很清秀，这是他许多年前写的了。接着，他的目光移到一张大床上。黑暗中，三个孩子挤在一起睡着；在他们旁边，本来应该是妻子睡着的地方，却空了。

黄省三怔怔地望着那空了半边的床，一种不祥的可怕的感觉袭上来。他扑向窗子，额头抵在冰冷的玻璃上，他模糊地看见，楼下的马路边停着两辆人力车。一个打着伞的男人，站在那里等待着。黄省三惊恐地睁大眼睛，似乎也在等待。

终于，一个女人提着一个包走了出来，打着伞的男人迎了上去，接过她的包，扶着她向人力车走过去。当女人正要跨上车时，突然，她回过头；黄省三看见了妻子的脸，她痛苦的目光最后一次望着自己家的小窗。

屋门“砰”地推开了，黄省三跌跌撞撞地跑下狭小的吱呀作响的楼梯，绊倒了，又不顾一切地爬起来……

他冲进雨中。

黄省三：（嘶声喊叫）淑芬，你回来，你不能走，不能哇……

黄省三追着、喊着，人力车越走越远，在雨中消失的那样快。

黄省三站住了，不再跑也不再走了，他的脸像是死了的人那样，呆滞，只有雨水顺着脸颊不断地流下来。

突然，他跌坐在路边，绝望地嚎哭起来。

小屋里，那空着一半的床上，放着一副玉石的手镯，发出冷森森的光泽，下面压着一张写了几个字的纸——

女人的暗哑的声音："我实在过不下去了，这是我唯一的东西，原谅吧。"

女人的啜泣声，黄省三的哭声，被雨声吞没，渐渐消失了。

黎明前，在亨德饭店的一个房间，方达生睁着清醒的眼睛躺在床上。他看着低压在头上的昏暗的屋顶，窗外昏黑的天空，四周没有一丝声响，一切都仿佛埋在坟墓里。

忽然，不知从什么地方，隐约传来一种声音……，方达生欠起身，谛听着。那声音渐渐地清晰起来：是石硪落在地上的声音，是木夯砸在地上的声音，是打夯的工人们用低沉的嗓音发出的"哼哼唷，哼哼唷"的声音。

方达生坐起来，他慢慢地走到窗前。

窗外，城市仍在沉睡，曙光还没有升起，但是，在远处朦胧的灰色的阴影里，一些人影在活动着，夯声就从那里传来。

方达生呆呆地靠着窗户站着，出神地凝望着那些看不清面孔的劳动着的人们。随着那沉重而有节拍的声音，东方的天空微微露出一点白光。

陈白露从梦中惊醒，她猛地坐了起来，恍惚地四下看着。她明白了，这是在旅馆里，窗外，建筑物在黎明的光影里透出深蓝色的轮廓。

她幽幽地叹息了一声，重又倒下去。夯声隐隐传来，时断时续。

这时，从门边的柜子后面悄悄爬出一个人，倚着柜子立起，颤抖着移向门口。

陈白露听见了窸窣声。

陈白露：（低声）谁？（没有回应，吓得不敢动）谁？是谁？（还见不答应。她大声地）干什么的？!

人影钉在那里，一动不动。一个很细小的声音：我……

陈白露跳起来，揿亮了墙上的开关。室内通亮。在她面前立着一个瘦弱胆怯的小女孩。约莫十四五岁的样子，两根小辫垂在胸前，穿着一身十分肥大的蓝绸衣裤，惊惶地睁着两个大眼睛望着陈白露。

陈白露：（望着这可怜样的孩子，松了一口气）哦，原来是这么一个小东西。

小东西：（惶恐地）是，小姐。

寒冷和惊吓使小东西止不住微微发抖，她手提着裤子，一点点向后蹒跚，不小心踩在裤管上，几乎跌倒。

陈白露：（一时忍不住笑——却故意绷起脸）啊，干嘛跑到我这来偷东西，啊？

小东西：我没有偷东西。

陈白露：（指着）那你这衣服是谁的？

小东西：（低头看一下衣服）我，我妈妈的。

陈白露：谁是你妈妈？

小东西：（呆呆地撩开眼前的头发）我不知道我妈妈是谁。

陈白露:(忖度地)那你怎么到这儿来的?

小东西:我妈妈,他们把我带来的。

陈白露:(似乎有些明白了)他们带你到这儿干什么?

小东西:(低头不作声)……

陈白露:你说,这儿不要紧的。

小东西:(声音细得几乎听不见)他们要我……要我跟一个黑胖子……

小东西猛然用手捂住脸。陈白露望着她,突然颤抖了一下,像怕冷似的用双臂抱住自己的身体。她默默地在房子里走了几步,站住,点燃一支烟。

小东西慢慢垂下手,站在那儿,看着陈白露,她不由自主地跪了下来。

小东西:小姐,求求……

陈白露急忙走过去,拉她的手。

小东西:(痛楚地)啊!

陈白露:你怎么啦?

小东西:(眼泪流下来)痛。

陈白露撩开她的袖口。

陈白露:天!

小东西:他们堵住我的嘴,掐我,拿……拿烟钎子扎我。他们怕我跑,不给我衣服,叫我睡在床上……

陈白露:你跑出来的时候,他们在干什么?

小东西:妈妈睡着了。

陈白露：你怎么不一直跑出去？

小东西：我怕，门口有人，会抓住我。

陈白露：可是在这儿，他们很容易找着你的。

小东西：（恐惧地）不，不，不……

她突然跑过去，把灯熄灭了，然后缩在一个角落里。

外面天光已慢慢升起，传来一两声吱吱的雀噪。

陈白露看着那蜷缩在阴影中的小小的身体。她走到窗前，把厚厚的窗帘拉紧，屋里重又黑暗起来。然后，她走到小东西身边，蹲下。

陈白露：别怕，现在不用怕了，告诉我，你妈妈呢？

小东西：在楼上。

陈白露：不，我是说你的亲妈妈，生你的妈妈。

昏暗中，小东西的眼睛闪着泪光。

小东西：她，她早死了。

陈白露：父亲呢？

小东西：前个月死的……他正在砸夯，我眼瞅着一个铁桩子掉下来，把他砸死了。

小东西抽泣起来。这时，外屋的门“吱呀”响了一声。小东西赶忙用手堵住自己的嘴，不敢出气。

陈白露站起身，走过去，打开卧室的门。

王福升拿着扫帚和抹布，站在客厅里。

王福升：哟，小姐，您今儿怎么起这么早？

陈白露：（拢了拢长长的黑发，走进客厅）福升，你去拿点吃的来，再给我拿杯咖啡。

王福升：是，小姐，您要吃点儿什么？

陈白露：随便吧，点心、牛奶……

敞开的卧室的门，从里面一点点地被推上。王福升立刻注意到了，他瞟了瞟；陈白露回过头。

陈白露：（一笑，随便地）不要紧，是茶房。

门开了一条缝，露出小东西的脸，随即不见了。

王福升：咦，小姐，哪来的这么个丫头？

陈白露：你不用管。

王福升：是。（要出门，但又站住，转回身）小姐，我劝您少管闲事。

陈白露：怎么？

王福升：外面有人找她。

陈白露：谁？

王福升：一帮地痞，都是吃卖命饭的。

陈白露怔了一下，继而冷冷一笑。

陈白露：哼，谁管他们是吃什么饭的。

王福升：（立刻赔着笑）小姐，我是说，这帮人不好惹。

陈白露：我就不信。把一个孩子打成这样，闹急了，我可以告他们。

王福升：（隐隐的鄙夷）告他们，告谁呀！他们跟地面上的人都有来往，怎么告？就是这官司打赢了，这点仇您可跟他们结下了！

陈白露没有作声，过了一会儿，抬眼盯着王福升。

陈白露：那依你，把这个孩子给他们送去？

王福升:（故意犹豫）这事儿难，您看着办。不过，我听说，这孩子打了金八爷一巴掌，金八爷火了。

陈白露:（没料到）金八！……怎么单单碰上这么个阎王。

王福升：您想想，金八爷，大财神，又是钱，又是势，还有洋人撑腰，那一帮家伙都是他手下的……

陈白露不听王福升说下去，她跑进卧室。小东西正躲在门后。

陈白露:（望着小东西亮晶晶的流露出天真和哀求的眼睛）你，你是打了金八！

小东西：你是说那黑胖子？嗯，他要跟我——我躲不开，急了，就把他打了。

陈白露:（兴奋得自语）打得好！打得好，打得痛快！

王福升赶过来，站在门口。

王福升：小姐，这件事，我可先说下，没有我在内。您要大发慈悲，管这个孩子，这可是您一个人的事。过一会，他们要问到我……

陈白露:（干脆地）你说你没看见！

王福升:（望着小东西，不安地）没看见？可是……

陈白露：出了事，由我担待。

王福升:（巴不得这句话）好，好，由您担待，上有电灯，下有地板，这可是您自个儿说的。

陈白露:（点头）嗯，自然，我说一句算一句。你去拿点心吧。

王福升没有再说话，转过身，用不出声的脚步走出门去。

陈白露快步走到电话机前，拿起话筒。

天色大亮。一辆汽车疾速地开来，在旅馆门前停住。潘月亭从汽车里下来，走进旅馆。

在走廊里，王福升殷勤地迎上前去。

走廊的尽头，几个穿黑衣服的人匆匆闪过。

陈白露的房间。一缕阳光照在小东西的脸上。这会儿，她闭着眼睛，躺在沙发上，恐惧、痛苦、紧张，使她精疲力竭；她终于睡着了。在睡眠中，她显得愈发小了，脸上的线条像孩子一样纤细、柔和。

在屋子的另一头，陈白露默默地坐着，若有所思地注视着小东西熟睡的脸庞。

忽然，一双手捂住陈白露的眼睛。她吓了一跳，几乎叫出声。原来，是潘月亭站在她身后，正俯身，凑近她的脸。

潘月亭：白露，你坐在这儿，简直像个天使。

陈白露：（闪开，口快地）你这样偷偷摸摸的，简直像个贼。

潘月亭：（笑了）我可是接到你的电话就来了，（低声）我知道你想我了。

陈白露：（睨视着他，蓦然地笑起来）嗯，我想你，给我办一件事。

潘月亭：（故意皱起眉头）又是办事，你见着我就没有别的可说。

陈白露：你想听什么？我叫你一声爸爸好不好？

潘月亭：白露……

陈白露：（不等他说什么）哦，我的爸爸，我真喜欢你，你是我

的爸爸，老爸爸，最可爱的老爸爸！你看，你来看我这儿有一个小东西。（拉着潘月亭的手，向小东西走过去）

潘月亭：（无可奈何地）好了好了，你呀，专门好管这些闲事。

陈白露：（停住）怎么，你知道了？

潘月亭：福升跟我说了。

陈白露：你管不管？

潘月亭：（低头看了看睡着的小东西）就是她吗？

陈白露：你看她多小，多可怜，她……

潘月亭：得了，我都知道，反正总是那么一套。

陈白露：（做出要挟的样子）月亭，你管，还是不管！

潘月亭：说吧，要我干什么？

陈白露：我要你把他们找来，跟他们说，这小东西我认她干女儿了。

潘月亭：这帮人，他们都认识我，叫他们放手，还不难。

陈白露：好，月亭，谢谢你，你真是一个好人。

潘月亭：（高兴起来）自从我认识你，你第一次说谢谢我。

陈白露：（揶揄地）因为你第一次当好人。

潘月亭：你又挖苦我。（朝陈白露一笑）

他走到客厅，陈白露跟在后边，潘月亭正要开门出去。

陈白露：（突然想起）可是月亭，你当然知道这个小东西是金八看上的。

潘月亭：什么？（缩回手）这是金八看上的人？

陈白露：福升没有告诉你？

潘月亭：没有，没有，你看你，差点儿做个错事。

潘月亭退回来。

陈白露：怎么，月亭，你改主意了？

潘月亭：白露，你不知道，金八这个家伙背景很复杂，不大讲面子。再说，为了这么个乡下孩子……

陈白露：那么，你不管了？

门上响起了几下重重的敲击声。陈白露一惊，她的目光慢慢地移向潘月亭，似乎在等待着什么。

一阵短暂的静寂。潘月亭一动不动地站立着。

又是几声门响。

卧室里，小东西在睡梦中颤抖了一下。

陈白露突然转身向门口走去，她俯在门上听了听，——粗声粗气的对话："是这个门么？""八成没错儿！""敲，再敲！"

她回过头，发现潘月亭已经不在客厅里了。

陈白露的脸上浮起一丝冷笑，她毅然打开门。

黑三带着几个打手立在门外。

陈白露：你们是干什么来啦？

黑三：（不理睬，对后面的人）进来，你们都进来！

陈白露：（突然声色俱厉）站住！都进来？谁叫你们都进来！你们吃什么长大的？你们要是蛮不讲理，这个码头不讲理的祖宗在这儿呢！（黑三们呆住了，陈白露笑）你们是搜私货么？我这间屋子里有五百两烟土，（指着卧室，又转而指着左面小客厅的门）那间屋子里有八十杆手枪！你们说，要什么吧，这点东西总够你们大家玩的吧！

她目光灼灼地从门口的人脸上扫过。

黑三:(尴尬地笑着)您这生的是哪一门子气？我们没事也不会到这儿来打搅。我们跑丢了一个孩子，一个刚混事由的。我们到这儿来也是看看，怕她藏在什么地方，回头吓着您。

陈白露：哦,(恍然地)你们这一帮子赶到这儿来，是为了找一个小姑娘呀。

黑三:(狡猾地)那么说，您是看见她了。

陈白露：对不起，我没看见。

黑三:(悠着)可是您瞧，刚才有人像是看见她进这屋了。

陈白露：进我的屋子来了！那我可说在头里，我这儿要是丢了东西，你们可得包赔。

黑三：您别打哈哈。我们说不定都是一家子的人，您也帮个忙，您跟金八爷……

陈白露：金八爷，哦，你们也是八爷的朋友。

黑三:(笑)够不上朋友，常给他老人家办点小事儿。

陈白露：那就对了，金八爷刚才告诉我，叫你们滚开。

黑三：刚才？

陈白露:(索性做到底)八爷就在这儿！

黑三:(疑惑)在这儿？(停顿，看出她说谎)那我们得见见，我们得把这件事禀告禀告他。(向门口的人)你们说，对不对？

打手们：对，我们得见见八爷。

陈白露：不成，八爷说不愿见人。

黑三：他不能不见见我们，我得见见。

陈白露：不成，你不能见。

黑三：不能见，我也得见！

向小东西睡着的屋门走去。陈白露忽然跑向左面小客厅的门，她站在门口，不顾一切地死死盯视着黑三。

黑三：（向陈白露走来）哦，八奶奶又要跟我们打哈哈啦！

他越走越近，慢悠悠地狞笑着。

陈白露：你大概要找死！（高声、急不可待地）八爷！八爷！您出来，教训教训这帮混账东西！

小客厅的门开了，潘月亭披着一件睡衣走出。

潘月亭：（低声、平静地）白露，吵什么，八爷睡觉了。（望着黑三）咦，黑三，是你？

黑三：（想不到）哦，四爷，您老人家也在这儿。

潘月亭：我跟八爷到这儿来歇歇腿，抽口烟，你这是要干什么？

黑三：（喃喃）怎么，八爷是这儿，呃，在这儿睡觉了？

潘月亭：你要进来谈谈么？我烧一口烟，叫金八起来陪陪你。

黑三：（赔着笑）潘四爷，您别跟我们开心，您看我们也是有公事……

潘月亭：好极了，你们要有事，那就请你们给我滚蛋，少在这儿废话！

黑三：是，潘四爷，您别生这么大的气。（忽然对身后的人）你们看什么，你们这些混蛋还不滚，他妈的这些死人！（转过笑脸）没法子，这一群人！回头，潘四爷，八爷醒了，您千万别说我们到这儿来过。小姐，刚才的事，您，——是我该死！（打自己的嘴巴）该死！

该死!

陈白露：好好，快滚吧!

黑三:(谄媚地)您出气了吧，好，我们走了。

黑三们退出去，门关上了。

陈白露默默地看了看潘月亭。

潘月亭:(嘘了一口长气)我第一次做这么个荒唐事!

陈白露：我第一次做这么一件痛快事儿!

突然间，她哈哈大笑起来，笑得止不住，潘月亭看着她，简直不知该怎么办才好。

轻轻的敲门声。

潘月亭：有人敲门。

陈白露不理，依然纵声大笑。门推开了，方达生走进来。

方达生:(有些奇怪地看着这样无比快活的陈白露)竹均，什么事儿这么高兴?

陈白露并不回答，而是一把拉住方达生的手,“咚”地打开卧室的门。

小东西猛的惊醒了。睁着一双天真的，惊奇的，还未醒过来的眼睛，望着面前的陈白露和方达生。

陈白露:(欢悦地)哦，你醒啦，可算醒啦!

她满心欢喜地望望小东西，又望望方达生。

陈白露：这是我的干女儿，她叫小东西。(解下自己头上的红缎带，给小东西扎在辫子上)你看，她多美!

小东西害羞地低下头。

一个清冽的下午，天空湛蓝，阳光明媚。

在租界的法国公园里，陈白露和方达生坐在长椅上。草坪早已枯黄了，树枝光秃秃的，几片发黑的叶子在风中轻轻作响。

不远处，是儿童的游乐场。

方达生：多好啊，这里。

陈白露：（同样畅快地）是啊，总算找到一块清静的地方。（她把头向后一仰）真舒服啊！

方达生：在我那里，就更好了。你知道吗？冬天的田野，一片白，和天都融在一起了。你会感到一个人，是多么自由。

陈白露眯起眼睛望着天空。

陈白露：是啊，我知道。

她闭上眼睛。方达生望着沐浴在冬日阳光中的陈白露宁静的侧影。

方达生：竹均，你真美，这个时候，你才美。

陈白露睁开眼睛，面对方达生凝视的目光，她忽然不好意思地笑了。

方达生仍然目不转睛地向陈白露望着。

方达生：（恳切地）跟我走，竹均，到乡下去……把小东西也带去，她可以在那里读书。

陈白露突然站起来。

陈白露：来，咱们去荡秋千吧！

游乐场，秋千在风中微微摇晃。

陈白露一边笑着，一边站了上去。她两手抓住绳子，用力地一下一下地荡起来。秋千越荡越高。

方达生仰头望着。

陈白露散开的长发随风飞扬。

背景上，远处的教堂的尖顶在阳光下闪烁。响起了钟声：当、当、当……钟声越来越响。

方达生的喊声："小东西！小东西！……"

陈白露从门外走进自己的房间。她看见，窗子打开着，方达生探身在窗外，向下面张望。

陈白露：达生！

方达生：（猛地回过头）竹均，你刚才上楼来看见小东西了吗？

陈白露：她不是在屋里吗？

方达生：不，这儿没她，你来，快来！

陈白露跑向窗子。

方达生：（指着远处）你看，你看那边。

陈白露：哪儿？什么？

街上，人群熙熙攘攘。方达生的手在空中停了一会儿，无力地垂下来。

方达生：看不见了！他们把小东西带走了。

陈白露：（不相信地看着方达生）你说什么！

方达生：真的，我看见的，两三个男人夹着她，一晃就没有了。

陈白露转身飞快地跑进卧室。卧室里一个人也没有。她又跑到另一间屋子，同样是空的。她在房间里寻找，然而没有任何痕迹，就像小东西从来没有存在过似的。

她瘫软地坐在沙发上，怔怔地望着地板，一滴愤怒的泪水，无声地流下来。

方达生:（走到她身边，蹲下，震动地）怎么，你哭了?

陈白露没有说一句话，狠狠地抹去了那一滴挂在腮边的眼泪。

……一辆汽车停在报馆门口，陈白露从车里面下来，匆匆地走进报馆。

……方达生穿过一条破旧的小街，他不断地四下观望着。

……陈白露从一家事务所里走出来，面色疲惫而阴沉。

……两个妖冶的女人从一座小楼的窗口探出头来，向方达生招手。方达生厌恶地扭过头，走开了。

……在一个街口，方达生远远地看见了陈白露的身影，他飞快地向她跑去。陈白露默默地注视着他。方达生在她面前站住了，沮丧地垂下头。

陈白露和方达生无言地并肩走着。

天空阴暗。他们两个人的身影，在嘈杂的街道上，在偌大的灰色的城市里，显得那么渺小。

夜晚，约莫十二点钟了。

宝和下处的大门口。贴着“南国生就美佳人，北地天然红胭脂”的对联。中门框上是“桃源佳境”的横幅。门前两三个女人指指点点，挤眉弄眼。她们身后墙上的乌光红油纸，上面歪歪地涂了四行字：“赶早 × 角，住客 × 元，拉铺 × 角，随便 × 角。”

沿街，有哼一两段二黄的漂泊汉，有唱曲的姑娘，有租唱话匣子的，卖花生、栗子、热茶鸡蛋的……在这条胡同里，充满了各种喧嚣、叫卖、女人诟骂、打情卖笑的声浪。

一个唱“数来宝”的乞丐，打着“七块板”，边走边唱着：

嘿！紧板打，慢板量，

眼前来到美人堂，

美人堂前一副对，

能人提笔写得详……

宝和下处院里一个小屋门口。门上挂着满染黑污的对联：“貌比西施重出世，容似貂蝉又临凡”；上面横挂着“千金一笑”。在门上还悬着一个镜框，嵌着“花翠喜”三个字。

翠喜，一个三十出头的女人，满脸涂着粉，前额故意掐出一排花瓣似的紫痕，站在门口，招呼着离去的客人。

翠喜：（扬起声音）明儿见，胖子！你明儿个一定来“回头”啊！……

传来胖子和他朋友的嬉笑声。

竹板踢踢挞挞一阵响，乞丐走过来。

乞丐：（用本来的苍老的声音）掌班的，老板们，可怜可怜我瞎子吧。

翠喜：去，去去，别在这门口吵殃子！（她把嘴上叼着的烟头扔到地上）去，给你个烟卷头抽。

乞丐立刻捡起烟头。

翠喜：咦，这年头改良啦，瞎子看见烟头就伸手。

乞丐：我一个眼儿瞎，回见，大老板。

乞丐转过身，向别处去了，竹板又响起来：

一步两步连三步，

多要卖菜少卖铺，

黑脸的喝茶白脸的住

……

翠喜回到屋里。这是一间狭小阴黑的屋子。她走到铁炉前，拿起坐在炉子上的水壶，看了看火。

进来一个小矮子，提着一小桶煤，他把煤放在门边，走到方桌前，拿起桌上的角票数了数，然后，翻着白眼看看翠喜。

翠喜：你看嘛？小顺子。

小顺子：（有些结巴）这是那胖……胖……胖子给的。

翠喜：你嫌少？人家留着洋钱置坟地呢。

小顺子：（摇摇头）都……都交柜么？

翠喜：不都交柜，掌班的印子钱一天就一块，你给？

小顺子：可你……你吃嘛？

翠喜：还用着吃，天天喝西北风就饱了。（低头愣神，忽然想起什么，向小屋走去。在小屋门旁挂着一面又小又破的镜子，她停住照了一下）不成了，人过时喽。

翠喜走进小屋。床上躺着一个襁褓里的孩子，旁边一个小姑娘脸朝墙挤在一边。

翠喜：小翠，你还不起来，你再不听话，（小姑娘没有动）咳，这死心眼儿的孩子！（她拿起一件破棉袄，盖在小姑娘身上，一边念叨着）我跟你说，你在老姐姐我的屋子里搭住这三天，也是咱们姐妹们的缘分……

小姑娘慢慢地回过身，这是小东西。然而，已经完全像变了一个人。她的脸消瘦、阴沉、木然，目光冰冷。

翠喜：（继续说着）我不是跟你妹妹瞎"白货"，我从前在班子的时候也是数一数二的红唱手，白花花的千儿八百的洋钱也见过；可是"人老珠黄不值钱"，岁数大了点，熬不出来，落到这个地方……我告诉你，亲妹子，你到了这个地方来了，你不用打算再讲脸。

小东西抬起眼睛看了看翠喜。

翠喜：哼，到这儿来的，哪个不是色催的？有钱的大爷们玩够子，取了乐了，走了，可是谁心里委屈谁知道！半夜里想想，哪个不是父母养活的？哪个小的时候不是亲的热的妈妈的小宝贝？都是人，谁生就这么贱骨头，愿意吃这碗老虎嘴里的饭……

她埋下头，像是要落泪。已经坐起来的小东西掏出手绢。

小东西：（把手绢递到翠喜面前）你……你擦擦。

翠喜：（一仰脸，睁着一双干枯的、微肿的眼睛）我没有哭，我好些年都没有眼泪了。（她嘘了一口气）我是老了，早晚替家里大的小的累死了，用芦席一卷，往野地一埋就完事。

说完，她搀起床上的孩子，解开衣襟，给孩子喂奶。孩子使劲地吸吮着。小东西默默地看着她。过了一会儿。

翠喜：（替小东西撩起额前的头发）妹子，你年轻，还有的是指望，熬几年，看上个本分人，从了良，养个胖小子就快活一辈子。

小东西垂下头，一阵沉寂。

小东西：（悄声地）黑三快来了吧。

她抬起眼睑，眼中含着惧怕。

翠喜：（劝慰）不怕的。你擦擦胭脂，抹个粉儿，一会儿挂上个客，今儿格就算是过去了。（小东西不动）去，快去呀，要不，黑三来了……

小东西的眼睛因痛苦而睁大了。她抬起头[1]，慢慢地走到外屋。站在小镜子前面。

隔壁一个女人随着二胡唱起一支淫荡的小曲：

叫声小亲亲哪，

眼瞅着到五更，

五更打过哥哥就起身哪！……

小东西往脸上抹了一点胭脂，然后，她呆呆地望着镜子里自己的脸……忽然，她扑到桌子上，无声地抽咽起来。

一个尖锐的声音："前边，请这边走，腾屋子。"

小顺子掀开门帘走进屋。小东西抬起头，脸上挂着泪痕。

小顺子：有客，点着名找你的。（向小屋）三姑娘，有客来了，招呼你们姐儿俩。（又回头对小东西）别哭了，快收拾收拾，要是能住下，你就能早点睡了。

---

1 "她抬起头"底本作"她抬起来"，当作"她抬起头"。

小顺子从外面掀开帘子，让进来胡四，后面跟着王福升。胡四穿着皮大衣，高领碎花灰缎皮袍，花丝袜子，黑缎鞋，一副风流潇洒的模样。王福升也是兴高采烈，油光满面的，一件旧羊皮袍子，下面露着号衣底襟。

胡四进门后四面望望，拿出手帕掩住鼻子。

王福升：怎么啦？

胡四：这屋子好大味。（轻轻坐在凳子角上。）

王福升：（用手在桌子上一抹）瞧衣服。

胡四：（忙站起，掸大氅）他妈的，这缺德地方。

王福升：（油嘴滑舌的）四爷，我可把您送到这个地方来了，我得赶紧回去。

胡四：（一把拉住他）不，不成，你得陪着我。

王福升：我的爷爷，您叫我陪您到这儿来，这可是没人知道，回头顾八奶奶……

胡四：提她干嘛。（脸上没一丝表情地）老妖精！

王福升赶紧扭过头，憋不住笑了。

翠喜和小东西从小屋里走出来。

翠喜：（非常老练地）侍候哪位？

胡四上下打量着两个人。小顺子放下茶壶，从口袋里拿出一包瓜子，打开，放在方桌上的一个铁盘里。

胡四：（指着自己）我。

翠喜：我这妹子呢？

胡四：（指自己）也是我。

翠喜:(笑嘻嘻地)这合适么?

王福升：这有什么不合适。

小东西抬起头，她认出了王福升，目光仇恨地一闪。

翠喜:(对胡四)二爷贵姓?

胡四：胡，胡四。

翠喜：胡四爷,(指王福升)四爷，您引见引见。

胡四：这是王八爷。

翠喜:(举起瓜子)，四爷，八爷。四爷您不宽宽衣。

胡四：不，我怕凉。

翠喜:(向小东西)你这么愣着干嘛。(对胡四)四爷，您得多包涵点，这孩子是个“雏”，刚混事由没几天。

王福升:(替胡四)没有说的。(转身对小东西)你认识不认识我?

小东西:(切齿)磨成灰，我也认识你。

王福升:(高了兴)喝，这丫头在这儿两天，嘴头子就学这么硬了。

胡四:(拉起小东西的手)我得瞧瞧你……这孩子真是头是头，脑是脑，穿几样好衣服，叫我胡四带她到马场俱乐部走走，这码头不出三天她准行开了。

王福升：那“赶子”好，可您问她有这么大福气么?

胡四:(忽然冲小东西)是你把金八爷打了么?

小东西低下头，一语不发。

翠喜：四爷跟你说话啦，傻丫头。

小东西石头似地立在那儿。

王福升：瞧瞧，这块木头。

胡四：（点着烟卷）奇怪，这么一点小东西怎么敢把金八打了？

王福升：要不庄稼人一辈子没出息呢，你想，金八爷看上她，这不是运气来了？哪一样不是要什么有什么。他妈的！（回过头对小东西，伸出手指着她）可你爸爸是银行大经理，还是开个大金矿？（对翠喜）大洋钱来了她向外推，你说，这不是邪行！

翠喜：咳，“是儿不死，是财不散”，这都是罡着。

王福升：（对小东西越看越气）妈的，我要有这么一个女儿，把那么一个活财神都打走了，我就宰了她，活吃了她。

突然间，小东西跑到王福升面前，打了他两个嘴巴。

王福升：（捂住脸）你，你要干嘛？

翠喜：（拉着小东西）你发疯了。

小东西：（浑身发抖）我好容易逃出来，你又把我扔到黑三手里。

黑三，穿着皮袍，满面胡须，瞪着凶恶的眼睛，一声不响地出现在门口。

寂静。

黑三：（很和气地向小东西招手）过来，过来呀！

小东西望了望房里每个人的脸，慢慢地走过去。

黑三：（一把抓住她的手腕）您受惊，四爷，这孩子有点不大懂规矩。

他猛挥手，打了小东西一个耳光！小东西吸着气，倒退了几步。

翠喜：（急忙走上前）这是怎么说的？这孩子的脾气也是太“格涩”。八爷，真是怪过意不去的。您刚才没有撞破哪儿？

胡四:（格格一笑）连金八爷都劈啪两耳刮子，王八爷挨这两下子，算什么?

翠喜:（赶紧拉过小东西，站到胡四面前）快，还不快谢四爷。这是碰着四爷，好说话的，要是碰着个恶主儿，还不连窑子都砸了。

胡四嘻嘻哈哈地点头。

黑三:（盯视着小东西，阴沉地）这回便宜了你，好好侍候四爷，叫声四爷!

小东西：四爷。

黑三：跟八爷赔不是。

小东西望着王福升。

黑三：说，说下次不敢了，王八爷。

小东西：下次不敢，王八爷。

王福升:（干巴巴的）没的说，没的说。

黑三：给四爷倒杯茶。

王福升：得了，四爷，我看您也该回旅馆了。

翠喜：谁说的?（对王福升）去去去，你看你这个忙劲！谁也不许走。

王福升:（向胡四）您这身新衣服也该在客人们面前显派显派!

胡四:（忽然想起来，很高兴地）这身衣服我穿着不错吧。

翠喜：赶子，可着这大地界，也找不出另一身来。

胡四:（不由地又开始搔首弄姿，掸掸衣服，自得地）我看也差不离。

这时，小东西已斟好茶，向着胡四送上来。

王福升：（奸笑着，狠狠地）哟，小心点儿，别烫着手，小姐。

小东西低着头，走到胡四面前，眼泪汪汪的。

王福升：四爷，您瞧，小翠跟您飞眼儿呢。

胡四：（乐了）是么。（想拧小东西的脸蛋）

小东西蓦地抬起头，没想到胡四这样近靠着她，茶碗碰着胡四的手，茶水溅湿他的衣服。

小东西：啊！

胡四：你看！

黑三：（大吼）妈的，你看你！

小东西吓了一跳，失手，一碗茶整个倒在胡四的新衣服上。

胡四：（急青了脸）你奶奶的，这个不是人揍的孩子！

黑三跳到小东西面前，举手要打。

王福升：黑三，人家衣服要紧。

翠喜赶紧拿了一块手巾，和福升一起擦衣服，黑三看着他们。

胡四：（恼怒）去，去去，别擦了！（将衣服凑在灯光下看看）哼，这一身新衣服算毁了。妈的，（对王福升）走，走走，（忽然跑到小东西面前）你这贱骨头，我——（仿佛要动手，但他却一下子从口袋里取出一束钞票）你瞧见这个么？大爷有的是钱，可就凭你这德性，（向黑三）一个子也不值。（抽出一张）把这个拿给三姑娘盘子，（又拿出一张）这个给外边。

黑三：谢谢您。

胡四：走，回旅馆。

他扬长而去，福升后面随着。

翠喜:(送到门外)明儿来呀，四爷，明儿来回头呀!

她立刻回到屋里。

黑三野兽似地盯着小东西。

黑三:(低低地)过来，你跟我到这屋子来!

小东西不动。

翠喜:(抱住小东西)黑三，你别打她。

黑三：你少管!

翠喜:(哀求)这孩子再挨不得打了。

黑三:(上前，一手推倒她)去你个妹子的!

翠喜叫了一声。黑三拉着小东西进了小屋，砰地把门关上。

翠喜:(忽然想起自己的孩子，她跳起来，扑过去)开门，黑三，我的孩子在里面，开门!

里面不应，只有黑三喘着气的咒骂声、毒打声。

翠喜:(乱打着门)开门!开门!你要吓着我的孩子!我的儿子!

孩子开始哭起来。

翠喜不顾一切地喊着，擂着门。

旅馆里，顾八奶奶坐在沙发上，向陈白露愤愤然地诉说着。

顾八奶奶：哼，我才明白，男人真是没良心。你待他怎么好，也是枉然。

陈白露:(淡淡地)怎么，胡四跟你怎么样了?

顾八奶奶:(长叹一声)谁知他怎么样!这两天就没见着他的影子，我待他的情分可真不薄，你看，他一不高兴，就几天不管我。

（忽然地）露露，你给我倒点儿水，我……

顾八奶奶从手提包里取药。陈白露递给她一杯水。

顾八奶奶：（吞下药，捂着胸口）我的心痛。一想起胡四这个没良心的东西，我的心又痛起来了。

陈白露：你真是天下最多情的女人。

顾八奶奶：所以我顶悲剧、顶痛苦、顶热烈、顶没法子办。嗳，爱情，从前我不懂，现在我才真明白了。

陈白露：（抬起眼睛，瞟着她）哦？

顾八奶奶：（十分自负地）我告诉你，爱情是你甘心情愿地拿出钱来叫他花。他怎么胡花，你也不心疼。

陈白露：（一笑）怪不得常听人说爱情是要有代价的。

顾八奶奶：那是一点也不错的。白露，我们是好姐妹，你在四爷面前替我给他说说，在电影公司再给他找个事。他嫌银行的事儿钱少，没意思；我也想过啦，他当明星，准红！你看他哪点儿不像个电影明星，身材、相貌、鼻子……

这时，张乔治推门走进来。

张乔治：（满腔热情）Hello！我一猜你们就一定在这儿。（走过去紧紧拉住两个女人的手）Hello、Hello，哦，密司顾，（上下打量）你真是越来越漂亮了。

顾八奶奶眉飞色舞正想说话，他又转向陈白露。

张乔治：Oh my，我的小露露，my dear。

顾八奶奶：博士，你别老这么叽里呱啦地翻洋话好不好？

张乔治：Oh，Sorry，Sorry，完全对不起。我简直不习惯说中国话了。

顾八奶奶：博士，这两天你没跟胡四一起玩么？

张乔治：胡四？前两天我在俱乐部又看见他拉着那条狗，走来走去。

顾八奶奶：这个没良心的，他情愿拉一条狗，也不带着我。

张乔治：怎么，你们又闹了？那他在门口干什么？

顾八奶奶：什么，他在门口？

张乔治：奇怪，你不知道？

顾八奶奶：亏你还是个出洋念过书的人，你怎么早不告诉我？

张乔治：念了书，不见得就算得出顾八奶奶想见胡四呀。

顾八奶奶：（美美的一笑）好了，我不跟你们说了，我要走了。（快步走到门口）古得拜，拜——拜！

门突然打开了，胡四站在门口。

顾八奶奶一看见他，先是想乐，忽然又噔噔地走到沙发前，一屁股坐下，扭过身去。胡四还是他那副满不在乎的样子，只是又换了一套衣服，更"标致"了。他看了一眼做出生气状的顾八奶奶，径自走到镜子前。

胡四：（对着镜子照着，整了整领带，漫不经心，慢吞吞地）我可开了眼啦，那个小东西，真有股邪行劲儿！

顾八奶奶：（憋不住）谁？你说什么小东西？

胡四：金八爷都没玩成的那个。

陈白露猝然回过头。

木梆一声一声地响过去。

一个声音:(低声地叫出花名，因为客人们都睡了)宝兰、金桂、海棠、小翠……

屋里，小顺子把灯熄灭，从抽屉里拿出洋蜡头点上。小东西缓缓地走进来。

小顺子：怎么样，挂上了么?

小东西摇摇头。

小顺子:(叹了一口气)那你一个人……先睡吧。

小东西:(看了他一眼)……

小顺子:(安慰地)去……去他的，……先别，别想它。

老远忽然传来翠喜的哭嚷声:“你打吧，你打吧！你今天要不打死我，你不是你爸爸揍的!”

小东西：谁?谁在打她?

小顺子：她，她男人。三姑娘也是苦命！……

翠喜哭哭啼啼地走进门。

小顺子：怎么，瘸子又让你回去?

翠喜:(还嚷着)回去，我今天就跟你回去！回去咱们就散，这日子有什么过头!

小东西愣愣地望着她。翠喜从小屋里抱出孩子。

小东西：你走了?

翠喜:(抽噎地)嗯，妹、妹子，刚才那个住客，你……你挂上了么?

小东西：……

翠喜:(一手摸着小东西的脸，一字一噎地）苦……苦命的孩子，也……也好，你今天一个人在我这个床睡吧，半夜里冷，多盖点被……落到这个地方……病了……就更没人疼、疼了。

小东西望着她那哭肿了的扭歪的脸，忍不住，猛地抱着翠喜呜咽起来。

翠喜:(心酸地掉下泪）妹子，你，你别哭，我明儿……一大早，我……就来看你。

小东西拼命抹去眼泪。

翠喜：我走了。

小东西点点头。

小顺子：我也歇去了。(对小东西）睡吧。

小东西：嗯。

翠喜和小顺子都走了。

外面一个人的声音:“落灯啦，落灯啦!”

小东西坐在桌前，睁着大眼睛，木然地望着摇曳的烛光。

……一片阳光。阳光下石硪腾空而起，有力地落在地上。一个高大的汉子回过头来，黝黑的脸上，汗珠闪烁着铅灰色的光泽。他咧开嘴笑了，目光中流露出怜爱、温情……

父亲的脸渐渐模糊了。

摇曳的烛光。小东西孤零零的影子映在墙壁上。

灰色的拂晓。清冷的街上几乎还没有人。远远的，在巷子的尽头，几个人影围成一团。从那里传来哭声。

那是在宝和下处的门口，一张席子卷着一具尸体，翠喜怀里抱着她的孩子，嘶哑地哭着。

翠喜：苦命的……妹子，你，你死的屈啊，你不该……死！

小顺子站在一边，低垂着头，看不见他的脸，他手上拿着的一根扯断了的绳子，在冷风中飘飘悠悠。几个脸色惨白的女人，悲哀地在严寒里瑟缩着。

忽然，围着的人无声地闪开了一道缝，就在很近的地方，陈白露和方达生站住了。

翠喜：（什么也没看见，她的眼泪滴落在卷起的席子上）妹子，再苦也得、得活着，你怎么……走了这条道啊，妹子……

方达生望着眼前的一切，他的脸因震惊和痛苦而扭歪了。在他身后是陈白露，她的眼睛显得那么大，充满着一种难以置信的迷惘、恍惚和震惊。从卷着的席子里露出一根小辫，上面还扎着那条红缎带……陈白露突然用一只手捂住眼睛。

翠喜终于慢慢地抬起头，满面的泪水，她发现了面前这个穿着貂皮大衣的女人。她看着她。

陈白露的手顺着脸颊一点点垂下来，她也看见了翠喜。

一个年轻的美貌的女人和一个受尽欺凌、蹂躏而憔悴衰老的女人，就这样默默地，彼此对视着。

……下雪了，纷纷扬扬的雪，一点点掩盖了小东西的尸体，掩盖了这个世界。

公园里，还是在那条长椅上，方达生和陈白露坐在那儿，头上和身上落满了一层雪花。他们谁也没说话，像两个陌生人似地坐着。过了很久。

方达生：（喃喃地）人与人之间为什么要这么残忍。

陈白露一动也不动。

方达生：（猛然转向她，声音喑哑地）我问你，为什么允许金八他们这么一群禽兽活着?!

陈白露：（终于抬起眼睛，她的声音很轻，一字一句地）我告诉你，不是我们允许不允许金八他们活着，而是金八允许不允许我们活着!

说完她慢慢地站起来，头也不回地走去。雪地上，留下她的一行足迹。

空荡荡的游乐场，落满了雪的秋千一动不动。

窗外，雪还在下着。陈白露站在窗前，她穿着黑丝绒旗袍。屋里没有一丝动静。

一扇门打开了，立刻传出人们打牌的喧笑声。有人在叫："露露！露露!"

陈白露不回答，依然那样站着。

张乔治从里面走出来，一面向里边的人说。

张乔治：不，不，我就来，你看我来请她。

他的领带散着，背心的扣子敞开着，兴高采烈地向陈白露走过去。

张乔治：（似灵感附了体，站住）哦，我的小露露。

陈白露看着窗外，不动。张乔治走到她的侧面。

张乔治：你真美，今天你简直太美了！（吟诗一般）美，美极了！你穿得这么忧郁，这么诱惑！

从窗子里可以看到，旅馆的大门口走出一个人，提着一只箱子，那是方达生。他走下台阶，走上马路。有一瞬间，他似乎想停下来，抬起头，但他没有，他沿着街道走去了。

张乔治的声音一直在继续着："露露，并且你真会用香水，闻起来（一声长长的"嗯"）这么清淡，而又这么幽远！我一闻着那香水的香味，Oh，no！你的美丽的身体所发出的那种清香，就叫我想到当初我在巴黎的时候，（飘飘然、神往地）那巴黎的夜晚，夜晚的巴黎！"

方达生的身影渐渐地远了，终于消失在雪雾中。

张乔治：露露，你为什么不笑？露露！

陈白露伫立不动的黑色的背影。

一片黑暗。红色的小蜡烛一支支地燃着，跳动着，映出了陈白露朦胧的脸。

烛光。陈白露的声音："这光，多美，多亮……"

潘月亭的脸在她旁边出现了。

潘月亭：吹灭它！快，吹呀！

陈白露：为什么要吹灭它呢？

潘月亭：（笑着）吹灭了，让大家吃啊！

陈白露：（冷笑一下）好！我吹灭它！让大家吃！

她一口气把蛋糕上的蜡烛吹灭。满厅灯光大亮，乐队奏起响亮欢快的音乐。男男女女们，围着一张张又圆又大的餐桌，个个举起酒杯，喧笑哄闹着向陈白露身边挤过来。

“恭喜你，我的白露，干一杯！”

“永远发亮的明星，我们干杯！”

“美丽的小寿星，喝我这一杯！”“干吧！露露。”

陈白露谁也不推让，一杯杯地喝下去。

潘月亭：（为陈白露拦着）白露，你要喝醉了。

顾八奶奶：不行，潘四爷，白露不是你一个人的。我家里还有一场。（对陈白露）你八姐还要为你做寿哪！

张乔治：我们都去，为了露露！

报社的于总编挤上来，身后跟着一个照像的。

于总编：白露，我的报纸上已经把你选做今年的“爱情皇后”，来，为皇后的二十二岁生日拍一张。

镁光灯“扑”地一闪。一个茶房喊着：“李襄理到！”

李石清神气活现地走进来，他的气派与从前大不相同，马褂换了坎肩，头发也亮光光地梳着。

张乔治：（故意夸张地）喝，李襄理怎么才来？

李石清：（不由得卖弄）抱歉，我刚从丁秘书那儿来，马上还要去交易所。

他瞟了潘月亭一眼，但从潘月亭的脸上看不出任何反应。

李石清：（从口袋里掏出一个盒子）陈小姐，这是我的一点小小的心意。

陈白露：李太太没来么？

李石清：家里实在有事，她让我替她向陈小姐道喜。

他说着，打开盒子，里面是一只金子的麻花手镯。

顾八奶奶不由地撇了撇嘴，露出不屑一顾的样子。张乔治趴到胡四耳边不知说了什么，胡四突然哈哈干笑了两声。

陈白露：（伸手接过盒子）太破费了，谢谢，替我谢谢李太太。

她转过身，指了指桌子中央的极大的奶油蛋糕。

陈白露：吃，吃吧。（她忽然面向大厅，高声地）吃！都来吃呀！

一片喧闹声。

她拿起一把银亮的刀子，把蛋糕切开。镁光灯闪闪发亮。

西下的夕阳发射着绯红的余辉，在短暂的冬日的黄昏，映照着城市的暗影，映照着一条铅灰色的大河和河面上一座黑色的大桥。

一个像幽灵一样的人影从桥上走过，在人群里穿行。

他走着，一直走着，什么也没看见；不知道，也记不得他这是到哪儿去。一双深陷的黑洞般的眼窝里，两只冰冷呆滞的眼睛，叫人不寒而栗。还可以认得出，这是黄省三。

终于，他衰弱地靠在了一根电线杆上。不远处，饭店的霓虹灯在他的脸上一黄一绿地闪着。

饭店门口，穿着大褂的茶房，脸上堆着献媚的笑，毕恭毕敬地站立一旁。陈白露微微地依在潘月亭的肩上，从大门里走出来。

现在，她的脸上泛起红晕，眼睛闪闪发亮，像通常喝多了酒的人那样，莫名其妙地笑着。李石清跟在他们的身后。当茶房不断地弯腰鞠躬时，他的脸上浮现出一丝难以掩饰的得意之情。

突然，一只瘦骨嶙峋的手抓住他的胳膊，他一扭头，看见黄省三目光灼灼地立在眼前。

黄省三:（朝着李石清）经理，潘经理，您行行好！

李石清:（愣了一下）什么经理，你疯啦！

黄省三：不，我没疯，您行行好，告诉他们我没疯！

潘月亭回过头来。

潘月亭：这个人是谁？

李石清：原来是大丰的录事，早被裁了。

潘月亭：他要干什么！真是岂有此理。

黄省三突然双膝跪下，抱住潘月亭的腿。

黄省三：法官，我自己买的鸦片烟，买的红糖掺上，叫孩子们喝的，我亲手把他们毒死的！我没钱再买鸦片了，法官！你们不能放我，我亲手毒死了人，毒死了我的孩子！您杀死我呀，杀死我！

李石清像惊醒一般，扑上去把他拉开。

黄省三:（忽然嘤嘤地像一个女人哭起来）我的孩子，我的可怜的孩子!（他抬起头，对李石清）潘经理，人不能这么待人啊，不能这么待人啊！……

李石清绝望地推了他一把。黄省三侧在陈白露的脚边，他连忙磕着头。

黄省三：潘太太，求求你，让我死吧，我没疯，没疯呀！

陈白露呆住了，微笑仍然挂在嘴边，但，这是一种惊惧而又僵死的笑。她恍惚地打开皮包，把手伸进去，她想像平日那样地施舍一些……可是几乎就在同时，她“叭”地把皮包关上了，冲进等在路边的汽车里。

汽车轰地开起来，黄省三的嘶喊和他仆俯在地的身影，被甩在后面。

汽车里，陈白露倚在角落，头低垂在胸前。潘月亭轻轻托起她的脸。她看着他，没有反应，没有表情。

潘月亭：露露，怎么，又难过了？

陈白露闭上眼睛。车窗外响着街上的喧嚣。她听见了潘月亭凑在她耳边说：“我的小露露，你看看。”

陈白露双目紧闭的脸。

潘月亭的声音：“睁开眼吧，乖乖，你看这是什么？”

陈白露睁开眼睛，她看见潘月亭把一只发出幽蓝光彩的“火油”钻戒，套在她的手指上。

潘月亭：这是我今天特别给你挑的生日礼。喜欢么？

陈白露缓缓地抬起自己的手，看着那颗美丽的钻石。

潘月亭：（兴高采烈的声音）行市，我真看对了，沾你的福气，我赚了一票大的。我真的有钱了。我现在什么都不怕了。

陈白露垂下手，目光移向车窗外。

潘月亭：别不理我，我的小露露，现在你要什么就有什么。明天，我一定把小东西给你活蹦乱跳地弄回来，好不好？你说呀！

陈白露：（没有回头）好。

顾八奶奶的中不中西不西的老式客厅里，正墙喜桌上高烧着一对又粗又长的红蜡烛。烛光闪闪，已经燃去一小半了。

墙上悬着一个鲜花扎成的大“寿”字。顾八奶奶和陈白露合拍的像片，放得大大的，嵌在一个红木的大镜框里。

疲乏的乐队有一阵没一阵地奏着。

穿过螺钿镶嵌的瓶状木窗，望见一群客人在另外一间客厅里打麻将、掷骰子、打扑克。仆人们穿梭一般端着茶点，来回侍候。

潘月亭醺醺然地靠在大沙发上。顾八奶奶、胡四、刘小姐，以及一些男女们，也都已不再跳舞。只有张乔治，他虽然已经醉了，但仍然摇晃着身子，笑嘻嘻地走到陈白露面前。

张乔治:（拉住陈白露的手，一边用脚跺着地板）露露，来，跳啊!

陈白露喝了太多的酒。此刻，她的眼睛半睁半合，脸上现出那种痴醉的、虚幻的神态。她胡乱地摇了摇头。

陈白露：不，不，我跳不动，我老了。

张乔治:（格格地笑起来）我的小猫咪，你才刚刚生下来呢。（他晃动着，转过身去）各位男士女士们听着！我们的皇后，现在要为我们跳个Tap—dancing，美国最时髦的“踢跶舞!”我来做她的舞伴!乐队！乐队!

于是，乐队骤然乱糟糟地大响特响。

张乔治握住陈白露的手，把快要倒下去的陈白露拉了起来；他用手紧紧搂着她的腰，硬拽着她跳。

陈白露：放开我!

她看着张乔治，眼里射出厌恶而又愤怒的光。

陈白露：（大喊）你这个洒了巴黎香水的洋狗！

所有的人都怔住了。客人、侍仆们从窗口、壁门缝隙惊望着。

胡四忽然凑上去。

胡四：爱情皇后，我，该够格吧！

陈白露挥起手，像是要打胡四耳光；胡四灵巧地一闪。

陈白露：（指着他）你这个兔子！找你的母猫叫春去吧！

顾八奶奶站起身，又惊又怕地喊着。

顾八奶奶：这是怎么啦？

潘月亭：（对顾八奶奶解释着）她喝醉了，不认识人了。

陈白露的目光从人的脸上滑过，朝向屋顶。

陈白露：（茫然地）哪里有人哪！哪里有人哪！

她低声地嘶喊着，抽泣起来。

顾八奶奶：算了，算了，让你的老爸爸，你的老头陪你回去吧。

潘月亭：（挽住陈白露的胳膊）我陪你回去，回去吧。

陈白露：（试图挣脱着，大声呜咽，最后成了一种歇斯底里）我要回去！回家去，回家！

潘月亭：不哭了，不哭了，走。

陈白露倚着潘月亭的肩膀，恸哭着，向门口走去。

旅馆，陈白露房间的客厅里，李石清异常兴奋地来回踱步。潘月亭从卧室走出来。

潘月亭：（冷冷地）你来这儿有事么？

李石清：有事商量。

潘月亭:（坐下，对李石清，不耐烦地）你说吧!

李石清:（凑到潘月亭跟前）月亭,（他不大自然地顿了一下）经理，你知道市面上怎么回事么?

潘月亭:（故意地）不大清楚，你说说看。

李石清:（压低声音）我这是从一个极秘密的渠道打听出来的。谣言说金八故意放空气，好向外甩，完全是大家神经过敏，假的。这一次买进，我们算拿准了，我粗粗一算，说不定有三四十万的赚头。

王福升这时推门走了进来。

王福升：李襄理，您太太打过电话来，说您的少爷病了，催襄理赶快回去。

李石清:（简直不屑于听这些琐事）我知道，知道了。（继续向潘月亭）我跟你说，要是这个看涨的消息越看越真，客户们再忍痛补进，跟着一抢，不出十天，再赚个十万、二十万不成问题。

潘月亭:（叫住正要退出的王福升）福升，你去看看陈小姐有什么事。

王福升：是。

王福升走进卧室。

李石清:（既得意又激动）我告诉您，这个行市要大涨特涨，我提议……

潘月亭:（并不看他，打断）你的太太不是催你回家么?

李石清：不要管她，先不管她。我提议，明天还是可以买，吃不了亏的！就这么决定吧，这一次成功了，我主张，以后行里再也不冒这样的险，留点信用。不过这一次，我们就破釜沉舟干它一下。

卧室里，王福升正轻轻拉上华丽的窗帘。

陈白露在床上呻吟了一声。

陈白露：（喃喃地）回家，回家了……

王福升注意地听着，他犹豫了一下，轻轻走到床前。

王福升：（试探地轻声问）小姐，您刚才说什么？

陈白露用手支起身体，四下看了看。

陈白露：（又扑倒在床上）玩够了，该回家了！

王福升：（惊奇）您，有家？

陈白露：（看着他）……

王福升：您，真有这意思？

陈白露：怎么？

王福升：（赶紧）小姐，您要是真想回家，那您在这儿欠的那些账，您得——

陈白露：（慢慢转过脸去）对了，我还欠了许多债。（自语地）不过这些年，我难道还没有还清？

客厅里，潘月亭吐出一口烟。

潘月亭：石清，你还是回家看看吧，你的儿子不是病了吗。

李石清：（眨眨眼睛）您何必老提这个？

潘月亭：（用眼梢睃了一下李石清）我看你太高兴了。

李石清：不错，这次事我帮您做得相当漂亮。我的确高兴。

潘月亭:（微微一笑）对不起，我忘了你早已经是襄理了。

李石清:（感到了潘月亭话里有刺儿）经理，您这句话是什么意思?

潘月亭:（不露声色）李襄理，现在我手里这点公债是一笔钱了吧!

李石清：自然。

潘月亭：这一点赚头已经足够还金八的款子了吧?

李石清:（小心奉迎地）当然，还大大地富余。

潘月亭：准备金也有了吧?

李石清：是的，有。

潘月亭：好极了！石清，你想现在我还怕不怕有人跟我捣乱?

李石清:（含混地）我不大明白经理的话。

潘月亭：也许有人说不定要去说，我把银行房产都抵押出去了，或者说……（他停住，眯起眼睛望着李石清）

卧室。

王福升:（手在口袋里摸索着，一边望着陈白露）小姐，您刚还了八百，又欠了两千，这样花法，一辈子也是还不清的。您看，这些账单,（从口袋往外拿）这一共是……

陈白露:（纵身坐起）不用拿，不用拿，我不要看。

王福升:（无奈地）可是人家说您明天下午是非还清不可了，我一个劲儿跟他们说好话……

陈白露：谁叫你跟他们说好话！冤有头，债有主，我自己没求过他们，要你去求！

王福升：我说小姐……

陈白露：（愈发烦躁地）我知道，知道了！钱！钱！钱！为什么你老拿钱来逼我，你滚！

王福升垂手立在一边。

客厅。

李石清：（强自镇静着）经理，您一定知道，圣人说，小不忍，则乱大谋。

潘月亭：（冷酷地）我是很忍了一阵子，你也许还不知道，行里的同人背后骂我是个老糊涂，瞎了眼，叫一个不学无术的三等货来做我的襄理。

李石清：（极力压制自己）我希望经理说话无妨客气一点，字眼上可以略微斟酌斟酌再用。

潘月亭：我很斟酌，很留神。

李石清：（勉强一笑）好了，这些名词字眼儿都无关紧要，头等货、三等货，都是这么一说，差别倒是有限。不过，经理，我们都是多年在外做事的人，我想，大事小事，最低该讲点信用。

潘月亭：（一阵大笑）你也要谈信用！信用我不是不讲，可是我想，我活了这么大年纪，我明白跟哪一类人才可以讲信用。

李石清：那么，经理对我是不打算讲信用了。

潘月亭：这句话真不像你这么聪明的人说的。

潘月亭将雪茄碾灭，掸掉落在袖子上的一点烟灰。

潘月亭：你的汽车在门口等你，坐汽车回家是很快的。（由身上取出一个封套）李先生，这是你的薪水清单。襄理薪水一月是二百七十元。这个月，会计告诉我你预支了二百五十元，我想我们还是客气点好，我照付一个月全薪，这是剩下的二十元，请你点一点。不过，你今天的汽车账，行里是不能再给你付了。

李石清睁着一双愤怒得呆住了的眼睛，瞪视着潘月亭；他伸手接过钱。

潘月亭：（站起来）好，我不陪你了。你以后没事可以常到这儿来玩玩，你叫我月亭也可以，称兄道弟，跟我“你呀我呀”地说话也可以，现在我们是平等了。再见。

他转身走进小客厅，把门关上了。

李石清，手中紧握着那两张钞票。

李石清：二十块钱！（牙齿格格作响）二十块钱！

一阵残酷的绝望和仇恨攫住了他。他面部歪曲，如同一只负伤的野兽扑倒在沙发上。

不知过了多长时间，电话铃响了，突兀而刺耳。

李石清缓缓地抬起头，他望着电话，脸上的神情由恍惚变得激动起来，似乎有什么预感，他猛地冲过去，抓起耳机。

李石清：……哦，是报馆于先生，我是石清，潘经理不在，有事您告诉我吧。哦……哦，什么，消息不好？……金八的人露出来的？……您有封信已经叫人送来了，好！好极了！

他“砰”地扔下电话，转身冲出门去。

在走廊上，他撞上一个女人；他全然不顾，正要跑开，那女人叫住他。

李太太：石清，石清！你上哪儿去？

李石清：（看见了李太太，激动使他有些语无伦次）你?！啊，好，真是太好啦！

李太太容颜憔悴，衣服满是皱纹，眼中含着泪。

李太太：你在说什么？你这一天都干什么去了？小四病得厉害，你连家也不回！我叫了车送他到医院，走了三个医院，都不肯收……

李石清：（渐渐听懂了李太太的话，喃喃地）你说，小四病了？

李太太：医院要钱，他们要现款，最低要五十块押款。现在家里只有十五块钱，石清，你得想法子，你听见了吗？

李石清摸了摸自己身上，掏出几张零碎票子。

李太太：（忙数着）只有十七块多。

李石清：……

李太太：可怜小四这孩子，（抽泣）你得想法子救救他呀！

眼泪涌流出来，李石清呆望着。突然，他转身又跑回房间。他趴在地上寻找，终于，从沙发底下找到了那两张揉皱了的钞票。李太太跟在他身后，诧异地看着他。

李石清把钞票递给李太太，手有些发抖。

李太太：（不敢接，犹豫）这，这是什么钱？

李石清：（暴怒）这是二十块“卖脸钱”！拿去！拿去吧！

李太太惊愕的、泪痕满面的脸。

亨德饭店门口。李石清焦急地走来走去，冷风吹乱他的头发，他面色发青，不断地朝着一个方向望着。

李石清从一个人的手里接过一封信。他跑到饭店门口的灯光下，迫不及待地把信封撕开……他一口气读完，又读了一遍，信纸在他的手中“簌簌”地抖着。

他目光狂乱地抬起头，随即，猛地转身撞开饭店的玻璃大门。

李石清在大厅里飞跑。他奔上楼梯；他绊了一下，立刻又不顾一切地向上冲去。

一路上，所有的人都站住了，惊讶地看着他。

陈白露房间的门被“咚”地推开了。潘月亭正坐在沙发上翻着报纸，他看见李石清。

潘月亭：哦，你还没有走么？

李石清站在那儿，喘着，渐渐地，他冷静下来。

李石清：（缓步走进屋，稳稳地）是，经理，我心里老惦念着您行里的公事，所以总不想回去。

潘月亭：（十分厌恶地）你又来做什么！

李石清：自然是公债的事。经理，（他举起手里的信）这是于总编给您的信。

潘月亭：（恼怒）你怎么能把我的信拆开！

李石清：（笑起来）不拆开，我怎么知道是喜信，好给您报喜呢。

他把信捋捋平，递给潘月亭。潘月亭似乎觉出了里面的蹊跷，一把抓过信，读着……

李石清:（在一边，慢吞吞地）这件事，我实在是想不到，不会这么巧，不会来得这么合适。

潘月亭:（看完信，脸色大变）我，我不相信，这是假的！

他扑向电话。李石清在沙发上坐下来看着他。

潘月亭：喂，报社吗？我姓潘，潘月亭，我找于先生！什么，刚走？你知道上哪儿去了？混蛋，你怎么不问一声！

李石清的面上浮起满意的微笑。

潘月亭:（又拨了号码）你是会贤俱乐部吗？我找丁先生，就是金八爷的私人秘书！他回家了！怎么会这时候回家！现在不过才，（看看自己的手表）……

李石清：不过才早晨五点多钟，快天亮了。

潘月亭看了他一眼，再拨电话，这一回耳机里"嘟嘟"地响着，却没有人接。

李石清:（狡黠地）经理，其实公债要跌个一毛两毛的，也没什么大不了的，您看没看信上说要跌多少？

潘月亭扔下话筒，从桌上拿起信，李石清走过来在后面指点着。

李石清：不，在这一张！

信纸上的字:"……此消息已传布市面，明日行市定当一落千丈，此事由金八在后操纵，决无扳回的可能。"

潘月亭跌坐在沙发上，双手抱住头。电话铃骤然响起。潘月亭全身一抖。李石清过去拿起话筒。

李石清：你哪儿，哦，是您呀，丁先生。

潘月亭恐惧地盯视着。

李石清：什么？明白了，金八爷早上就要提款！好，我一定告诉他……

潘月亭冲上去，抢过话筒。

潘月亭：我和金八明明说好再缓几天！他不能不讲信用。喂！喂！

那边的电话已经挂上了。潘月亭挥起手把电话打到地上。

李石清：经理，现在该我们俩谈谈了。

潘月亭：（暴怒）谈什么！

李石清：不谈什么，三等货要看看头等货现在怎么样了。

潘月亭：（咬着牙）你小心，你这样说话，你要小心。

李石清：我不用小心，我家没有一个大钱，我口袋里尽是当票，我用不着小心！我没有到了手的钱，又叫人家抢走，我没有多少万还不清的债……

潘月亭：（向前走了一步）不要再说了。

李石清：（豁出来了）我要说，我要痛痛快快地说，我叫一个流氓耍了，我只是穷；你叫一个更大的流氓耍了，他要你的命！天一亮，我就要亲眼看你的行付不出款来，看着那些十块八块的穷户头，骂你、咒你，他们要宰了你，活吃了你！

潘月亭：我先宰了你再说。

他双手掐住李石清的头颈，死命地摇晃。

卧室的门突然打开了，陈白露站立在门口。

李石清：（挣扎）你杀了我吧！宰了我吧，可是金八不会饶了你……

陈白露看着这两个撕打着的发了疯的男人。李石清已面色发青。

陈白露:（大叫了一声）不要打了!

潘月亭浑身一震，手慢慢地松开了。他回过身，看了陈白露一眼，什么都没有说，默默地打开房门，走了出去。

李石清摇晃着，站了起来。他向陈白露望着。半晌。

李石清:（无比的蔑视）你这个娼妓!

陈白露的脸抽搐了一下。她向后退了两步，靠墙站住。

陈白露:（望着李石清，悲哀地一笑）真对不起，你太太来电话了，说、说你的儿子已经不行了。

李石清惊呆的脸，泪水涌流出来。

陈白露独自站在淡紫纱罩的立灯下。灯光照着她。她抬起手臂，让手臂顺着脸颊滑过，不知怎么，她又重复了这个动作。

她内心的声音:“我是什么，我是什么人?”

蓝蓝的天空，阳光照在河面上，冰已经在融化，波光粼粼。

陈白露坐在河边，微风吹动她的头发，水下浮游着一群小鱼秧子；她用手轻轻在水中拨弄着，小鱼从手指间游了过去。一片不知从哪飞来的、去年的枯叶，和几片碎冰，从水面上飘过。

陈白露的声音:“我是水?——是鱼?——是树叶?——还是风?——我是什么?我是什么人?”

陈白露走进花店，到处摆满了美丽的鲜花，杜鹃花、山茶花、君子兰、康乃馨；陈白露朝着一片火红的玫瑰花走过去……

团团簇簇的玫瑰，在空荡而华丽的屋子里，悄悄地开放着。

夜。陈白露躺在花丛旁的地毯上，她空虚的目光朝向屋顶。在她的身边，满是撕碎的花瓣。一个声音："竹均，竹均!"

她倏地坐起来，出人意料地，方达生正站在门口望着她。

陈白露:（站起身，仿佛不敢相信）达生，是你么?

方达生:（点点头）……

陈白露：你，没有走?

方达生:（轻轻摇了摇头）……

两个人彼此相视着，最后，还是方达生移开了视线。

方达生:（走到陈白露身边，望着玫瑰花）多好看的花！谁送的?

陈白露:（心中无限的寂寞）没有谁，我自己送我自己的。

方达生又一次盯住陈白露的脸。

方达生:（不由地）竹均，我还是想来看看你，我不明白，不明白你为什么要跟他们混!（陈白露转过身去）……你不要再瞒我了，你心里痛苦！一个人可以欺骗别人，但是欺骗不了自己。

陈白露的背影，一声叹息：你要我干什么呢?

方达生：你应该离开这儿，你应该结婚。

沉寂。

陈白露:（微微摇了摇头）结婚……我试过。

方达生:（没有想到）和谁?

陈白露：那个人有点像你。

方达生：像我？

陈白露：嗯，像你，他是个傻子。

方达生：哦。

陈白露：因为，他是一个诗人。（她的脸上现出一丝笑意，追想地）那个人哪……他思想起来很聪明，做起事就很冲动。让他一个人说话他最可爱，多一个人谈天，他简直别扭得叫人头痛……

陈白露沉浸在回忆的遐想中。

方达生：（犹豫）你，爱他——

陈白露：（突然之间好像变得非常快乐）嗯，我爱他，他要我跟他结婚，我就跟他结婚；他要我到乡下去，我就陪他到乡下去。他说，你应该生个小孩，我就为他生个小孩。结婚以后几个月，我们过的是天堂似的日子。他最喜欢看日出，每天早上天一亮就爬起来，叫我陪他看太阳。他真像个小孩子，那么天真！那么高兴！有时乐得在我面前直翻跟头。他总是说，太阳出来了，黑暗就会过去，他永远是那么乐观，因为他相信一切是有希望的。

方达生：以后呢？

陈白露：（依然微笑着）以后，他就一个人追他的希望去了。

方达生：怎么？

陈白露：（仿佛刚刚清醒过来）啊，你不懂，你不懂新鲜的渐渐会不新鲜了……我告诉你，结婚后最可怕的事情不是穷，不是嫉妒，不是打架，而是平淡、无聊、厌烦。两个人互相觉得是个累赘。懒得再吵嘴打架，直盼望哪一天天塌了，等死……

方达生：（探询地）是不是因为你们的想法根本不一样？

陈白露：也许是吧。反正后来那根捆着我们的绳子断了。

方达生：什么？

陈白露：孩子死了。

方达生：你们就分开了？

陈白露：嗯，他追他的希望去了。

方达生：现在他在哪里？

陈白露：不知道。

方达生：他有一天也许会回来看你。

陈白露：不，他决不会回来的。他现在一定工作得很高兴。（低头，悲伤地）他早把我忘记了。

方达生：你似乎还没有忘记他？

陈白露：（肯定）我忘不了他，我到死也忘不了他。你喜欢这两句话么？“太阳升起来了，黑暗留在后面，但是太阳不是我们的，我们要睡了。”你喜欢么？

方达生：（没有回答她）……

陈白露：这是他写的一个快死的老人说的。

方达生：（突然地）你现在还爱他。

陈白露：（过了一会儿）是的。

她看着方达生。

方达生：谢谢你，竹均，你是个爽快人。

他从坐着的椅子上站起身。

陈白露：你就走吗！回去了吗？

方达生：我不打算回去了。我要留下来。

陈白露：（惊讶地）你要在这儿干什么呢？

方达生：这些日子，我认识了一些朋友，在你这儿的那些天，也使我想了许多，也许……我想为小东西那样的人做点什么，（他向窗外望了望，一个昏黑的世界）我想，会有许多事可做的。

陈白露深深地对他看着，似乎要把他的样子印在脑子里。突然，她走到玫瑰花丛前，折下一支。

陈白露：拿着，送给你。也许有一天你会想起我……

方达生接过那朵玫瑰。

门被小心地开了一条缝，随即，王福升闪了进来。

王福升：（脸上堆满了笑）陈小姐。

陈白露：干什么？

王福升：（手里拿着一大叠账单）您的账单。

陈白露：（像曾经那样，蹙起眉）你没看见我有客么？

王福升瞟了方达生一眼，躬了躬身子，只是比那一次在走廊时，腰弯得更低，目光也更恭顺了。

王福升：是，小姐。（他停顿了一下，把那一大叠账条轻轻放在桌子上）是这么回事儿，金八爷已经替您把账都还了……

陈白露：（猛然一惊）金八？！

王福升：（谄谀地）金八爷他老人家让我把这大摞账单交给您。

陈白露：（像挨了一个耳光似的，全身一颤）金八！

她的眼里在刹那间流露出恐惧的神色。她向方达生望去，方达生痛苦地扭过头，手里的花不觉掉在地上。

渐渐，陈白露的脸僵硬起来，变得那么冰冷，那么冷酷。

陈白露:（低声地）你出去。

王福升站在那儿，一时没有动。

陈白露:（又重复了一遍）你出去!

王福升扭身，朝外走。

陈白露:（猝然转向方达生，提高嗓音）你！你也出去！

方达生抬起低垂的头，在极度的失望中，他的嘴唇颤抖着。他向前走了一步，仿佛想要说什么……

陈白露:（爆炸似的）出去！走！我让你走！

方达生:（看着她，忽然，怜恤地一笑）好，我走了……竹均，再见。

他走出门去，王福升紧跟在后面。

陈白露冲过去，把门“砰”地关上。她扑向桌子，疯子般地抓起那叠账条，狠命地一下一下地撕得粉碎。

纸屑飘落下来。

最后，她徒劳地用手攥着剩下的一点纸片，揉着。手指因用力太狠而失去了血色，直至痉挛。

陈白露两手无力地垂下，木木地站在那儿。

陈白露穿上她最心爱的一身雪白的衣裙，毫无表情地坐在梳妆台前，精心地梳妆打扮。

陈白露:（端详着镜子里的这双眼睛、这张脸、这个女人，凄然地）生得不算太难看吧，人，不算太老吧……

她慢慢伸出手，拿起放在台子上的药瓶——鲁米那，她仔细地看了看，然后打开盖子，倒出药片，把空瓶丢在地上。

陈白露内心的声音：“这——么——年——轻，这——么——美——”

她闭上眼睛，长叹了一声。这是一声极其忧伤的绝望的叹息。

眼泪悄然地流下来，她端起茶杯，背过脸，把药很爽快地咽下去。

随后，她站起来，走到门口，把门锁住。仿佛胸际有些疼痛、窒塞，她轻轻地捶着胸，从桌上拿起那本《日出》，在沙发上睡下。

她打开书页，无声地读着。

天空浩渺，那样清，那样白。

路边传来砸夯人的歌声。

领头的：（唱）颠儿颠儿走来个小姑娘啊，

（合）嗐唷！

一双大眼儿明又亮啊，

（合）嗐唷！

在城市街道的尽头，陈白露提着箱子从远处走来。她还是那个少女的模样，清秀、纯真，刚刚进城，睁着一双好奇的眼睛，四面看着。

领头的：（唱）提着箱子上学堂啊，

（合）嗐唷！

还是急急忙忙看新郎啊？

（合）嗐唷！

砸夯的工人们冲着她笑起来，陈白露连忙不好意思地跑开了。

夯声继续着……

陈白露躺在沙发上，手里的书已经掉在地上。她闭着眼睛，生命渐渐地从她的身体离去了。

窗帘的缝隙间，射进一道淡红色的曙光，照着她雪白的衣裙……

隐隐的夯声。

一望无际的田野，无边云峰峥嵘。太阳从云隙间射出金色的长箭般的光辉。

诗人惊喜的脸。

他奔跑起来，那自由自在的身影，融进了炫目的霞光。

清晨，街上冷冷清清。

从亨德饭店后面的一个小而窄的侧门里，走出两个汉子。他们抬着一副木板，上面放着陈白露的尸体。一缕被划破了的衣裙拖在地上。她仿佛只是睡着了，她的脸依然那样年轻，那样美。只有嘴角边流出一条细细的短短的血痕——是愤怒？是悔恨？还是忘却一切的、不可言传的神秘？

路边，一两个行人停下来，向那远远的女人的尸体望了望，又继续走路了。

夯声骤起。

阳光灿烂地照耀着。蓝天澄澈。

石硪高高地腾向天空，又沉重地落到地上。一个高大壮实的黝黑的小伙子，领头高声唱道：

日出东来哟！

满天的大红来吧！

工人们齐声合着：“嗐唷，嗐唷……”

石硪一下下地砸下来，汗水“唰唰”地震落在土地上。

领头的小伙子：（唱）往下砸来吧，

咱们弟兄！

工人们：（合）嗐唷，咱们弟兄！

一浪浪低沉有力的夯歌与石硪砸地闷雷似的巨响，震动大地。

路边，密匝匝地站了一群看热闹的孩子，他们瞧着，听着，嘻嘻地笑个不停。

方达生站在孩子们中间，他凝神望去。他的眼睛逐渐明亮起来，目光坚定……

一盘盘石硪劈空而起，一条条粗大的绳子绷得笔直，连接工人们粗壮的手臂，一下一下，细小的石子粉碎了，土地变得那样坚实。工人们那一张张生机勃勃的黝黑的脸膛朝向太阳，汗珠反射着太阳的光辉。

石硪飞起来，中间的领头的小伙子酣畅地笑着，托着石硪。

领头的小伙子：（唱）往下砸来吧！

咱们弟兄！

石硪砸下来，随着工人们有力地喊着“嗐唷，咱们弟兄！”深深地落在土里。

那高亢、洪亮的声音是一个大生命，浩浩荡荡地向前推，向前进，洋洋溢溢地充满了世界。

1984.2.22二稿

于　沪

后　记

应上海电影制片厂的邀约，我与万方改编《日出》为电影剧本，我想在这里说几句话。

多少年来，《日出》这个剧本，我总以为是一九三五年写的。最近问了巴金同志，才知是一九三六年写的。那年六月在巴金、靳以主编的《文季月刊》上，刊登第一幕。每月一幕，连续刊载了四个月。每到月半，靳以便来信催稿，像写连续小说一样，接到信便日夜赶写。写一幕登一幕，后来居然成为一本整戏。

当时写得很顺畅，不感到如何困难。动笔之前，有一个简略的大纲，心中早已酝酿着几个熟悉的人物。这些人物，在上的横暴荒淫，在下的受尽压榨，许多残酷的事实使我思索，使我愤怒，使我觉得必须打倒这个恶鬼当道的旧社会。我年轻，确实不懂革命的道理。我无能为力，只有写戏暴露它，公之于众，抨击它。我只想砸碎这个腐烂的人间，劳苦人才有出路。

那时，我不明白那种人吃人的社会是半封建、半殖民地的必然产

【题注】据《收获》1984年第3期初刊本排印。署“曹禺”。

物。我只痛苦地感觉到这座箍得人透不出气的人间地狱，必须粉碎。在《日出》剧本的跋中，我引用一句古文“时日曷丧，予及汝偕亡”，我诅咒旧世界，像要嘶喊出血来。我发誓，情愿随这座牢狱的灭亡，自己与之共埋葬，不愿这个暗无天日的世界继续存在。

写《日出》之前，最早从心里发作的话是：“太阳出来了，黑暗留在后面，但是太阳不是我们的，我们要睡了。”“睡”就是长睡不起，这个“我们”，出自陈白露口中，指的是那鬼蜮社会的操纵者和他们的殉葬人。我想，如果有这一天，像太阳升起似的，新的社会出现了，我将是如何狂喜，如何拥抱它，如何珍视它、保卫它！

新中国终于站起来了。人民不再受压迫，人民在搏斗中，取到幸福的现在和将来。这个胜利，是千百万人民在党的领导下战斗得来的，是无数先烈为坚持真理流血牺牲得来的。我爱今天的中国，爱明日的中国，真诚地相信祖国有更光明的前途。

然而过去的苦日子是不能忘记的。认识了，理解了往日惨痛的历史，使我们更有决心为今天的好日子奋发图强，为来日的美好河山战斗不止。

因此，把这个剧本改编成电影，使更多的观众，尤其是青年，看一看过去被践踏的劳苦人民，过着如何求生不能、求死不得的日子，是一件应该做的事。

在改编为电影脚本的过程中，我仿佛又经过一次可憎恨的噩梦。同时，也感到无穷的喜悦，这场噩梦毕竟过去了，永不复返了。

改编使我逐渐回忆起更多、更远的往事。这个电影剧本把当时的社会写得丰富一些了，广阔一些了。舞台，作为表现的工具，无论怎样运用，究竟有一定的限制，不如电影灵活，那样变化万千，可以“呼风唤雨”，可以“撒豆成兵”。电影的天地确是广袤无边的。话剧《日出》有四幕和两个场景紧紧地箍着，在这里面，我挤进许多事与人。如今，变成电影本子，就感到松动多了。从前我在朦胧的意识中想到过却没有地方写进去的，现在可以由我从容地展现出来。自然，任何表现的艺术都有它一定的限制，电影也不例外。它也有它独特的规律与知识，这种基本知识的作用大约就是要“电影化”。

从一个舞台剧本一跃而为电影本并不是原来所想的那样容易。要“电影化”，也有个转化的过程，不是画个圈、就成一张面孔，点个点、就是一个活泼的蝌蚪那样简单。我反复想了多次，突破原来的旧框子，把舞台本的《日出》变为电影本的《日出》，倒是用了一些功夫。

这里要说明的，陈白露这个人物似乎比以前丰满了，占的篇幅多了，其余人物保存下来，又加了两三个角色。有些场面比较热闹，其中必然有各色各样的人物形象，那只好留待电影导演来勾勒、描写，我觉得无须在剧本上啰嗦。再有，就是剧本的夯歌，我改了一句，把原来的“要想吃饭，可得做工”，改为“往下砸啊，咱们弟兄!”当然，还有不少的改动，也可以说不少地方重新写过了。我多少可以肯定的，就是这些新写的戏，仍是根据我当时的生活知识。可见改编工作，也需要充实的生活。

有两个朋友读完了这个电影本子，他们都说它是个新创作，尽管主题未动，但与原来剧本的面目不相同了。他们对我说的话总是真诚的、坦率的、客观的。我也就认为这个本子不是照猫画虎，不是摆弄一点陈旧的玩意儿，冒充新货了。

我仿佛又进了一个天地。这个天地是新的，是亮堂的，是充满阳光的。

图书在版编目（CIP）数据

曹禺全集. 第七卷 / 曹禺著. — 北京 ：北京十月文艺出版社，2023.6
ISBN 978-7-5302-2261-4

Ⅰ. ①曹… Ⅱ. ①曹… Ⅲ. ①曹禺（1910–1996）— 全集 Ⅳ. ①I216.2

中国版本图书馆CIP数据核字（2022）第155337号

曹禺全集 7
CAOYÜ QUANJI 7
曹禺 著

出 版 北京出版集团
北京十月文艺出版社
地 址 北京北三环中路 6 号
邮 编 100120
网 址 www.bph.com.cn
发 行 新经典发行有限公司
电话 010–68423599
经 销 新华书店
印 刷 北京盛通印刷股份有限公司
版 次 2023 年 6 月第 1 版
印 次 2023 年 6 月第 1 次印刷
开 本 700 毫米 × 980 毫米 1/16
印 张 37.75
字 数 417 千字
书 号 ISBN 978-7-5302-2261-4
定 价 116.00 元
如有印装质量问题，由本社负责调换
质量监督电话 010–58572393